A ARMA DA CASA

NADINE GORDIMER

A arma da casa

Tradução
Paulo Henriques Britto

PRÊMIO NOBEL
COMPANHIA DAS LETRAS

Título original
The House Gun

Capa
Silvia Ribeiro

Foto da capa
Regina Stella

Preparação
Paulo Roberto Maturano Santoro

Revisão
Carmen S. da Costa
Ana Maria Alvares
Beatriz de Freitas Moreira

Dados Internacionais de Catalogação na Publicação (CIP)
Câmara Brasileira do Livro, SP, Brasil

Gordimer, Nadine
A arma da casa / Nadine Gordimer ; tradução Paulo Henriques Britto. — São Paulo : Companhia das Letras, 2000.

Título original: The House Gun.
ISBN 85-359-0007-1

1. Romance inglês — Escritores sul-africanos I. Título.

00-1535 CDD-823

Índice para catálogo sistemático:
1. Romances : Literatura sul-africana em inglês 823

[2000]

EDITORA SCHWARCZ LTDA.
Rua Bandeira Paulista 702 cj. 32
04532-002 — São Paulo — SP
Telefone (11) 3846-0801
Fax (11) 3846-0814
e-mail: editora@companhiadasletras.com.br

Para Oriane e Hugo

O crime é o castigo
Amós Oz, Fima

PRIMEIRA PARTE

Aconteceu uma coisa terrível.

Eles acompanham o acontecimento pela televisão, enquanto tomam café após o jantar. É a Bósnia, ou a Somália, ou um terremoto sacudindo uma ilha do Japão como se ela estivesse entre os dentes de um cão apocalíptico, ou qualquer que seja o desastre do momento. Quando toca o interfone, um olha para o outro com uma relutância amistosa; vá você, é a sua vez. Faz parte do contrato de vida em comum. Foi só recentemente que eles tomaram a decisão de trocar a casa por aquele condomínio fechado, com equipe de segurança privada e guarita na entrada, e ainda não estão acostumados com o fato — ou melhor, de vez em quando se esquecem por um momento — de que agora não são mais os latidos de Robbie e a tradicional campainha da porta que os chamam. No condomínio os animais de estimação não são admitidos, mas felizmente eles puderam deixar o cachorro com o filho, que mora num bangalô num jardim.

Ele, ela — sorriso espasmódico, ele se levantou com uma

languidez dirigida a ela e foi até o fone mais próximo. Quem, ela meio que o ouviu dizer, meio que prestando atenção aos comentários que acompanhavam as imagens, Quem. Poderia ser alguém fazendo proselitismo de alguma seita, ou entregando uma multa de trânsito, pessoas sem emprego formal faziam isso, à noite, para ganhar um extra. Ele disse mais alguma coisa que ela não ouviu, ouviu apenas o interfone sendo colocado no gancho.

O que ele disse em seguida foi: Você faz idéia de quem pode ser um tal de Julian? Amigo do Duncan?

Ele, ela — eles não sabiam, nenhum dos dois. Nada de estranho nisso, Duncan, aos vinte e sete anos, tinha seu próprio círculo de amizades, tal como seus pais tinham o deles, e as interseções entre os dois círculos se davam apenas de modo ocasional, quando havia coincidência entre os interesses deles e os que eles haviam inculcado no filho, quando criança.

O que é que ele quer?

Só disse que queria falar conosco.

Os dois ao mesmo tempo foram atingidos por uma voltagem elevada de inquietação. O que há a temer, definido no contexto conhecido de um rapaz de vinte e sete anos nesta cidade — acidente de carro, assalto na rua, assalto violento sofrido em casa. Os dois ficaram parados à porta, enfrentando essas possibilidades, enfrentando os passos que ouviam no caminho da entrada da casa, passando sob as espadas cruzadas das folhas de bananeira-da-rainha, o sinal da segunda campainha, e o rapaz, vindo a mando, ou à procura, de Duncan. Ele entrou olhando para o chão, de modo que os dois não puderam ler seu rosto. Sentou-se sem dizer palavra.

Ele, ela — vez de quem?

Houve algum acidente?

Ela é médica, vê o que as ambulâncias levam à UTI. Se alguma coisa está quebrada, ela sabe avaliar se há conserto possível.

O tal Julian aperta os lábios sobre os dentes e fecha a boca com força, um momento.

Uma espécie de... Não o Duncan, não! Alguém levou um tiro. Ele foi preso. O Duncan.

Os dois se levantam.

Pelo amor de Deus — que história é essa — como é que — preso como, preso por quê —

O mensageiro é atacado, fica quase aborrecido, incapaz de suportar o que tem a dizer. A palavra obscena sai com vergonha. Assassinato.

Tudo pára de repente. O compreensível é um acidente de carro, um assalto na rua, um assalto a casa.

Ele/ela. Ele dá dois ou três passos largos e desliga a televisão. E expira com violência. Enquanto ninguém se movesse, ninguém dissesse nada, a palavra e o ato nela contido não podiam entrar aqui. Agora, com o desligar de um interruptor e uma expiração, um novo calendário é inaugurado. O antigo, o gregoriano, não pode registrar este dia. O dia não existe naquele sistema de computação.

O tal Julian diz agora que um magistrado foi chamado "tarde da noite" (ele dá esse detalhe com todo o seu peso de urgência e gravidade) para formalizar a acusação numa delegacia de polícia, e que o pagamento de fiança foi recusado. Este é o objetivo prático de sua visita: Duncan diz, Duncan diz, a mensagem de Duncan é que não adianta eles irem, não adianta tentar pagar fiança, ele vai a julgamento na manhã de segunda. Já tem advogado.

Ele/ela. Ela anotou a data de hoje em dezenas de receitas para pacientes naquele dia, porém tenta encontrar uma pergunta que evoque alguma resposta àquela pergunta pronunciada pelo mensageiro. Ela exclama.

Que dia é hoje?

Sexta.

Foi numa sexta.

Provavelmente nem ele nem ela jamais tinham entrado num tribunal antes. Durante as quarenta e oito horas de espera do fim de semana, os Lindgard haviam examinado todas as explicações possíveis na impossibilidade de falar com ele, o filho. Era tão absurda a acusação que lhes parecia correto seguir as instruções de Duncan no sentido de não ir visitá-lo; isso sem dúvida indicava que aquela história toda era ridícula, isso, horrorosamente ridícula, uma questão que ele mesmo saberia resolver em pouco tempo, melhor não lhe dar o aval da presença do pai e da mãe numa prisão, acompanhados de um outro advogado, cenas de emoção etc. Foi assim que eles se convenceram a entender a mensagem de Duncan; uma mistura de consideração por eles — não é preciso vocês se envolverem com essa história — e a independência de jovem que lhe fora concedida e afirmada com mútuo consentimento desde sua adolescência.

Porém o desconhecido vem sempre acompanhado do pavor. O pavor era uma droga ministrada a eles dois, e que não vinha da farmacopéia dela; caminhavam tranqüilos pelos corredores do tribunal sem que um tivesse o que dizer ao outro, Harald sempre deixando que Claudia fosse à frente, com a polidez de um desconhecido, quando encontraram a porta certa, então entraram, esgueiraram-se para um dos lados, constrangidos, e sentaram-se num banco.

O cheiro do tribunal era como o de um país estrangeiro para o qual eles tivessem sido deportados. O cheiro das balaustradas de madeira polida e do assoalho encerado. As janelas altas demais, penetradas por holofotes. Os uniformes envergados por homens com a impessoalidade de membros de uma seita, todos permutáveis. A presença próxima de algumas figuras do tipo que fica encarando a gente num banco de praça ou que se deita de bruços num jardim público. A mente tenta fugir do que é obrigada a enfrentar, como faz um pássaro que entrou numa sala, tem que haver uma saída. Harald defrontou-se com a realidade do colégio, tão longínqua que sua lembrança não era mais consciente; aquele cheiro de instituição e a madeira dura sob as nádegas. Até o nome de um professor surgiu de repente; nada no passado poderia ser mais remoto do que aquele presente. Num lampejo de atenção, viu Claudia despertar de sua imobilidade para desligar o bip que a mantinha em contato com o hospital. Ela se deu conta da interrupção e virou-se para interpretar o olhar oblíquo dele: nada. Claudia sorriu aquele sorriso rígido que dirigimos às pessoas que não sabemos com certeza se conhecemos.

Ele emerge de uma escada entre dois policiais. Duncan. É possível? Há que reconhecê-lo numa persona que não pertence a ele, tal como eles o conhecem, sempre o conheceram — e quem seria capaz de identificá-lo melhor? Está de jeans preto e camiseta preta. O tipo de roupa que costuma usar, só que o colarinho de uma camisa social branca emerge da camiseta preta. Os dois reparam nisso; é o detalhe, a submissão formal às convenções de um tribunal, que estabelece o vínculo de realidade entre o rapaz que eles conhecem, *ele*, e aquele outro, conduzido por policiais.

Uma onda de calor envolveu Harald, uma confusão semelhante a ansiedade e raiva, só que não era nenhuma das duas coisas. Uma reação que nunca antes teve oportunidade de ser evocada.

Duncan, sim. Ele olhou para os dois, identificou-se. Claudia sorriu para ele com a cabeça erguida, para que todos vissem. E ele inclinou a cabeça para a mãe. Mas durante o que se seguiu não voltou a olhar para os pais, senão quando seu olhar controlado, quase absorto, percorria a platéia, passando pelos dois jovens negros com as pernas confortavelmente esticadas, o velho branco com a cabeça apoiada nas mãos, e uma família — que talvez tivesse entrado ali a esmo, fazendo hora antes de começar o julgamento de seu interesse — trocando cochichos.

O juiz entrou em cena, todos se puseram em pé, depois voltaram a sentar-se. Ele era alto ou baixo, calvo ou não — não importa, os ombros ajeitaram-se sob a toga volumosa, e, debruçado sobre os papéis que lhe foram entregues, ele fez alguns comentários breves, num tom interrogativo, dirigidos às mesas à sua frente, onde as costas dos que deviam ser o promotor e o advogado de defesa apresentavam-se às galerias. Sob as escadarias enviesadas de luz, policiais entravam e saíam, trocando sussurros rouquenhos, e os trâmites foram concluídos. Duncan Peter Lindgard seria julgado por assassinato. O segundo pedido de fiança foi recusado.

Fim. Porém início. Os pais aproximaram-se da divisória entre as galerias e o tribunal propriamente dito, e ninguém os impediu de se aproximarem do filho. Cada um dos dois o abraçou, enquanto ele olhava para o lado.

Você está precisando de alguma coisa?

Essa não, dizia o jovem advogado, vou agora mesmo requerer contra a recusa, Duncan. Não vou deixar o promotor fazer isso, não se preocupe.

A última frase foi dita para Claudia, a médica, no exato tom de voz que ela usava para tranqüilizar pacientes a respeito de cujo prognóstico ela própria não se sentia muito segura.

O filho tinha um ar impaciente, o olhar arisco de quem preferia que os bem-intencionados fossem embora; uma necessidade urgente de algum compromisso consigo próprio. Aquilo podia ser interpretado como confiança, confiança em sua inocência — é claro; mas também podia ser uma maneira de encobrir o pavor — semelhante ao pavor que eles haviam sentido —, de disfarçar o pavor por orgulho, por não querer associá-lo ao pavor deles. Agora ele era oficialmente acusado, o preto no branco. Afinal, o acusado tem direito a um pavor só seu, é ou não é?

Nada?

Pode deixar que eu cuido de todas as necessidades do Duncan — o advogado apertou o ombro do cliente, sacudiu sua pasta e foi embora.

Bem, se não havia nada, então...

Nada. Nada que eles pudessem perguntar, como *mas afinal o que foi*, o que foi que você fez, que disseram que você fez?

O pai criou coragem: Esse advogado é competente mesmo? A gente podia arranjar outro. Alguém.

É meu amigo.

Eu entro em contato com ele depois, para saber o que foi que aconteceu quando ele falou com o promotor.

O filho vai entender que o pai se refere a dinheiro, estará pronto para servir como fiador para a contingência que, por inacreditável que pareça, surgiu entre eles, dinheiro para fiança.

Ele se vira para ir embora — o prisioneiro, é o que ele é agora — antes mesmo que os policiais lhe dêem ordem, não quer que eles o toquem, tem sua própria vontade, e as mãos da mãe só conseguem roçar nas pontas de seus dedos no momento em que ele se afasta.

Vêem-no ser conduzido escada abaixo, para o que quer que haja sob a sala do tribunal. Quando se preparam para sair da sala B17, percebem que o outro amigo, o mensageiro Julian, estava esse tempo todo atrás deles para mostrar a Duncan sua presença, mas sem querer se intrometer entre os que lhe são mais próximos. Os dois o cumprimentam e saem da sala em sua companhia, mas não falam. Ele se sente culpado de ter se encarregado daquela missão, naquela noite, e se afasta com passo rápido.

Quando o casal se vê no foyer do tribunal, imensa e imponente catedral onde ressoam os sussurros dos suplicantes de outra espécie que lá se reúnem, Claudia de repente se afasta apressada, indo em direção da placa que indica onde ficam os banheiros. Harald espera por ela entre aquelas pessoas pacientes embora angustiadas, sem outra opção senão a de ser pacientes, e ele é uma delas — as esposas, os maridos, os pais, namorados e namoradas, filhos e filhas de falsários, ladrões e assassinos. Ele consulta o relógio. Todo o processo levou exatamente uma hora e sete minutos.

Ela reaparece, e os dois saem do tribunal.

Vamos tomar um café em algum lugar.

Ah... os pacientes estão me esperando lá no hospital.

Que esperem.

Ela não teve tempo de chegar até a privada, e vomitou na pia, mesmo. Não houve aviso prévio; saindo da sala junto com todas aquelas outras pessoas angustiadas, com o mesmo passo ansioso e aparvalhado, de repente ela sentiu suas entranhas se contraírem e se deu conta do que ia acontecer. Não disse nada ao marido, quando voltou, deixando-o imaginar que ela fora ao banheiro pelos motivos normais. Havia uma explicação clínica para o fato de aquele vômito não ter sido precedido por náusea. Uma tensão extrema podia desencadear a contração dos músculos. "Vomitou as tripas": era a expressão que alguns de seus pacientes usavam para descrever o sintoma. Ela, lacônica, sempre registrava a expressão como extraordinariamente imprecisa.

Que esperem.

O que ele queria dizer era que se danem os pacientes, como é que as dores e os sintomas de gravidez daquela gente podiam ser comparados com aquilo? Tudo havia parado naquela noite; tudo agora estava parado. No café, um garçom andrógino de cabelo crespo longo amarrado atrás e bíceps redondos como bolas de tênis cantarolava de prazer, seguindo a música de fundo. No necrotério, o corpo de um homem estava estendido. Pediram um cafezinho (Harald) e um cappuccino (Claudia). O homem que levou um tiro na cabeça, encontrado morto. Por que haveria de ser inesperado o fato de que se tratava de um homem? Não seria já uma maneira de dar crédito à realidade da coisa? Pressupor que o corpo era de mulher, a forma mais comum do ato, o crime passional das páginas sensacionalistas dos jornais de domingo, era aceitar a possibilidade de que a coisa fora cometida, admitida no contexto de uma vida. A *dele*. A violência aleatória das ruas à noite, que eles esperavam encontrar no rosto do mensageiro, era a contingência que caberia ali, juntamente com as outras, eternas, os riscos da doença, das ambições fracassadas, da perda do amor. São esses os riscos a que as pessoas responsáveis por uma existência admitem expô-la. Matar uma mulher por ciúme; deixar que tal possibilidade viesse à mente — vergonhosamente, aceitando a banalidade dos jornais — era admitir que a própria natureza de tais atos podia ultrapassar os limites prescritos do contexto daquela existência.

Continuamos na estaca zero.

Ela não respondeu. Suas sobrancelhas levantaram-se quando ela estendeu a mão para pegar os pacotes de açúcar. A mão tremia um pouco, discretamente, em conseqüência da violenta convulsão que pouco antes lhe sacudira o corpo. Se ele percebeu, preferiu não comentar nada.

Agora compreendiam o que antes esperavam *dele*: indignação por aquela — coisa —, aquela acusação absurda que lhe fora feita. Por se ver entre dois policiais diante de um juiz. Esperavam que ele explodisse quando visse os dois — era o que eles estavam preparados para ver, e lhes dissesse — o quê? O que lhe fosse possível dizer dentro das restrições daquela sala com policiais entrando e saindo e escrivães rabiscando e espectadores assistindo das galerias. Que era uma loucura ele estar ali, que eles tinham de tirá-lo de lá imediatamente, importunar os funcionários, protestar — o quê? Falar com eles. Falar com eles. Dar-lhes alguma explicação. Como podiam eles imaginar que aquela situação fosse possível?

É meu amigo.

O advogado era seu amigo. E só. E depois deu as costas, descendo a escada com um policial de cada lado. Agora, no momento em que Harald esticava a perna para pegar moedas no bolso, *ele* estava confinado num lugar que eles jamais tinham visto, uma cela. O corpo de um homem estava no necrotério. Harald deixou uma gorjeta para o rapaz que cantarolava. Os pequenos rituais da vida são uma névoa confusa de continuidade a passar por cima do que parou.

Vou dar um jeito de descobrir tudo ainda hoje.

Seguiam em direção ao carro atravessando o contínuo da cidade, ora separando-se, ora aproximando-se, dependendo dos estreitamentos e alargamentos da calçada e das outras pessoas que cuidavam de suas próprias vidas, os vendedores que exibiam pequenas pirâmides de legumes, goma de mascar, óculos escuros e roupas de segunda mão, os fogões a gás em que se fritavam lingüiças em forma de vísceras humanas.

À tarde não dava mais para deixá-los esperando. Era o dia da semana em que ela trabalhava num hospital público. Médicos como ela, que possuíam clínica particular, tinham de ajudar a atender as necessidades do povo nos bairros da cidade e nos subúrbios outrora chiques e brancos, onde em anos recentes a população aumentara e se diversificara muito. Ela cumpria sua obrigação regularmente; e agora sua consciência cívica conseguiu impor-se ao que havia parado dentro dela; foi ao hospital em vez de ir com Harald ter com o advogado. Seria também para convencer-se a si própria de que o que havia acontecido não podia ser? Aquele dia não era apropriado para auto-análises; o jeito era seguir a lista das consultas marcadas. Vestiu o jaleco branco (ela é uma funcionária, tal como o juiz com sua toga) e adentrou o ambiente institucional que lhe era tão familiar, o esterilizador fumegante com sua bateria de instrumentos precisos para todas as tarefas, o balé eficiente da jovem enfermeira-chefe com seu boné de boneca, branco e engomado, preso no cabelo rastafári. Alguns dos pacientes não conheciam as palavras inglesas necessárias para exprimir suas sensações internas. A enfermeira traduzia quando necessário, passando com facilidade de uma língua nativa para a outra que tinha em comum com os pacientes, e depois vertendo-lhes as respostas.

Diante da médica fez-se o desfile de carne humana de sempre. Era o meio em que ela trabalhava, as coxas negras abundantes abrindo-se com relutância (a enfermeira zombava das mulheres: ô minha mãe, a doutora é mulher que nem a senhora), as mamas cobertas de pêlos brancos dos velhos sendo auscultados. Suas mãos deslizavam pelos ventres tenros dos bebês; lágrimas terríveis de reprovação brotavam de seus olhos quando ela era obrigada a cravar uma agulha naqueles braços macios onde ainda não haviam se desenvolvido músculos. Ela executava tais procedimentos usando sempre toda a sua perícia para evitar a dor.

Não é esse o objetivo?

Já basta a dor que vem de dentro; esta mulher com um tumor crescendo no pescoço, que seus dedos experimentados identificam sem sombra de dúvida, e depois os aposentados de sempre, avariados pela artrite.

Mas a dor que vem de fora — a violação da carne, uma criança queimada por uma chaleira de água fervente que virou, ou uma faca cravada na carne. Uma bala. Essa perfuração da carne, a força, ímpeto da bala a penetrá-la a fundo, liga de ferro que quebra osso como se fosse uma xícara de louça — ela não é cirurgiã, mas nesta cidade violenta ela já viu essas pepitas serem procuradas e arrancadas em mesas de operação, elas conservam a forma aerodinâmica da própria velocidade, não há nada no corpo humano capaz de resistir a uma bala, de sequer amassá-la —, os que sobrevivem relembram a dor cada um a seu modo, porém num ponto todos estão de acordo: uma invasão. A dor que é produto do próprio organismo; suas disfunções fazem parte do eu: de algum modo, um mistério que a ciência médica não consegue explicar, o eu é responsável. Mas isto — a bala: pura invasão de dor.

O objetivo da vida do médico é proteger o organismo da violência da dor. Ela se situa no lado oposto da fronteira que a separa dos que causam dor. A fronteira fundamental, entre morte e vida.

Esse corpo cujo interior ela está explorando com uma mão protegida por uma luva de plástico, como mão de adivinho que instintivamente encontra uma fonte de água oculta, contém um feto, um feto de três meses de vida.

Falando sério. Das outras vezes nunca me senti tão mal. Toda manhã, vomito feito cachorro.

Vomitar as tripas.

Será que isso quer dizer que é menino, doutora? A paciente fala com aquele tom coquete que muitas mulheres adotam diante do médico, o consultório é o palco em que têm uma rara oportunidade de representar um pouco. Ag, meu marido, vai ficar bobo de felicidade. Mas eu falo para ele, se dessa vez não sai, você eu não sei não, mas eu desisto.

A médica ri com a paciente, por cortesia.

Se a senhora quiser, podemos fazer um exame simples, para saber o sexo.

Ah, não, é a vontade de Deus.

Depois, a sucessão dos problemas cardíacos e as infecções dos brônquios de sempre. A vida segue em frente, aos trancos e barrancos, impelida por pulmões gastos de velhos, e pulsa sutilmente entre as costelas de um menino magricela. Esta semana, como todas as vezes, em alguns dos pacientes os olhos estão estreitados pelo abundante tecido adiposo de seus rostos, enquanto outros continuam apresentando as infecções de pele características da desnutrição. Ou comem demais ou não têm o que comer. É relativamente fácil passar receitas para os primeiros, porque já trazem dentro de si o remédio. Para os outros, o que é receitado lhes é negado por circunstâncias que eles não controlam. Verduras e frutas frescas — esses remédios são um luxo que eles não podem se dar; vieram ao hospital para obter um frasco de pílulas. A médica sabe disso, mas já tem um estoque de folhetos detalhando dietas que incluem pratos feitos com feijões e favas, para substituir os alimentos que elas deveriam poder comer. Ela entrega uma dessas folhas, com um gesto de estímulo, a uma mulher que veio trazer as duas netas para serem examinadas. As pernas das meninas, marcadas e cinzentas, estão nuas, mas apesar do calor elas usam boinas de lã espessa para cobrir as feridas nas cabeças, enfiadas até a altura das sobrancelhas. A mulher não precisa da enfermeira para atuar como intérprete, ela lê a folha lentamente, esticando bem o braço, como as pessoas que já estão ficando com vista cansada. Dobra-a cuidadosamente. Conduz as crianças até a porta. Agradece à médica. Não sei como é que vai ser. Pode ser que eu consiga comprar algumas dessas coisas. O pai continua na cadeia. Meu filho.

Registro de entrada. Indiciação. Harald impôs-se um distanciamento de atenção fria para separar os fatos das interpretações dos fatos. Circunstâncias: naquele dia, naquela noite, sexta-feira, 19 de janeiro de 1996, um homem foi encontrado morto na casa que ele dividia com dois outros. David Baker e Nkululeko Dladla, vulgo "Khulu", chegaram em casa às sete e quinze da noite e encontraram o corpo de seu amigo Carl Jespersen na sala. Tinha na cabeça uma ferida de bala. Estava parcialmente sentado no sofá, como se (interpretação) tivesse sido apanhado de surpresa na hora do tiro e tivesse tentado se levantar. Calçava sandálias de dedo, uma das quais pendurada do pé, fora do lugar, e por baixo do roupão de atoalhado estava nu. Havia copos sobre um tambor africano ao lado do sofá. Num deles havia restos do que parecia ser um drinque conhecido como bloody mary — sobre a televisão foram encontradas uma lata vazia de suco de tomate e uma garrafa de vodca. Os outros copos aparentemente não tinham sido usados; havia uma garrafa fechada de uísque e um balde de gelo semiderretido numa bandeja no chão, ao lado do tambor. (Fatos misturados com interpretações.) Não havia no recinto uma desordem incomum; é o clima informal de uma típica residência de jovens solteiros. (Fato combinado com interpretação.) A sala estava escura, sendo a única luz o pontinho vermelho do aparelho de CD, que havia chegado ao final de um disco e não fora desligado. A porta da frente estava trancada, mas as portas de vidro que davam para o jardim estavam abertas, como seria comum ficarem no verão, mesmo depois de escurecer.

No jardim fica um bangalô. Nele mora Duncan Lindgard, amigo do homem morto e dos dois outros que descobriram o cadáver, os quais correram a sua procura após a descoberta. O cachorro de Lindgard estava dormindo à porta do bangalô, e parecia não haver ninguém em casa. A polícia chegou cerca de vinte minutos depois. Um homem, assistente de encanador, Petrus Ntuli, que trabalhava no jardim em troca do direito de morar numa cabana na mesma propriedade, foi interrogado e disse ter visto Lindgard aparecer na varanda da casa e deixar alguma coisa cair no chão enquanto atravessava o jardim em direção ao bangalô. Ntuli pensou em pegar o objeto para Lindgard, mas não conseguiu encontrá-lo. Chamou Lindgard, mas ele já havia entrado no bangalô. Ntuli não tinha relógio. Não sabia que horas seriam, mas o sol já havia se posto. A polícia deu uma busca no jardim e encontrou uma arma em meio a umas samambaias. Baker e Dladla imediatamente a identificaram como a arma que era guardada na casa para protegê-la de ladrões; os dois não conseguiram lembrar em nome de quem fora tirada a licença. Os policiais foram ao bangalô. Bateram à porta e ninguém veio abrir, mas Ntuli insistiu que Lindgard estava lá dentro. Então os policiais forçaram entrada pela porta da cozinha e encontraram Lindgard no quarto. Parecia aparvalhado. Disse que havia dormido. Quando lhe perguntaram se ele sabia que seu amigo Carl Jespersen fora atacado, ele ficou lívido (interpretação) e perguntou: Morreu?

Em seguida, protestou contra a invasão de seu bangalô e insistiu para que lhe permitissem dar vários telefonemas, um deles para seu advogado. O advogado, evidentemente, aconselhou-o a não resistir à ordem de prisão e foi ter com ele na delegacia, onde o exame das impressões digitais não foi conclusivo porque as samambaias tinham sido regadas recentemente e as impressões que havia na arma tinham sido quase apagadas pela lama.

Isto não é uma história de detetive.

Harald tem de acreditar que a modalidade de eventos representada por esse gênero é a realidade.

É essa a seqüência de eventos por meio da qual se chega a uma acusação de assassinato. Quando ele conta a Claudia o que lhe foi dito pelo advogado, ela movimenta a cabeça de um lado para o outro a cada etapa de seu relatório, sem interrompê-lo. Harald tem a impressão de que a mulher está esperando que ele termine, mas, quando por fim diz tudo o que tem a dizer, ela não faz nenhuma pergunta. Aquele silêncio o faz entender que ele não disse nada, não lhe trouxe nada que pudesse funcionar como uma explicação. Duncan saiu da casa do tal homem e largou algo no jardim a caminho de seu bangalô. Uma arma foi encontrada. Duncan disse que estava dormindo e não ouviu nem seus amigos nem a polícia quando bateram à porta. Nada disso diz nada, não fornece qualquer explicação que acrescente algo ao confronto ocorrido no tribunal. Duncan abraçando-a rapidamente, virando o rosto para o outro lado. Respondendo que não precisava de nada. Harald compreende, graças à presença de Claudia, que o que ele relatou, para si próprio e para ela, é mesmo uma história de detetive sem pé nem cabeça.

O pedido de fiança, encaminhado pelo advogado amigo, tão confiante, fora mais uma vez negado.

Mas por quê? Por quê? Tudo o que ela consegue encontrar como explicação é a idéia, aceita sem questionamento, de que uma pessoa capaz de cometer outro crime não pode ser solta sob fiança. Duncan, uma ameaça à sociedade? Meu deus, por quê?

O promotor enfiou na cabeça que ele poderia desaparecer — fugir.

Do país?

Agora eles entraram para a classe de pessoas que escapam do castigo porque têm dinheiro suficiente para pagar fiança e fugir. Harald não sabia se ela compreendia o que essa recusa implicava, com relação a Duncan e a eles próprios.

De onde vem a idéia?

A moça foi chamada para depor, parece que disse que ele andava ameaçando aceitar um emprego que lhe fora oferecido numa firma em Cingapura. Não sei — parece que para fugir dela. Uma coisa que ela deixou escapar, talvez de propósito. Sabe-se lá como andavam as coisas entre eles.

Se Claudia está insatisfeita com o pouco que Harald conseguiu obter como explicação, será que ela poderia ter se saído melhor? Que tente, então.

O prisioneiro que aguarda julgamento tem direito de receber visitas. É a vez dela: eu queria falar com o tal de Julian, antes de irmos lá.

Harald sabe que eles dois sentem uma repulsa irracional por qualquer aproximação com aquele rapaz: não matem o mensageiro, a ameaça está na mensagem.

Claudia não é a única mulher que tem um filho na cadeia. Naquela tarde ela se deu conta desse fato. Ela não é mais a pessoa que dá aos outros conforto e placebos para aplacar seu sofrimento, a partir de uma posição de segurança, intocável, como membro de uma outra classe. E não é só a lei que impôs essa forma de igualdade; trata-se de uma coisa muito diferente. Também não há nisso nenhum sentimentalismo, motivo pelo qual ela não comenta o assunto com ninguém, nem mesmo com o pai do rapaz que está preso; não quer que a entendam mal.

Claudia telefonou para o advogado para conseguir o telefone do mensageiro que passou pelos seguranças do condomínio fechado para ir falar com eles, à hora do café após o jantar. Ela insistia, Harald ouvia-a dizendo ao mensageiro, que ele tinha que visitá-los de novo naquela noite. Não, amanhã não. Hoje.

Dessa vez, quando abriu a porta para o mensageiro, Harald ofereceu-lhe a mão: Julian Verster. Claudia havia anotado o nome.

Como ele os veria? O evento não tinha precedentes a serem seguidos; uma reunião social, uma inquisição, um apelo — que espécie de hospitalidade é essa, que preparações significativas seriam apropriadas, tal como o chá ou as bebidas; os cinzeiros e a colocação de uma poltrona confortável indicam a natureza de outras ocasiões. Na sala, todas as coisas estavam em seus lugares costumeiros; esse fato em si era impróprio, até mesmo bizarro.

A atitude dos dois em relação a ele havia mudado, por força da necessidade. Viam naquele rapaz a possibilidade de encontrar respostas; talvez até sua aparência lhes revelasse algo do contexto em que era possível acontecer a coisa que havia acontecido. Todo mundo usa o uniforme do modo como se vê ou do modo como se disfarça. Tênis de corrida, volumosos e enfeitados, lingüetas altas e solas grossas, como os que hoje em dia são usados por ministros do governo e balconistas de lojas e estudantes, até mesmo pelo próprio Harald, nas horas de folga; pele esburacada nas faces, as marcas tribais da acne da adolescência, olhos castanhos bem espaçados, escurecidos por sobrancelhas pesadas que contradizem de modo autoritário as incertezas de uma boca que se mexe, assumindo e reassumindo formas, antes de ele falar. Um rosto que parece indicar uma personalidade subserviente e leal: um membro ideal de uma turma. No mundo dos negócios, Harald está acostumado a observar detalhes desse tipo quando se reúne com possíveis sócios.

— Desculpe se atrapalhamos os seus planos para hoje desse jeito, mas quando você veio daquela vez nós estávamos completamente... quer dizer... a gente não conseguiu dizer quase nada. Foi difícil assimilar qualquer informação. Como amigo de Duncan, você também deve ter sentido uma coisa parecida — deve ter sido difícil para você nos procurar. Nós sabemos disso. —

O rapaz reconhece, curvando os lábios para baixo de modo compreensivo, que é como ela está, por sua vez, estendendo-lhe a mão.

— Eu me senti péssimo — por me sair tão mal — eu não sabia como fazer a coisa. Péssimo. E ele me pediu, ele me encarregou. —

Agora formavam um círculo estreito. Claudia estava virada para ele, sentada no sofá a seu lado, e Harald aproximou a cadeira, para falar.

— Por que foi que ele não ligou para nós ele mesmo? —

Mas era um julgamento mais que uma pergunta.

— Ah, Harald... é óbvio. —

— Ele estava terrivelmente chocado, vocês não podem imaginar. —

— Foi na delegacia? —

— Não, na casa, ele ligou para o meu celular e eu dei meia-volta ali mesmo, na rua... Ele ainda estava com a polícia na casa, no bangalô. —

Os joelhos e mãos de Claudia estavam perfeitamente alinhados, colados, as mãos sobre os joelhos. — Você foi até a casa. —

— Fui. Eu vi. Eu não conseguia acreditar. —

Para eles, o que foi visto é o homem no necrotério (Claudia conhece o procedimento da autópsia; o corpo pode ser conservado por dias antes de a coisa ser feita). Mas — ali, no seu rosto — para Julian Verster o que foi visto foi seu amigo, tal como Duncan é seu amigo. A consciência desse fato lhes permite começar a dizer o que querem dele. Como se com base num acordo tácito, nenhum dos dois tem mais direito que o outro, passam a questioná-lo de modo alternado; encontraram uma fórmula, ao menos uma espécie de estrutura que elaboraram na falta de qualquer precedente.

— Será que você podia nos dar uma idéia de como é que o Duncan pode ter se envolvido nessa história, como — sei lá — a posição dele como uma espécie de inquilino, as relações dele com os homens da casa — esses amigos — podem ter levado às provas *circunstanciais* que parece haver contra ele? Eu estive com o advogado hoje. Você faz parte desse grupo de amigos, não é? Nós na verdade não conhecemos nenhum deles... —

Claudia virou-se para Harald, mas baixando os olhos para esta curta intervenção. — Quer dizer, conhecemos a garota, a namorada dele, ele a trouxe aqui uma ou duas vezes. Mas ao que parece ela não estava lá na sexta. Ela não foi mencionada. —

— Será que você podia nos dizer alguma coisa sobre esses amigos, eles mais ou menos dividem a propriedade, pelo visto se dão muito bem para resolver morar assim, com tanta intimidade — como é que o Duncan pode ter sido acusado de uma coisa horrível como essa? Você tem que entender que nós sempre vivemos, eu e minha mulher, nós e nosso filho, como três adultos independentes, nós somos muito próximos mas também não temos conhecimento de tudo o que ele faz. Relacionamentos diferentes. Nós temos o nosso com ele, ele tem os dele com outras pessoas. Sempre deu certo. Mas quando uma coisa como essa desaba na cabeça da gente de uma hora para outra — nós compreendemos o que esse... respeito mútuo, imagino eu, pode significar. Quer dizer, que nós não sabemos as coisas que era preciso saber. Quem era esse homem? Qual a relação que havia entre ele e Duncan? Você deve saber! Nós não podemos procurar o Duncan amanhã e perguntar a ele, não é mesmo? Num parlatório de prisão? Com a presença de carcereiros, sei lá... —

— Nós somos amigos há muito tempo, bem, o Dave pelo menos é, ele estudou arquitetura com o Duncan, e eu também — eu trabalho na mesma firma que o Duncan. Mas eu não fui morar com eles quando eles alugaram a casa e o bangalô. O Khulu é jornalista, acho que o Duncan foi quem o conheceu primeiro, quando o Khulu quis se mudar para a cidade vindo de Tembisa. O Carl, Carl Jespersen (é difícil falar, ou ouvir falar, num tom normal de quem dá informação, de um homem que está no necrotério) — o Jespersen veio para cá acho que há uns dois anos, com uma equipe de filmagem dinamarquesa — ou talvez norueguesa — e acabou ficando. Ele trabalha — estava trabalhando numa agência de publicidade. Os três alugaram a casa principal e Duncan ficou com o bangalô. Mas eles todos administram a casa juntos. Quer dizer, eu vou muito lá, a casa está sempre aberta, às vezes é muito divertido. —

Ele tem inibições a vencer; sua lealdade, a valiosa confidencialidade conferida a um mensageiro pelo privilégio de ser amigo de alguém que ele admira ou que é, talvez, mais respeitado no trabalho do que ele. O que está vindo à tona é um aparte: a natureza de seu relacionamento com Duncan. É difícil conter a impaciência.

— Quer dizer que todos se davam muito bem. Que você saiba, não havia tensões mais sérias? Porque teriam que ser muito sérias para que a gente possa acreditar que o Duncan, *Duncan*...! Apesar da arma, do que o jardineiro disse! Não haverá uma outra pessoa que realmente achasse que tinha motivo para atacar o Jespersen? Por que o Duncan? Alguma pessoa que você conheça? —

A linha de raciocínio de Harald atravessou a de Claudia.

— Onde estava a moça? Na sexta-feira? Os dois terminaram, ela e Duncan não estavam mais transando? —

O rapaz é obrigado a fazer os ajustes necessários para se comunicar com um pai que não requer o eufemismo "namorada" como adequado a uma conversa com pais.

— Eles ainda estão juntos. É claro, vocês entendem — ela estava lá. Na véspera, na noite de quinta. Todos nós jantamos na casa. O Carl e o David cozinharam. —

Não havia mais nada a dizer? Nada a extrair dele? Ele é o mensageiro, ele só sabe o texto que lhe foi confiado.

Claudia deixa cair os braços, mexe os dedos. — Por favor, conte para nós. —

Harald põe-se de pé.

O rapaz olhou para um, depois para o outro, como se pedindo piedade, e depois começou, da única maneira que lhe parecia possível, no tom seco e esvaziado de quem relata as circunstâncias de um acidente de trânsito em que ninguém ficou ferido: o tom de naturalidade que protege a emoção encurralada.

— Ano passado, em junho, o Carl arranjou um emprego para ela na agência publicitária, e começaram os dois a ir ao trabalho juntos, no carro dela, todo dia. Ou então às vezes no dele. Não sei direito. E aí às vezes eles almoçavam juntos também. Mas tudo bem. —

— O que você quer dizer com isso? — Harald olha para ele, do alto.

— O Duncan não se incomodava. Não tinha por que se preocupar. —

— Não se incomodava por a mulher dele passar o dia inteiro com outro homem?

— Mas o Carl tinha um caso com o David. Os três da casa são gays, o Khulu também. Os gays têm muita amizade com as mulheres, e não ameaçam os homens delas, o senhor sabe, é claro. O Carl, o Duncan e a Natalie são muito amigos. Quer dizer, tem uma amizade especial entre eles, no grupo da casa. Tinha. —

— Sei. —

Mas Harald, embora cônscio de que se trata de uma reação de um homem heterossexual, não entende como é que Duncan poderia não se importar de saber que sua mulher passava o dia com outro homem, independentemente das preferências sexuais desse homem. Aquela resposta monossilábica traz de volta, para ele e Claudia, aquele pavor, o pavor que veio com a primeira mensagem, naquela noite, naquela noite de sexta.

— Por favor, conte para nós. —

É como um bordão fúnebre que Claudia repete.

— Na quinta ficamos todos na casa até tarde. Havia mais gente também, uns amigos do Khulu. Quando fomos embora, e o Khulu saiu com a turma dele, fui com o Duncan para o bangalô. A Natalie se ofereceu para lavar os pratos com o Carl, o David tinha bebido demais e foi se deitar. Mas parece que depois que a cozinha foi arrumada a Natalie não voltou para o bangalô. Duncan acordou por volta das duas da manhã e viu que ela não estava ali com ele. Ficou com medo de que alguma coisa tivesse acontecido com ela quando atravessava o jardim no escuro, e foi até a casa. É. O Carl estava fazendo amor com ela na sala. Na sexta, o Duncan não apareceu no trabalho e me telefonou, lá para o escritório. Ele me contou. Disse que encontrou os dois no sofá — aquele sofá. Não sei o que dizer. Não foi a primeira vez que a Natalie aprontou alguma com outra pessoa — eu sei, todos nós sabíamos, de pelo menos um caso. É o jeito dela, mas acho que ela gosta mesmo é dele — do Duncan. À maneira dela. E ele — ele é completamente fiel a ela, completamente possessivo, as outras mulheres não existem para o Duncan. Recriminações, lágrimas — as coisas de sempre — e depois ela volta para ele. Mas dessa vez — o Carl. Um homem que não gosta de mulher, mas vai com ela. Falando da maneira mais crua possível. Ele abre uma exceção para a Natalie, deixa o companheiro dele dormindo no quarto e faz amor com a Natalie naquele sofá. O Duncan estava... nem sei como dizer, num estado terrível. Ela não quis voltar para o bangalô, acho que estava com medo dele. Saiu. Pegou o carro e saiu no meio da noite, e não voltou na sexta. Ela não estava lá. Quando aconteceu o que aconteceu. Mas é só isso que eu sei, e não estou dizendo que o Duncan fez o que dizem que ele fez, não estou dizendo nada, não quero que vocês pensem que o que eu lhes contei é conclusivo, eu não estava lá, não vi nada, embora eu conheça bem o Duncan, o seu filho, não sei o que se passou dentro dele... —

Agora os três estão de pé, é como se mais uma vez uma coisa para a qual não há preparação estivesse prestes a acontecer, a pressão atmosférica naquela casa em que Duncan entra — o outro homem sozinho no sofá tomando um bloody mary — é produzida por eles, os domina, tal como a ansiedade provoca sudação no corpo. Mas não se pode admiti-la; é preciso transformá-la em algo compreensível, que possa ser controlado. O mensageiro está prestes a preparar-se para ir embora: já deu o seu recado. Não suporta, não agüenta mais, a necessidade daqueles dois.

— Não vá — apela Claudia, embora ele não tenha esboçado nenhum movimento. Assim, a coisa é aceita; tudo o que ia acontecer era que ele ia embora. Claudia abre as mãos num gesto voltado para o lugar onde estavam sentados, e senta-se outra vez.

A fim de segurá-lo ali, começam a discutir questões práticas. A possibilidade de mais um pedido de fiança, quando chegar a hora da primeira audiência; as condições de detenção de um prisioneiro que aguarda o julgamento. Há muitas coisas, ele sabe e eles sabem, que os dois poderiam continuar a perguntar e que ele poderia contar a respeito daquela casa e daquele sofá, e do bangalô, e da vida do filho deles lá, mas o jovem está visivelmente dividido entre o que é — eles percebem — uma obrigação para com os dois, os pais, e uma violação dos códigos da amizade. O máximo que podem fazer para aproximar-se do assunto é perguntar se ultimamente Duncan parecia mais tenso do que o normal, talvez no trabalho (que não é um contexto de intimidade). Essa tensão se manifestava lá? É tudo o que Harald consegue fazer na tentativa de entender uma possível angústia que atormentasse Duncan, lá no bangalô.

— O Duncan é uma pessoa forte. —

Talvez Harald se contentasse com aquele comentário, mas Claudia afastou sua cabeça dos dois homens, num movimento súbito. — Você trabalha no mesmo escritório que ele, você quer dizer simplesmente que ele esconde os sentimentos, as emoções? Até mesmo de você? Ele ligou para você, telefonou para você, na sexta. —

— Quando a gente está a fim de conversar sobre alguma

coisa, a gente conversa; se um dos dois não quer, a gente não conversa. A coisa fica por isso mesmo. —

— Ele sempre foi uma pessoa reservada. Teria sido melhor, talvez, se ele tivesse conversado antes. —

— Uma pessoa reservada? Como é que você pode dizer isso, Harald — ele sempre foi afetuoso, aberto —, você também não queria que ele conversasse com você sobre a vida amorosa dele, não é? —

Estavam falando sobre o filho, o amigo de Julian Verster, como se ele estivesse morto. Estar na cadeia é estar morto em relação à consciência do mundo exterior, é existir lá apenas no pretérito. Um silêncio horrorizado interrompeu-os. Harald dirigiu a Claudia o olhar que, na linguagem compartilhada por eles, significava que eles deviam oferecer ao rapaz alguma coisa para beber. Ela parecia não entender, parecia inatingível. Harald pegou copos e garrafas, latas de soda e sucos de fruta, o hábito costumeiro da hospitalidade. Os copos cheios davam-lhes algo a fazer com as mãos; quando não conseguiam falar, engoliam.

— Que eu me lembre, ele nunca bebeu uísque. — Os dois entenderam o raciocínio de Claudia: a garrafa de uísque, o copo vazio, o balde de gelo ao lado do tal sofá.

Antes de Julian Verster sair, era perfeitamente cabível perguntar-lhe se, como amigo (sem dúvida íntimo) de Duncan, ele não poderia sugerir algo para que eles levassem a Duncan quando fossem visitá-lo no dia seguinte.

Nada, é claro. Nada.

Insone, na cama, em sua cabeça encena-se o que pode acontecer. Em vez das paisagens dos sonhos, a escuridão forma a cadeia, as grades de ferro, as chaves (talvez agora a segurança seja eletronicamente controlada, como os olhos verdes ou vermelhos que permitem ou proíbem a entrada ou saída nos bancos). Nunca tinham ido a um tribunal antes, e certamente nunca entraram numa prisão. A estrutura provém da perspectiva que se estreita dos corredores em cenas de filmes para televisão, olhos-mágicos, fundo sonoro de ecos pesados, pois de todos os sons suaves da vida cotidiana — a conversação dos pássaros, as pessoas, os carros — só restam os gritos e o estrépito das botas chocando-se com pisos de concreto. Os homens que usam as botas não precisam ser imaginados; já foram vistos na sala B17; jovens com rostos de ar livre, imóveis, numa inatenção impassível, com a expressão de quem está agradavelmente imerso na contemplação de sua vida pessoal enquanto se decidem questões de crime e castigo. A cela — mas os visitantes não conhecem as celas, haverá um parlatório, as celas serão semelhantes ao lugar para onde o prisioneiro desceu debaixo da sala de tribunal: um lugar desconhecido. Não há privacidade mais inviolável que a do prisioneiro. Visualizar a cela em que ele está pensando, apreender o que só ele sabe: isso é uma lacuna na escuridão.

Você também não consegue dormir.

Ao lado dela, ele não responde. Mas Claudia sabe, com base na respiração dele — a qual não está seguindo o ritmo habitual —, que Harald não está dormindo. No escuro, ele está concentrado demais para responder. Só isso. Também ele tem uma privacidade inviolável: está rezando. Harald é o que se chama um leitor inveterado, ou seja, uma pessoa que vive à procura de algo que recebe a denominação ambiciosa de verdade; esses dois conceitos condicionais ele seria o primeiro a reconhecer, com um sorriso. Harald já tentou, ao longo dos anos, usando as diferentes formulações que conseguiu encontrar, explicar para ela o que é rezar de uma maneira que seja compreensível para uma pessoa desprovida de fé religiosa, e a melhor fórmula que encontrou foi a de Simone Weil, que definiu a prece como uma forma intensificada de concentração inteligente. Quando ela questionou a qualificação "inteligente" — e que concentração não é inteligente? — ele respondeu-lhe que há a possibilidade de uma concentração atoleimada em algo trivial, que não implica inteligência no sentido religioso e filosófico. A prece como forma de concentração inteligente é secularizada de um modo que Claudia tem que aceitar. Ela o faz separando a concentração inteligente da coisa ou ser a que se dirige a concentração; não se trata, pois, de comunicação com um suposto Deus, mas de um modo intensificado de comunicar-se com si próprio, apelar para os recursos de que se dispõe a fim de encontrar uma solução para os medos, fracassos e sofrimentos.

Harald está rezando. Sua prece intromete-se na encenação do que vai acontecer amanhã. Claudia permanece imóvel no escuro a seu lado. O que é que ele está pedindo? Que o filho deles não tenha feito o que é acusado de ter feito? Se Harald precisa rezar por isso, isso quer dizer que ele acredita no que é incapaz de dizer, que seu filho matou um homem?

Levantaram-se mais cedo do que costumavam fazer nos dias de trabalho normais. Tinham de matar tempo antes de chegar a hora das visitas na prisão. Ficaram trocando páginas do jornal um com o outro, lendo a respeito da continuação das crises cujos episódios anteriores eles estavam assistindo pela televisão na hora em que chegou o mensageiro. Para ele, a foto de uma criança agarrada ao corpo da mãe morta e a notícia sobre uma noite de bombardeios em que pessoas anônimas foram obrigadas a correr em busca de abrigo atrás de paredes quebradas e em porões semidestruídos de repente tornavam-se parte de sua própria vida, que já não se dava fora, e sim dentro dos parâmetros da catástrofe. Aquelas notícias eram suas. Para ela, esses eventos tornaram-se mais remotos, mais ainda do que pela distância, mais ainda do que pela relevância para a sua vida, por conta da mensagem que os interrompera: uma catástrofe pessoal implica o isolamento em relação ao resto do mundo.

Ele foi caminhar no pequeno jardim cercado e bem cuidado que fazia parte do paisagismo do condomínio; com poucos passos percorreu, ida e volta, a alameda sob as bananeiras-da-rainha, com sua pavimentação complexa. Não tinha para onde ir. Dali onde ele estava, o ângulo do sol atingia as pétalas laranja-chama e azul das flores, que pareciam pássaros empoleirados nas árvores. Ela, na cozinha, ocupava-se com alguma atividade. Quando chegou a hora de sair, tinha nas mãos uma vasilha plástica coberta com papel laminado, que ela colocou no chão do carro à frente do banco do passageiro. Enquanto ele dirigia, ela segurava a vasilha entre os pés calçados com sandálias.

Acho que eles vão me deixar entregar isso.

Ele fez um gesto de incerteza com a cabeça. Talvez por ainda estar aguardando o julgamento.

É só salada e queijo.

Claro. As mulheres, e só as mulheres, têm esse tipo de recurso. Elas conhecem maneiras de amenizar. Num nível subliminar, ele percebeu em si a presença de ternura e desdém, não por ela, mas por todas elas, coitadas; invejáveis.

No lugar, a prisão, para o qual iam inevitavelmente, foram recebidos com aquela espécie de cortesia que é ensinada nos treinamentos de relações públicas para uma nova força policial, com o fim de obliterar a tradição de autoridade racista e brutal do passado. Seja como for, o oficial que os recebe é um africânder, um homem de meia-idade que certamente terá filhos adultos, os problemas de um pai, sentimentos de família etc., os quais ele imaginará ter em comum com um casal branco. Tudo bem, diz ele, indicando a comida. — Mas não se preocupem, ele está bem alimentado, não falta nada. E podem pegar as roupas sujas dele, e tudo o mais, nê. —

A prisão é um lugar normal. Isso é o que eles não sabem; o oficial tem computador e vários tipos de telefones, fixos e celulares, na sua sala, e há uma cesta com flores envolta por fitas de plástico, sem dúvida vestígios de algum aniversário ou outra comemoração qualquer. Os corredores cheios de ecos imaginados na escuridão da noite de fato existem, mas por lá eles não vão passar; as nádegas fortes de um jovem policial negro os guiam até uma sala ali perto. É apropriado que não haja nada que a distinga das outras; se há, eles não vêem. É o espaço, separado de tudo o que é reconhecível na vida, onde se sentam em duas cadeiras diante de uma mesa, do outro lado da qual está o filho deles. Duncan. Duncan, tendo emergido dos corredores cheios de ecos, do que ele mesmo encontra em si próprio, lá. Suas mãos espalmadas batem na mesa no instante em que eles entram, como se tocassem um acorde num piano, e ele sorri como se em sinal de alerta: nada de cenas de emoção. Sinais esvoaçam pela sala como morcegos. Não me perguntem. Nós só queremos saber o que fazer. Preciso ver você. Se você não nos disser. Não quero ver vocês. Que seja: precisamos saber. Vocês não podem saber. Pelo menos como foi. Vocês não têm que se meter nisso. Você não pode nos excluir. Não peçam o que vocês não vão conseguir aceitar. Venha. Quero ver você. Não venham.

Mesmo aqui — neste lugar que certamente não pode existir para esses três — tem de haver uma premissa com base na qual possa se dar a comunicação verbal. É necessário enxotar os morcegos de volta para a escuridão de onde eles emergiram, a cela, a noite em claro. Só pode haver uma premissa, determinada pelos pais: não foi ele. Ele é, no vocabulário da lei, inocente, muito embora eles estejam dispostos a acreditar, eles têm de saber, agora, que ele não é inocente no que se refere ao contexto do acontecimento terrível, ao tipo de meio em que uma coisa assim pode acontecer. Pois o fato de que a coisa *aconteceu* implica que eles têm de recriar a vida naquela casa e bangalô, num círculo de amigos jovens, tal como a haviam imaginado, rearranjar o mobiliário das relações humanas lá, Duncan entre pessoas como ele, que moram do outro lado de um jardim agradável, vivendo com uma moça numa relação que pode ou não se tornar permanente.

Duncan não é inocente, mas ele não pode ser culpado. A questão crucial, portanto, é o advogado; mais uma vez, é preciso que seja o melhor advogado possível. Essa decisão eles não estão dispostos a deixar a cargo do filho, quanto a isso pretendem ser irredutíveis, a mãe e o pai.

O advogado, o advogado amigo, que eles conheceram na sala B17, já contratou um advogado da mais alta categoria, um homem, diz ele, do nível de Bizos e Chaskelson — Hamilton Motsamai.

É tudo o que o filho deles diz, não faz nenhum comentário tranqüilizador; apenas lhes assegura que será defendido, tal como eles queriam, pelo indivíduo mais competente disponível. Não lhes diz, não lhes diz que não há perigo porque ele não é culpado da morte do homem no sofá. Isso transformou-se numa questão delicada que não pode ser levantada, como se fosse uma pergunta indiscreta a respeito da vida sexual do filho. E de fato — quanto à moça, é claro que o assunto da moça não pode ser mencionado, se bem que sem dúvida ela deverá ser chamada a depor, a prestar algum testemunho importante, ela certamente tem consciência de não ser motivo suficiente para um assassinato, esse tipo de ato não é compatível com o grau de controle emocional que faz parte da formação do caráter do filho deles, nem com a ética atual segundo a qual as mulheres não pertencem aos homens. Portanto, o ato não pode ter sido cometido. Uma arma na lama. Uma outra pessoa qualquer jogou-a ali. O jardineiro acha que Duncan deixou cair alguma coisa, talvez uma ponta de cigarro, e a polícia encontra uma arma. O que eles morrem de vontade de perguntar ao filho é: ele sabe por que foi que o homem foi morto? Mas isso também não é possível, por motivos diferentes: o carcereiro, o policial, está presente, tal como estão presentes a mesa e as três cadeiras, mas é preciso ter em mente que o carcereiro ouve o que se diz, embora seu rosto esteja impassível na distância da incompreensão: a resposta, qualquer que seja, pode vir a ser usada como prova incriminadora, a natureza de algum grupo — como é que eles podem saber? — que seu filho freqüente. Quando um ato de violência entra em jogo, qualquer coisa, tudo se torna suspeito.

Por fim, como médica, ela encontra algo para dizer.

— Você tem praticado algum exercício? Tem conseguido dormir bem? —

Ou para satisfazê-los ou para desafiá-los, ele faz pouco dessa preocupação. — Bem, não é o tipo de hotel cinco estrelas que eu recomendaria. — Ri. Aquela sala não está acostumada com risos; as paredes devolvem o som como um grito. — Tem uma espécie de pátio onde eu dou uma caminhada duas vezes por dia. Ah... o cachorro. Imagino que o Khulu ou alguém esteja dando comida a ele, mas... —

— Porque eu posso falar com o oficial médico e receitar um remédio para dormir, bem leve. E pedir mais exercícios.

— Não. Não faça isso. Não é necessário. Mas e o cachorro? —

Isso é para o pai; aqueles dois estão implorando por tarefas.

— Eu dou um jeito. Vou buscá-lo. E livros? —

— O Philip me trouxe uns, e eu posso comprar jornais. Mas você podia pegar uns meus. Lá no bangalô... e roupas. —

— E a chave? —

— O Khulu. —

O tempo já deve estar quase esgotado, e isso se torna mais uma fonte de constrangimento para cada um dos três: o pavor de saber que ele vai voltar para os corredores de concreto e aço, e que eles vão embora de carro, deixando-o abandonado ali; e o desejo impaciente e vergonhoso de que aquela visita termine logo de uma vez.

O carcereiro faz sinal. Os pais não sabem se prolongam os momentos finais ou se saem rapidamente; qual é o protocolo para esse tipo de situação, o que é que a torna suportável. Abraçam-no, e o pai sente uma mão pressionar-lhe a omoplata três vezes. Enquanto o filho está sendo levado embora, há um aparte final, que detém por um instante o carcereiro que o acompanha. — Não traga nenhum livro que eu já tinha começado a ler. —

O que ele deve estar pensando de nós?

Pensando de nós?

É. O que foi que a gente disse a ele? Tão frios, tão objetivos.

Ele desviou os olhos da pista e olhou para o lado por um momento, viu as mãos dela no colo, a unha de um polegar passando sob as unhas curtas dos dedos da outra mão.

Dizer o quê?

O carcereiro parado ali do lado. Vamos tentar descobrir se não é possível falar com ele somente nós e o advogado, os advogados têm o privilégio de se reunir reservadamente com a pessoa que eles representam.

Não é isso.

A cápsula em que estavam contidos em movimento, indo de um irreconciliável a outro, prisão e vida, de repente encheu-se de vozes, vozes incontidas. O fato é que a gente não sabe o que devia estar discutindo.

Nós não sabemos como ele está envolvido em toda essa... história terrível — ele não dá nenhum sinal. Diz que arranjou um advogado de primeira, mas não fazemos idéia do que ele vai dizer a esse advogado, qual a linha de defesa que vai ser adotada, o que é que o advogado vai provar quando for defendê-lo.

E o advogado?

Haviam percebido de imediato, no impacto do nome; a escolha de um negro. Ela não é como esses médicos que, embora no trabalho toquem pele branca ou negra indiscriminadamente, conservam preconceitos liberais contra a capacidade intelectual dos negros. No entanto, ela questiona a escolha do filho, e ele também; na lama em que estão imersos agora, na lama de um assassinato, os velhos preconceitos ainda vêm à tona. Encarando por esse ângulo a escolha de um advogado chamado Motsamai, ele consegue encontrar uma resposta, dentro desse contexto.

Pode ser uma vantagem. Se um dos juízes for negro.

A voz dele está seca: por estar pensando daquele jeito. Seca de vergonha. E por que pensar nesse tipo de cálculo — um juiz negro inclinado a ser mais favorável ao réu por ele ter escolhido um advogado negro — quando não se trata de um criminoso, de um assassino, que vai ser julgado. De onde vem um pensamento como esse, meu Deus!

Mas você sabe alguma coisa sobre esse advogado? Vai ver que é só um amigo dele, como o outro.

Podemos nos informar. Vou conversar com um homem importante, já me encontrei com ele algumas vezes, ele vai entender, embora não seja normal pedir a um advogado que dê sua opinião sobre outro, imagino.

Se não for normal, dane-se. Estou tentando pensar. O que mais devíamos estar fazendo, Harald? A gente só conversou, mais nada. Pelo menos você podia ter dito a ele que nós é que vamos pagar os advogados, qualquer coisa. Como é que a gente vai saber se o dinheiro não é um dos motivos por trás dessa escolha? Esses advogados de primeira linha cobram uma fortuna por dia. Se o Duncan acha que ele é que vai ter de arcar com todas as despesas, isso pode estar afetando tudo.

Ele sabe que dinheiro não é problema. Sabe que pode contar conosco. Não era a hora nem o lugar para fazer uma declaração de magnanimidade.

Só acho que você podia ter dito... como pai... bem, mesmo que não fosse dinheiro, mas alguma coisa...

E você só pensou em receitar um remédio para dormir.

Eu sei. Bem, pelo menos foi uma espécie de mensagem, para ele saber que, se ele não está sendo bem tratado, eu teria influência sobre o oficial médico, seja lá ele quem for. Mas *alguma coisa*...

Então me diga o que é que eu devia ter dito a ele.

Ela bateu com os punhos nas coxas.

Que a gente acredita nele.

Acredita no quê? Se ele não diz nada. Não sabemos nada. Eu li o relatório das provas circunstanciais. O homem está morto. Uma arma na lama. O que é que isso quer dizer?

Enquanto ele fala, ela martela ao mesmo tempo: Que a gente acredita nele! Que a gente acredita nele! Que não há a menor possibilidade de que a gente possa não acreditar nele! Foi isso que faltou, isso que a gente não disse...

Ele teve de parar num sinal fechado. Sua mão pousou na alavanca de marcha e ela mexeu-se ligeiramente para evitar contato. Ele esperou, junto com o sinal, depois falou.

Acreditar?

Você sabe.

Não houve resposta.

Que acreditamos que ele seria incapaz de fazer uma coisa dessas e que temos razão em acreditar nisso.

Ele estava sendo levado junto com o trânsito, como se o carro andasse sozinho. Sua cabeça mexia-se um pouco, quase como se rodasse, movida por algum conflito incomunicável, uma relutância insuportável.

Claudia — ele sabia que devia qualificar o uso formal do nome dela com alguma marca de intimidade, mas os velhos epítetos, os queridas e amores, estariam fora de lugar junto com o que tinha que ser afirmado, duro. Começar outra vez.

Nós nem sabemos se ele aceita que a gente acredite nele.

Aceita? E por que não? Aceitar não tem nada a ver com isso!

Ele não consegue tornar a coisa real para eles dois enunciando-a, a voz do pai enunciando-a para a mãe, mas a coisa está lá, escondida no carro entre eles, quando chegam à guarita de segurança do condomínio: Porque ele sabe que fez o que foi feito. Foi por isso que nada foi dito naquela meia hora no parlatório; a premissa em que nos baseávamos é falsa. Era isso que nosso filho estava nos dizendo. É nisso que temos que acreditar.

Ele aperta o botão do dispositivo eletrônico que lhes permite entrar em casa, mas não lhes dá refúgio.

A diretoria da companhia onde ele trabalha conta com uma firma importante de assessoria jurídica, e um dos assessores é membro da própria diretoria. É ele que Harald consulta a respeito de todas as questões legais.

Em circunstâncias normais. Mas agora ele pode fazer o que não julgaria apropriado em circunstâncias normais. Pode valer-se do contato superficial que teve com um dos advogados mais prestigiados do país em jantares de trabalho para lhe pedir uma opinião confidencial a respeito da capacidade, reputação e status do advogado Motsamai. Ele não se importa se der a impressão de estar avançando o sinal. Essas convenções de sua vida não têm a menor importância.

É claro que o homem sabe, todo mundo sabe, a notícia está fazendo a festa dos jornais de domingo. Mas o que estará ele pensando ao ouvi-lo recontar os fatos, meu filho está sendo acusado de assassinato, decidiu-se colocar o caso nas mãos do advogado Hamilton Motsamai. Eu e minha mulher não o conhecemos, não temos nenhum sentimento contra ou a favor dele, nossa única preocupação é saber se ele é o melhor profissional para agir em defesa de nosso filho.

Estará ele interpretando, por trás de um daqueles silêncios típicos dos advogados, traduzindo a língua secreta do que não está sendo dito: esse advogado é negro. Será isso?

Mas por ora a questão não pode ser levantada entre eles; primeiro, para proteger o falante de comentários contrários à ética profissional, é preciso que se tire o corpo fora: — Há inúmeros "melhores profissionais". O senhor entende. Eu não colocaria um acima do outro. Mas o Motsamai é conhecido como um homem da maior capacidade. E também é muito experiente. Desde que retornou ao país, há quatro anos, já teve sucesso num bom número de casos. Bem, a maioria deles políticos — mas nem todos. Ele tem aquele espírito agressivo — controlado, veja lá, por uma inteligência poderosa — que lhe dá um altíssimo nível de competência nos interrogatórios. É muito inteligente — alguns diriam excepcionalmente inteligente. —

Harald não se satisfaz com uma opinião geral, que pode ser dada para fazer justiça por uma questão de cautela; ele precisa saber o que é que aquele homem realmente pensa. Não há tempo, não há espaço entre as paredes de uma cela para reservas impostas pela necessidade de "fazer justiça" a quem quer que seja. — Mas e o senhor? O que o senhor diria? —

Deve ser impossível defrontar-se com Harald Lindgard nesse momento e não ficar chocado — e o choque é sempre uma reação próxima do medo — com a idéia do que pode acontecer com um homem como ele; como nós. A última vez que os dois se viram foi em pé, cada um com seu drinque na mão, discutindo com o vice-ministro da Fazenda os prós e os contras da questão da suspensão das restrições ao câmbio! Embora sua intimidade com Lindgard não fosse além disso, ele foi obrigado a pôr de lado o profissionalismo, como se tivesse de retirar a toga negra que usava no tribunal. — Olhe, eu não sou de sair distribuindo elogios por aí, mas eu lhe digo que esse indivíduo é mesmo notável. O senhor não sabe nada sobre a origem dele, não? Não me lembro exatamente de que região ele é, aquela história de sempre, um garoto pobre, filho de pais sem instrução, e ele conseguiu entrar em Fort Hare no final dos anos 60 para fazer direito. Lá ele se meteu em atividades políticas do Grupo da Juventude e foi detido. Quando foi solto, fugiu para a Inglaterra, e não sei como — bolsa de estudo — continuou seus estudos lá. Antes de voltar, em 90, já tinha sido aceito pelo Gray's Inn* e havia defendido casos no Old Bailey.** De modo que não foi difícil para ele ser aceito pela Ordem daqui. Para ser franco — o senhor imagina, depois de tantos anos em que os negros não eram levados a sério na advocacia, agora há uma certa necessidade de reconhecer o mérito dos que têm mérito, quer dizer, o Motsamai caiu do céu... estávamos precisando de uma estrela, e ele apareceu na nossa constelação. Ele é mesmo muito requisitado. Felizmente não se trata de uma mera demonstração de ação afirmativa. De modo algum. —

Talvez aquele fosse o comentário final para Harald levar consigo, mas ele sente que há um peso que o impede de ir embora.

— O senhor ficou na dúvida quando viu que seu filho seria defendido por um negro. —

Pronto, a coisa saiu. Está ali, às claras, diante de Harald e seu distinto mentor. Mas a coisa é apresentada apenas como

* Uma das quatro instituições inglesas que equivalem à Ordem dos Advogados brasileira. (N. T.)

** O principal tribunal criminal de Londres. (N. T.)

algo que era de se esperar, uma simples regressão, um arroto emerso dos jantares do passado.

— Não há por que atribuir essa dúvida ao preconceito racial, porque é um fato, um fato inegável, que por causa do preconceito no tempo do antigo regime os advogados negros de modo geral têm muito menos experiência que os brancos, e a experiência é que é importante. Eles tiveram menos oportunidades de se pôr à prova; é a desvantagem que eles levaram, e o senhor não está demonstrando preconceito ao ver que essa desvantagem acabaria sendo sua também, se o senhor escolhesse tal advogado com essa deficiência. Se o senhor me dissesse agora que mesmo assim preferiria um advogado branco — bem, aí seria outra história. Eu não teria nada a dizer. Aí o ônus seria todo seu. Tudo o que posso dizer é: com o Motsamai o senhor está em boas mãos. Se houver mais alguma coisa que eu possa fazer... —

Harald tem a sensação que tem às vezes quando se vê na rua, no mundo, após comungar; uma tranqüilidade meditativa, uma espécie de certeza, ao menos, antes de se dar conta do objeto a que ela deve ser aplicada.

Nesses primeiros tempos, ainda era possível atravessar os dias com a atenção fixa numa ação específica à frente, a curtíssimo prazo. Havia uma consulta marcada com o advogado que fora contratado, Hamilton Motsamai.

Os dois vieram separadamente até o local da consulta, ela de sua clínica, ele após ausentar-se de uma reunião da diretoria da companhia de seguros da qual era membro. Cumprimentaram-se distraídos; foi só quando estavam sentados lado a lado, do outro lado da mesa larga e comprida do advogado, que se transformaram no casal, a mãe e o pai, o vínculo fatal. Motsamai, tal como sua sala, era bem equipado. Havia uma autoconfiança imensa na combinação de sinais de sucesso numa profissão prestigiosa — a instrução dada via interfone à secretária no sentido de não lhe repassar as ligações, as fotos com os distintos colegas do Gray's Inn em Londres, a coleção de obras de direito com papéis marcando as páginas mais consultadas, a placa de homenagem em meio aos utensílios sobre a mesa — com o fio de barba na ponta do queixo que afirmava um estilo africano tradicional, uma outra ordem de dignidade e distinção. Seu inglês, fluente e em staccato, era marcado por um sotaque forte, que preservava as vogais arredondadas e prolongadas das línguas africanas, os murmúrios graves reverberantes típicos do discurso africano, em detrimento daquelas outras conjunções não verbais, os huns e ahs dos brancos. Uma nova forma de sofisticação nacional. Com seu elegante terno cinzento, eis um homem que resolveu tudo, todas as contradições que lhe foram impostas pelo passado. Consultando seus papéis (pelo visto, as anotações que fez a respeito do caso que assumiu), de vez em quando levanta a vista para o homem e a mulher a sua frente, os brancos dos olhos (ele chega a tirar os óculos por um momento, segura-os com as pontas dos dedos e os balança) nitidamente destacados em seu rosto pequeno, negro como o mogno, como os olhos de vidro das estátuas antigas. Seu rosto é produto da disciplina mental, traços que a concentração tornou secos; até mesmo a generosidade da boca, ligeiramente entreaberta enquanto ele reage interiormente ao texto que lê, está tensionada. Os dois o examinam; haja o que houver ali, eles dependem daquilo mais do que jamais dependeram de qualquer outra pessoa.

A atenção intermitente que Motsamai dirigiu aos dois foi uma espécie de ensaio geral antes de lhes dizer o que tem a dizer. Ele fora informado a respeito desses clientes por Philip, o advogado amigo, e portanto sabe que não são pessoas quaisquer — um dos diretores de uma grande companhia de seguros que tem uma atitude pragmaticamente progressista com relação aos negros e uma mulher que é, está na cara, médica. Pessoas instruídas, com quem ele pode falar às claras para que elas entendam a sua situação: ou seja, as limitações de suas possibilidades ao aceitar aquele caso.

— Já conversei com seu filho. É claro que vou falar com

ele de novo, muitas vezes. Ah-hêh... Ele não é um rapaz fácil de entender. Mas isso vocês certamente já sabem. —

O pai está prestes a dizer algo, mas a mãe fala primeiro. — Não. Sempre tivemos um bom relacionamento. —

— O que o senhor está dizendo é que agora — que agora é difícil entendê-lo? É isso? —

O advogado balançava a cabeça e batia com as pontas dos dedos, um tamborilar que era uma maneira de concordar com o pai. — Isso, isso mesmo. Mas é apenas o começo. Muitas vezes — aliás, sempre — surgem dificuldades quando uma pessoa está angustiada, em estado de choque. A senhora sabe (dirigindo-se a ela), é como uma pessoa chega às suas mãos depois de um acidente, em estado de trauma, é assim mesmo. —

— Ser informado de que o amigo dele morreu e ser acusado do crime. É. —

O advogado sabe que a mãe do réu está dirigindo uma acusação a ele: de ser demasiadamente ponderado. Motsamai está acostumado com esse tipo de reação, medo transformado em ressentimento. No caso dela, sem dúvida exacerbado pelo fato de que, por sua própria profissão, ela está acostumada, tal como lhe foi dito ainda agora, a ser a pessoa que ajuda, e não a vítima. Ele desvia a vista, descartando aquele farelo de irrelevância.

— Infelizmente... infelizmente... tenho de dizer a vocês que, quando ele (um gesto amplo) se abrir, quando começar a cooperar comigo — no atual momento está um bocado hostil, vocês sabem —, só então é que eu e ele vamos enfrentar o que tem de ser enfrentado. — Fez uma pausa, para sentir se os dois estavam preparados. — Tenho de lhes dizer que as provas são avassaladoras. Conclusivas. Com exceção da arma, da sujeira, vocês sabem, a lama — as impressões digitais. Mas ainda não saiu o laudo final, e existem testes que talvez consigam revelar vestígios incriminadores. Ele é canhoto, não é? Se acharem vestígios e os vestígios apontarem para ele, a coisa vai ficar muito séria para nós. Muito, muito séria. Vocês entendem? Para a promotoria, o problema estaria resolvido. Temos de partir do pressuposto de que isso vai acontecer. A hostilidade dele não é um bom sinal. A experiência nos ensina que isso quer dizer que o indivíduo está escondendo alguma coisa — tudo. Ele não quer cooperar com o advogado porque acha que o advogado não pode fazer nada por ele. —

— Ele é culpado. —

O advogado recebe a resposta do pai com a aprovação que um professor dá a um aluno.

— O indivíduo acha ou sabe que é culpado, isso mesmo. —

Este homem, com esse jeito grandiloqüente de dizer uma bobagem como "no atual momento" em vez de *agora*, com essas evasivas generalizantes; Harald não aceita a versão impessoal de suas palavras: "o indivíduo" é seu filho. — Ele é culpado. O Duncan. É isso que o senhor está dizendo, doutor Motsamai. —

— Um momento, meu senhor. Não é isso em absoluto que estou considerando. Quem decide se o réu é ou não é culpado é o tribunal, não os advogados dele, nem mesmo os pais dele. O que estou lhes pedindo que compreendam é que eu — nós — o outro advogado e eu — temos de preparar nossa argumentação com base nessa possibilidade. À luz desse fato, todas as circunstâncias — até mesmo a infância, a origem familiar, o temperamento, o caráter etc., do rapaz —, tudo isso passa a ser de importância crucial. Qualquer detalhe pode vir a ser útil; é por isso que, se vocês conseguirem — com calma — vencer a barreira da hostilidade que ele manifesta com relação a mim — tenho certeza de que não é com vocês —, se vocês conseguirem influenciá-lo a dizer aos advogados dele tudo o que sabe a respeito de si próprio, de seus amigos, de tudo — isso é essencial.

Ele precisa entender que não há nada que ele não possa dizer a nós. —

— Hostilidade... não sei se eu diria que ele não demonstra hostilidade em relação a nós, não. O que é que ele manifesta... Mas como é que o pai dele ou eu podemos perguntar a ele da maneira normal, antiga, se aconteceu algum problema, quando a gente se encontra com ele naquela sala com um carcereiro ouvindo tudo o que a gente diz? Ele nem mesmo disse que absurdo essa história toda. Quer dizer, ele estar ali. Não protestou. Só fez uma espécie de piada, quase, sobre o lugar onde ele está preso. A gente parecia que estava sem língua. Não havia possibilidade de ele dizer o que havia acontecido. Não sei como é que vamos poder fazer o que o senhor está pedindo, se tivermos de falar com ele naquelas circunstâncias.

Entendo perfeitamente, compreendo perfeitamente, o advogado repetiu, em formulações diferentes, desenvolvendo o que os advogados chamam de arrazoado. Ah-hêh. Mas não era possível conversar com o filho deles numa situação de privacidade absoluta; era o que mandavam os regulamentos. Mas não havia problema nenhum, porém, se eles dessem a entender ao filho, abertamente, na presença dos carcereiros, que eles estavam convencidos de que era do seu próprio interesse, *no atual momento*, que ele depositasse total confiança nos seus advogados, que ele dissesse aos advogados tudo o que havia a dizer. De novo o lampejo nos olhos de estátua, como se fosse quase desnecessário dizer o óbvio: — De qualquer modo, é muito pouco provável que os carcereiros entendam o que vocês estão dizendo. A maioria deles é do tempo do antigo regime. Emprego garantido para os filhos retardados dos *Boere*. — Faz um comentário indiscreto que, ele sabe bem, não será mal entendido por aquelas pessoas. — O governo está constatando que é impossível reformar o sistema presidiário de uma hora para a outra. É coisa para muitas, muitas horas. Ah-hêh.

Nessa primeira fase, eles parecem repetir um ritual inevitável de fuga de um tipo de encontro compulsório que deixa um esperando que o outro fale. E um fica desconfiado com relação ao tipo de interpretação que o outro pode vir a revelar, que aumentaria ou diminuiria o teor de utilidade, ou de esperança, daquele encontro para eles. Enquanto durar o silêncio, desta vez, eles não terão de encarar o que o advogado, o doutor Motsamai, disse que tem de ser encarado. É melhor quebrar o silêncio de modo oblíquo, do modo mais suave que é possível dentro de uma situação devastadora.

O que você achou dele?

Ela deixa cair o queixo em direção aos seios por um momento; levanta a cabeça para falar ainda sob o peso da avalanche daquela reunião, uma avalanche que continua caindo. Cheio de si. Meio arrogante. Estamos numa trapalhada e ele, meio desanimado, vai tentar nos tirar dela. Não sei, não.

Provavelmente isso que parece arrogância é o tipo de presença decisiva que funciona no tribunal. Os próprios juízes, pelo que se diz, têm essa presença. Também não gostei muito dele, não. Mas isso é irrelevante, ele não está aí para ser simpático conosco — é uma coisa que eu respeito, ele está aí é para fazer um serviço.

E ele já decidiu o que é.

Mas foi para isso que ele foi contratado, não é? Ele é perito.

E ele concluiu que o Duncan matou. Eu não consigo, não consigo nem mesmo ouvir minha própria voz dizendo isso, o Duncan matou, o Duncan cometeu um ato patológico. O Duncan não é um psicopata, eu entendo o bastante sobre estados patológicos, pelo menos isso, para fazer essa afirmação. E não tem nada a ver conosco, não estou me baseando na idéia orgulhosa de que não pode ser porque ele é *nosso* filho, porque isso não é coisa que o *nosso* filho seja capaz de fazer. Estou falando é sobre o Duncan, não sobre o *nosso* filho. Deve haver alguma explicação sobre o modo como apareceu essa "prova circunstancial". O homem não sabe, mas ele está preparando — o quê? — a defesa dele com base na premissa de que essa "prova circunstancial" significa que Duncan matou. Duncan matou porque aquela vigarista que juntou os trapinhos com ele, que não era muito exigente quando se tratava de se sentir atraída por alguém, e ele já tinha tolerado isso antes, transou no sofá com um outro amigo. Tenho certeza de que ela não foi a primeira namorada na vida do Duncan, você não se lembra das outras? A Alyse, sei lá como é que se chamava, que até era estudante de medicina e trabalhou comigo uma época, para pegar prática, dois anos atrás — ela foi a favorita por uns tempos.

Por que é que Duncan não fala.

Não sei dizer por quê, não é? Talvez porque os advogados ficam batendo tanto nessa tecla de "prova circunstancial" que ele não tem mais fé na possibilidade de que a verdade venha à tona, não se pode lutar contra uma prova circunstancial, um jardineiro vê você atravessando o gramado e depois a polícia encontra uma arma. Um homem que nem relógio tem, não sabe a hora em que isso tudo aconteceu. Se você não pode provar que é inocente, você é culpado, é essa a posição em que o Duncan está.

Por que é que ele não fala.

Bem, essa foi a única coisa positiva que o homem disse, a meu ver. A gente tem de tentar fazer com que ele se abra com o advogado, mesmo que ele não se abra com você nem comigo. E não me pergunte por que é que ele não se abre.

Ela e ele.

Mas o que fazer se, numa situação de necessidade como aquela, ele não precisa deles dois? Ele, Harald, tem de ficar com os olhos fixos na pista, desviados dos dela, porque de repente eles estão inundados de lágrimas, como se um esfíncter tivesse relaxado de repente, cedendo a uma pressão insuportável. Essas voltas para casa. Essas voltas depois do confronto com a catástrofe.

Harald estava no bangalô. Primeiro ele tinha ido ao quartinho no fundo do jardim onde morava o assistente de encanador e jardineiro. Um cadeado numa porta de estábulo; a propriedade era velha, o homem morava num lugar onde outrora certamente guardavam um cavalo.

Harald tinha evitado a casa, pois pretendia mandar que o homem fosse buscar a chave do bangalô para ele, embora houvesse um carro parado na alameda, indicando que havia alguém em casa. Quando bateu à porta, um rosto semi-reconhecido apareceu numa janela, e Khulu Dladla veio abrir. Harald já vira Dladla algumas vezes — de vez em quando Duncan chamava os pais para tomar uns drinques no jardim, eles não esperavam dele que se desse ao trabalho de preparar um jantar, e normalmente um dos amigos que moravam na casa juntava-se a eles. Harald conseguiu a chave com Khulu; o rapaz foi buscá-la, descalço, com seus passos pesados que ressoavam no chão; o processador de texto em que ele estava trabalhando no momento brilhava, com um olho de um verde ácido, naquela sala; aquele sofá. Harald ficou sozinho com o sofá. Os sentimentos do rapaz, no momento em que lhe entregou a chave do bangalô, fizeram-no adotar a expressão contorcida de quem está apertando um parafuso.

— Posso ir com o senhor, se o senhor quiser. —

Não, Harald ficou comovido com a bondade desajeitada que de repente o aproximou daquele homem, mas ninguém deveria testemunhar as implicações da ausência de Duncan daquele bangalô.

Harald estava no quarto em que Duncan dormia. Duncan e a garota. Havia um pote de creme facial em meio aos maços de cigarro na mesa de cabeceira esquerda. Ele desviou a vista do aspecto geral do quarto, numa atitude respeitosa, pegou camisas, cuecas e meias num armário embutido sem olhar para as outras coisas que lá estavam guardadas, não eram de sua conta.

Não traga nada que eu já estava lendo.

Os livros firmavam uma mesa de bambu bamba à direita da cama; mas ele foi lá, pegou-os, leu os títulos, uns conhecidos, outros não, sentindo que estava sendo observado pelo próprio quarto vazio. A mesa tinha uma prateleira mais baixa de onde se derramavam para o chão revistas de arquitetura e jornais amontoados. Harald teve a impressão de que as revistas e os jornais tinham sido largados ali naquele dia, quando o homem que estava na cama ouvia batidas à sua porta. Abaixou-se, ajoelhando-se sobre um dos joelhos, e endireitou a pilha, mas ela caiu de novo, e junto com as publicações ele viu um caderno barato, desses que as crianças usam. Ele equilibrou-o no alto da pilha — para quê? Para que Duncan pudesse alcançá-lo sem se levantar quando voltasse a dormir naquela cama? Como se existisse a ilusão de que ele estava prestes a voltar.

Harald pegou o caderno e abriu-o. Sentiu na nuca a pressão da indiscrição que estava cometendo enquanto virava as páginas, a traição dos princípios que o pai havia ensinado ao filho, a gente deve respeitar a privacidade dos outros, não se lê a correspondência dos outros, não se lê nada de pessoal que não foi escrito para a gente. Tudo ali era corriqueiro, inofensivo — a data da última lubrificação do carro, cálculos financeiros com algum objetivo específico, um endereço anotado por cima, o número de uma edição antiga de uma revista de arquitetura, não era um diário, e sim um caderno de anotações avulsas. Então, na última página usada do caderno, havia uma passagem, copiada de algum lugar — Harald passara ao filho o amor à leitura quando ele ainda era menino. Harald reconheceu logo ao começar a ler, Dostoievski, sim, Rogojin falando sobre Nastácia Filipovna. "Ela teria se afogado há muito tempo se não tivesse a mim; é essa a verdade. Ela não faz isso porque eu sou, talvez, mais terrível que a água."

Num caso criminal, durante o período em que se espera o julgamento não há nenhum procedimento que os jornais possam passar para o público ávido de sensacionalismo. Quando foram publicadas as primeiras matérias noticiando que o filho dos Lindgard estava sendo acusado de ter matado um homem, uma cortina de silêncio formou-se tacitamente no momento da chegada do membro da diretoria a sua sala. Os jornais eram virados de modo que a manchete ficasse para baixo, ou retirados de lugares onde o olhar de Lindgard pudesse encontrar-se com o de outra pessoa após esbarrar numa manchete inoportuna. O presidente não sabia se, na privacidade da sala da diretoria, deveria haver uma manifestação formal de solidariedade com o colega tão estimado e sua esposa, por ocasião daquele período difícil — eram esses os termos que ele empregaria —, ou se, por uma questão de tato, seria melhor evitar chamar atenção para o problema oficialmente, o tipo de coisa que seria lembrado ainda que não registrado em ata, o que poderia acabar sendo uma espécie de acusação por tabela contra Lindgard, pai biológico, ao menos, de um crime. Resolveu-se que a diretoria não faria nenhuma manifestação. Os membros individuais encontrariam momentos oportunos para solidarizar-se com Lindgard rapidamente, para minimizar o constrangimento de ambas as partes. A atitude geral a ser adotada era exprimir a posição de que naturalmente aquilo tudo era um absurdo, um equívoco terrível. Ele agradecia, sem concordar; concluíram que isso significava que ele apenas não queria comentar o equívoco terrível. A maioria dos membros também tinha filhos, que igualmente jamais seriam capazes de cometer um ato como aquele.

Todo esse período foi encarado com base no único modelo com o qual Lindgard e seus colegas tinham alguma experiência: uma fase de recuperação de uma doença cujo prognóstico é assunto que não se deve discutir. No banheiro, um dia, um colega que havia entrado para a firma ao mesmo tempo que Lindgard, e que dava mais importância à franqueza dos sentimentos humanos do que às convenções de dignidade, puxou o assunto enquanto mijava. Como se estivesse se aliviando duplamente: — Se houver alguma coisa que eu possa fazer — não faço idéia do que seja — não hesite nem por um momento, por nenhum motivo. Deve ser um inferno. Eu nunca sei se devo ou não falar, Harald; como você se sentiria. Não sei que espécie de trapalhada aprontaram — deve ser uma tortura encarar isso, sabendo que não pode ser, que é uma coisa fora de questão. —

Lindgard tinha lavado as mãos. Estava agora puxando o rolo de toalha com cuidado, para usar um pedaço seco. Falou então naquele espaço ladrilhado, destinado às mais humildes funções corporais:

— Não está fora de questão, não.

Seu colega empertigou-se, imobilizou-se, chocado. A coisa não tinha sido dita. Há coisas que não é justo que se digam, a pessoa que as diz logo se arrepende de ter falado. Ele foi rapidamente até a porta, depois voltou, pôs a mão na omoplata de Lindgard, exatamente o mesmo gesto de comunicação que o filho fizera quando viu seu pai e sua mãe pela primeira vez, no parlatório.

A maioria dos pacientes da médica não a associava a um dos casos de violência a respeito dos quais tinham lido alguma coisa. Era tanta violência; numa região do país em que a ambição política de um líder havia levado a assassinatos que se transformaram em vendetas, fomentadas por ele, o registro diário de mortes se tornara algo de rotineiro, como o boletim meteorológico; em outros lugares, motoristas de táxi disputavam a bala os fregueses, brigas em discotecas terminavam com tiros em vez de xingamentos. A violência estatal do antigo regime tinha habituado suas vítimas. As pessoas não lembravam mais que havia outras maneiras.

Ela não trabalhava em grupo, não havia colegas que tivessem de decidir que atitude adotar com relação ao assunto que a separava deles. Era só Queen, a mulher bela e elegante, ciosa de sua própria autoridade como enfermeira-chefe do hospital, e, na clínica particular, a senhora February — cujos ancestrais haviam recebido o nome do mês em que haviam sido comprados no mercado de escravos — à mesa da recepção, com o olhar melancólico de quem adota uma expressão de dignidade em tempos difíceis, já que a médica recusava-se a adotar tal expressão. Era uma delicada manifestação de empatia que prescindia de palavras constrangedoras. Tanto no hospital quanto na clínica a médica via-se encerrada num reduto imutável de sua vida, um lugar protegido; a pessoa que está cercada por um perigo crescente às vezes fica precariamente protegida por algum tempo numa área definida como tal pelos que estão livres da ameaça, alguma força misericordiosa. Porém era-lhe difícil manter o interesse pessoal pelas vidas dos pacientes, o que ela sempre julgara essencial ao trabalho do médico. A primeira identificação com o outro cujo filho está preso em pouco tempo desaparece na multidão dos que sofrem; quando levamos um tranco mais sério e nos tornamos um deles, logo surge a idéia de que, se eu tiver que ouvir os seus problemas, você também vai ter que ouvir os meus.

Ela juntou num pacote alguns alimentos e as roupas que Harald havia pegado no bangalô, redobrando-as.

Por que você não trouxe pijama?

Os jovens não usam pijama, você não lembra? Não havia nenhum. Não lembra, do tempo em que ele ainda morava conosco?

Como é que eu vou saber com que roupa ele dormia?

Você nunca o viu andando pela casa de short, de cueca, no verão até tomando o café da manhã assim?

É claro, e não era ela que guardava as roupas lavadas, dispondo-as nos armários para os homens da família, esposa e mãe extremada, além de médica?

Eu não me ocupava o tempo todo com cuecas.

Acho que deve ter um monte de coisas. Muitas que a gente não lembrava mais. Não lembra.

Eu gostaria que você dissesse logo o que você quer dizer. Já é tão difícil... falar, saber o que estamos dizendo. Tenho a impressão de que você está desconfiado de mim, de algum modo. Você está tentando me pegar desprevenida, porque eu sou a mãe, eu devia saber, eu devia saber *por quê*.

E eu sou o pai dele! Eu devia saber!

Foram dormir o mais tarde possível, para encurtar a noite antes da ida à prisão. Ele pegou uma fita a esmo, um filme de Woody Allen, e a enfiou no aparelho. Quando o rosto lúgubre apareceu, Claudia comentou que aquela fita era de Duncan, eles haviam pegado emprestado e não haviam devolvido. Talvez fosse uma tentativa, patética ou irônica, de afirmar que ela se lembrava de alguma coisa, um fragmento, que os unia ao filho. Um ouvia o outro rir de trechos do filme; depois o filme acabou, a luz da tela recolheu-se, desapareceu no súcubo da escuridão. Na cama, permaneciam imóveis naquele negrume. Harald abraçou-a de costas, pela cintura, mas não lhe pegou o seio; o seio também estava ali, aberto. Harald e Claudia não faziam amor desde a noite em que o mensageiro viera. Não era possível para eles. Talvez fosse bom, talvez ajudasse — afinal, eles haviam conseguido rir —, mas havia uma testemunha, numa cela de prisão, que fechava o corpo dela, que fazia dele impotente.

Harald pensou, protegido pela escuridão, que talvez pudesse contar a ela o que havia lido na última página do caderno. Protegido pela escuridão: as condições ideais para compreender, para eles compreenderem, o que Dostoievski revelou a respeito do filho deles, e para o filho deles sobre si próprio. Claudia lia revistas de medicina, provavelmente nunca lera Dostoievski, ele não a recriminava mentalmente por isso; ela cuidava de doentes, enquanto ele só podia oferecer um seguro — dinheiro — como compensação para o sofrimento e as desgraças; mas como poderia esperar dela que soubesse interpretar uma passagem saída das profundezas de uma mente a respeito da qual ela nada sabia?

Na escuridão, ele podia disfarçar a referência que estava dentro dele, como uma questão de ação prática, de necessidade; o único caminho que tinham pela frente era determinar qual o próximo passo a ser tomado.

Nós temos o direito de esperar que ela nos procure. Precisamos falar com a moça.

Harald ficou com a chave que Khulu lhe tinha dado, voltou ao bangalô e pegou, no silêncio do quarto vazio, o caderno.

Leu de novo a passagem que seu filho havia achado — o quê? — tão devastadora, um julgamento inescapável; ou então era uma confirmação do ego, do poder, tão categórica que ele podia tomá-la como seu texto, exibi-la, viver segundo ela. Agir com base nela.

Harald folheou o caderno mais uma vez. Havia algumas linhas que tinham passado despercebidas da primeira vez, em meio a anotações triviais; uma outra citação, mas esta ele não identificou. Estava rabiscada com letras grandes, atravessada, resultado de uma coisa relembrada e escrita pelo tato, na escuridão, semi-acordado. "Sou uma chama de vela que se agita em correntes de ar que você não vê. Você tem de ser a pessoa que me mantém firme para arder." Havia um travessão, a inicial "N". Autodramatização adolescente, provavelmente dividida em linhas irregulares de verso branco no original, nada que pudesse ser colocado na mesma classe de Dostoievski. Harald levou o caderno para seu escritório e trancou-o numa gaveta de sua mesa; era confidencial, uma coisa entre ele e seu filho, os dois da família apaixonados por literatura, cônscios das coisas que o gênio terrível da literatura pode justificar. Seu filho nada sabia sobre essa confidencialidade. Não sabia que seu pai tinha invadido sua privacidade de adulto e roubado suas notas enigmáticas, com a intenção de decifrá-lo.

Hamilton Motsamai já estava em contato com a moça — é claro. À sua escrivaninha, espreguiçou-se e transformou um bocejo suave num sorriso, manifestando-se tolerante com a ignorância dos leigos, que obrigava os advogados a pensar à frente deles. — Não conhecemos essa moça. Já estiveram com ela alguma vez? Ela não se colocou numa posição muito boa, tendo em vista o modo como se comportou naquela noite. Ela vai relutar um pouco, imagino... ah-hêh... (com as mãos abertas, parecia remar no ar) em depor a respeito do pequeno espetáculo que ela representou no sofá, já deu para perceber. De modo que não me preocupa nem um pouco que o vice-procurador-geral a tenha colocado na lista de testemunhas de acusação. Isso quer dizer que eu posso reinterrogá-la. Entende? Eu não poderia fazer isso se a chamasse como testemunha de defesa. Mas também fiz um pedido ao promotor que não foi recusado. Ele me deu acesso a ela. Permissão de trazê-la aqui para uma conversa. Parece que no momento ele ainda não decidiu se vai usá-la ou não, mas tenho certeza de que vai acabar usando. Vai, sim. De modo que ele vai acabar retirando a permissão depois que eu falar com ela, mas tudo bem, não tem problema. Para justificar o que ela aprontou, ela pode tentar fazer alegações comprometedoras referentes ao caráter de Duncan que seriam úteis para o promotor. Mas acho que vou conseguir dela tudo o que quero quando a interrogar. Agora, isso vai depender muito da atitude dela em relação ao seu filho. Ela continua ligada a ele? Ou tem ressentimentos em relação a ele, de modo que vai tentar passar a impressão de não ter culpa — apesar do sofá — quanto a qualquer provocação que o tenha levado a cometer esse ato. E quanto ao caráter *dela*? Só sabemos o nome, Natalie James, trabalhou num instituto de pesquisa de mercado, como comissária num transatlântico numa viagem pelas ilhas gregas, também foi secretária de um professor universitário em algum lugar, e agora diz que é free lance, não sei em quê. Que área. Além disso, escreve poesia. Eu lhe disse que vocês querem falar com ela. Ela diz que só se encontra com vocês se for aqui, comigo. Não na sua casa. —

Claudia escuta Motsamai com o rosto virado para o lado, como se tivesse vontade de fechar os olhos para se concentrar inteiramente no que ele está dizendo.

— Vocês falaram com o Duncan sobre ela? —

— Ele me disse que eles namoravam, mas que "cada um tinha a sua vida" — são as palavras dele. —

Marcaram dia e hora para encontrar-se com a moça na sala do advogado. Naquela manhã, Claudia ligou para Harald, ligou de sua clínica para o trabalho dele. No momento, um representante da Comissão Habitacional estava com ele, discutindo um acordo referente às condições dos empréstimos a juros baixos que permitiriam que milhares de pessoas pobres adquirissem casa própria; havia uma longa negociação prestes a chegar a um desfecho, ou então corria-se o risco de ter que adiar a coisa mais uma vez.

Harald, eu não vou. Não há necessidade de a gente se encontrar com ela se o advogado já está em contato com ela. Não tenho vontade de vê-la. Devemos deixar isso a cargo dele.

Como se ele tivesse sido sacudido e arrancado da cama no meio da noite; por um momento não entendeu de que se tratava, seu entendimento estava partido em dois. O homem da Comissão pegou seus papéis para dar a impressão de que não estava ouvindo. Harald sentiu uma irritação imensa, dirigida a ela, Claudia, por ela se intrometer, por lhe trazer à memória *a* coisa que havia se introduzido na vida deles, a coisa que, de modo monstruoso, deslocava tudo o mais — seus cinqüenta anos de idade —, eclipsava o sol e o isolava do ar de tudo o que havia aprendido, as conclusões a que imaginava ter chegado no campo do conhecimento a respeito dos seres humanos e dos costumes que havia testado, a satisfação com o trabalho e o prazer das emoções aceitas, o amor entre homem e mulher, entre pais e filho, a espontaneidade da amizade; a irritação foi crescendo e atingindo — até mesmo seu filho, Duncan, que havia dado um jeito de acabar na prisão. Isso mesmo! Forças veementes lutavam para tomar conta de seu interior, forças que, se fossem soltas, seriam capazes de cometer uma violência. Ele não conseguia falar, nem mesmo pronunciar palavras discretamente tranqüilizadoras, mas que assim mesmo se referissem a uma situação que nada tinha a ver com o outro homem presente na sala, uma situação de que o homem estava inteiramente afastado, não tinha nenhum conhecimento, era de todo inocente. Ele pôs o fone do gancho no meio de uma frase dela.

Natalie-Nastácia. Motsamai disse que ela já havia chegado, estava no banheiro.

Recebida pelos olhos de um pai quando entrou, era a

mesma jovem que Duncan levara à casa deles uma ou duas vezes. Era ela, sim. Estava fechando a porta com a mão graciosamente curvada, Motsamai sorrindo em reconhecimento à consideração. Assim, Motsamai também sentia uma atração que, pelo visto, ela irradiava para alguns — para muitos — homens.

Os mesmos ombros suaves de um modelo de Modigliani (e havia uma reprodução de um nu de Modigliani — coisa de que ele só se dava conta agora — no quarto em que ele fizera sua investigação indiscreta). Harald não era de reparar muito nas roupas que as mulheres usavam, só no efeito que produziam, mas tinha a impressão de que ela estava usando as mesmas roupas que da outra vez, pernas realçadas pelo que parecia ser uma malha de bailarina, uma blusa larga desabotoada, revelando o V fundo queimado de sol da garganta. O cabelo parecia diferente de algum modo — não lembrava qual a sua cor antes, mas agora era negro como breu —, porém os olhos, o olhar posto nele, eram inevitavelmente reconhecíveis. Talvez houvesse um lugar na memória, um álbum barato de fotografias de namoradas de Duncan, que existia, ainda que nunca tivesse sido aberto. Era a impressão que ela dava: olhos escuros com laivos amarelos (as cores do peso de papel opalescente sobre a mesa de Motsamai), evasivos por trás dos cílios extremamente grossos das pálpebras superiores e inferiores, que se embaraçavam nos cantos externos. E esses cantos dos olhos eram um pouco virados para baixo, ou pela própria conformação dos músculos faciais ou por uma expressão que ela assumia permanentemente; os olhos eram uma declaração a ser interpretada, dependendo de quem a recebesse: atraentes, preguiçosos ou vulneráveis; ou calculistas, um sinal de alerta.

Quando Duncan trazia garotas — mulheres — para a casa dos pais, não se podia dizer que ele estivesse (propriamente) levando-as para a "sua" casa, pois a sua casa era a casa onde fora criado, a casa que tinha sido vendida, abandonada por ser grande demais. Quando ele aparecia para jantar acompanhado por uma moça, isso não queria dizer que ele a estava apresentando aos pais como uma pessoa com quem ele tinha uma relação séria, mas tampouco queria dizer que era apenas um caso passageiro; se tais casos existiam, eles certamente não permitiriam o grau de intimidade conotado pelo ato de levar uma mulher, ainda que do modo mais informal, àquela área de sua vida que ele compartilhava, a ela ligado por laços do passado, com Harald e Claudia. Duncan certamente a trouxe porque ao menos ela possuía uma personalidade que o interessava; pensando bem, era esse o critério que ele, Harald, achava razoável para um filho decidir se devia apresentar aos pais uma namorada. Como Claudia encarava a situação — ela se referira à moça como "aquela vigarista que juntou os trapinhos com o Duncan". Como ela poderia ter formado tal impressão com base nas poucas vezes que Duncan a levara à casa dos pais — ah, sim, e também aquela única vez em que Duncan comprou entradas para o teatro e os quatro foram assistir a uma peça juntos, um tipo de situação em que as pessoas ficam vendo e ouvindo e não conversam muito. As mulheres vêem coisas uma na outra, a respeito das outras mulheres, que só mesmo elas sabem atribuir a alguém, com justiça ou não. Quem quer que fosse a moça, Claudia a julgava responsável pelas terríveis conseqüências que seu envolvimento com Duncan ocasionara. Mas como acreditar, Claudia, ao mesmo tempo, tanto que Duncan não seria capaz de cometer tal ato, o ato final de todos os atos humanos, o irreparável, o irreversível, e que essa moça, essa vagabunda, era para ele importante o suficiente para torná-lo suspeito desse ato? A introspecção torturante que lhe vinha quando idéias assim se apossavam dele estava fora de lugar aqui e agora:

Harald havia parado de prestar atenção no que se passava entre eles três, ele, a moça e Motsamai, juntos na sala do advogado. O que era mesmo que Motsamai acabava de dizer? *O senhor Lindgard e sua esposa, naturalmente, estão ansiosos para conhecer a sua versão dos fatos ocorridos naquela quinta-feira.*

As mãos finas entrelaçadas, dedos com as pontas viradas para cima, calmamente pousadas sobre as coxas. — Eu já disse. Pode passar a eles essas informações. —

Ela retrucava às palavras do advogado, porém se dirigia ao pai de Duncan; sob a franja rala que oscilava na fronte, aqueles olhos estavam fixos nele. Se houvesse uma maldição, partiria dela. Rapidamente ele pôs de lado o contexto. — Não estamos interessados no seu comportamento naquela noite. Só nas outras observações suas. O estado mental de Duncan. Antes daquela noite, como é que ele estava agindo em relação a você, que estava vivendo com ele — que tipo de relação havia entre vocês? —

E o rosto de Harald, exposto ao olhar dela, estava dizendo, nas entrelinhas: quem é você, o que é você, o que você fez com ele?

— Foi ele que pediu para eu ir ficar com ele. Foi ele que decidiu. —

— Isso não basta. Por que você foi viver com ele? —

— Não sei. Ele parecia ser uma solução. Tenho certeza de que o senhor não quer que eu conte a história da minha vida. —

Embora ela, e não o que estava na prisão, fosse a acusada ali, a moça disse aquelas palavras num tom encantador, dirigindo-as aos dois homens, os dois inquisidores.

— Só na medida em que possa ajudar o senhor Motsamai a defender o Duncan. Você não vê que o Duncan está em perigo — estamos conversando aqui como se você mal o conhecesse, mas você estava vivendo com ele, dormindo na mesma cama, meu Deus! Para ser franco, a sua vida é problema seu, sim, mas o que você fez naquela noite não pode ter saído do nada, alguma coisa na relação de vocês deve ter ligação com isso — o que você fez deve ter sido uma conseqüência, não é? Vocês estavam brigando? Era uma crise, ou só um incidente do tipo que vocês dois já haviam aceitado antes? Você não entende como isso é importante? —

Ela ouvia com atenção, pensativa, como se escutasse uma voz quase inaudível, numa outra faixa de freqüência.

— O Duncan enfrenta as pessoas. Ele força a barra. Não deixa ninguém em paz. Gosta de manipular, não consegue se conter. E ele joga pesado quando você resiste, e você resiste porque o que ele está fazendo, o que ele tem a dar, não é o que você quer. E quanto mais ele fracassa, pior ele fica. Acho que o senhor não sabe como ele é. — E esboçou um gesto de admiração horrorizada.

— Mas você ficou. Ficou com ele até a hora de pegar o carro e abandoná-lo naquela noite, para não voltar mais. —

Ela continuava a encará-lo de frente, as mãos ainda tranqüilamente entrelaçadas.

Ela fechou os olhos por um momento. Os cílios negros tocavam as faces.

— Eu estava livre. —

— Quer dizer que você estava com medo do meu filho. —

— Ele estava com medo de mim. —

Depois que ela foi embora, Harald continuou na sala de Motsamai, olhando para as prateleiras de compêndios de direito com pedaços de papel marcando as páginas importantes que poderiam decidir — não a justiça, ele não conseguia mais encarar a justiça como antes —, mas uma saída. A lei como um labirinto onde cláusulas subsidiárias talvez indicassem o caminho da saída. Motsamai pegou o interfone e pediu café, e depois, sem dar nenhuma explicação a seu cliente, deu contra-ordem.

Levantou-se de sua mesa e foi a um armário com puxadores de metal. Dentro havia arquivos e um compartimento interior com copos pendurados de cabeça para baixo, como num bar sofisticado. Pegou uma garrafa de uísque e uma de conhaque, uma com cada mão, e levantou-as, como se perguntasse — qual? Harald indicou o conhaque com a cabeça. Motsamai serviu uma boa dose para cada um. Era um pequeno gesto de delicadeza, bondoso e silencioso, que vinha inesperadamente daquele homem. Harald pôde então dizer-lhe: — Quer dizer que ela acha que Duncan matou o homem que ele viu trepando com ela no sofá. —

— Ela sabe o tipo de mulher que ela é. Nós temos que levar isso em conta. —

Motsamai estalou a língua para saborear o conhaque; eis um homem que sabe tirar prazer da própria boca, que conseguiu preservar a avidez com que o recém-nascido se alimenta no seio materno.

— É mesmo? —

— Ora, ela o provocou até ele não agüentar mais, até ele perder a cabeça, não apenas naquela noite, com a exibição que ela fez, mas com o que vinha fazendo havia mais de um ano. E que culminou com aquilo. —

— Não foi isso que ela disse. Disse que a culpa foi dele. Era o Duncan que, segundo ela, jogava pesado. —

— Ah, mas foi o senhor mesmo que disse: ela ficou. E o senhor ouviu: ele tinha medo de mim. Foi o que ela respondeu quando o senhor perguntou, depois de todas as queixas dela, todas as alegações dela sobre o Duncan, se ela tinha medo do seu filho. Ela ficou, ela ficou! —

Porque ele era mais terrível que a água, senhor advogado. Mas aquele autojulgamento do acusado não era para ser ouvido pelos advogados, ou pelo menos ainda não. Há um processo de triagem quando se prepara uma causa, que o leigo tem que aprender; Harald já tinha alguma experiência em captar nuanças num contexto muito diferente, as reuniões da diretoria que às vezes ele chegou a presidir. Alguns fatos seriam úteis para o advogado, outros seriam prejudiciais à argumentação que ele iria apresentar — como proceder?

Motsamai colocou-se entre sua majestosa cadeira de couro grená e a mesa, e sentou-se outra vez. O que ele tinha a dizer teria de ser dito ali, e não sentado ao lado do cliente, tomando um conhaque com ele. — Harald, não tem importância se vão ou não conseguir encontrar impressões digitais naquele revólver sob a camada de sujeira. Meu cliente me instruiu. —

— Duncan disse isso. —

— É. Disse a mim. —

— Disse a você. E pediu que você nos dissesse. —

— É. Ah-hêh. —

Aquele som arrancado do fundo do peito pode ser, é, qualquer coisa, um assentimento, um lamento. Quando ouviu o homem chamá-lo pelo primeiro nome, pela primeira vez, Harald compreendeu o que estava sendo expresso agora, por meio de uma forma de comunicação mais antiga que a palavra, além da palavra.

— Quer dizer que é o fim. —

— Não, não é o fim, absolutamente. É o começo do nosso trabalho. —

— Você e o amigo dele, o advogado. —

Todo o seu corpo pinicando, a droga de uma emoção desconhecida injetada dentro daquela câmara em que a condenação foi anunciada, e que agora suplanta o significado de todas as outras moradias desta terra, desta vida.

— O advogado é obrigado a aceitar a causa de uma pessoa que confessa sua culpa? Que já se julgou. Defender o quê? —

— É claro que o advogado tem de aceitar! O indivíduo tem direito de ser julgado de acordo com muitos fatores em relação a seu ato confesso. As *circunstâncias* podem afetar de modo vital o peso das provas circunstanciais. O acusado pode julgar a si próprio, mas não pode pronunciar sua própria sentença. Isso só o juiz pode fazer. Só com base no veredicto do tribunal. Quanto ao tipo de sentença que será pronunciada, estamos no começo, rapaz! O objetivo agora é fazer com que a sentença seja apenas tão severa quanto o permitem as atenuantes — nem um dia a mais. Ele se abriu, Harald — seu filho está falando comigo agora —, o caso tem aspectos que podem ser explorados pela defesa, a defesa ainda está de pé! —

A visita ao assassino, na prisão.

Quando Harald voltou da sala do advogado e contou a Claudia, o rosto dela cobriu-se de placas vermelhas, como se fosse uma reação alérgica feroz, era uma coisa espantosa de se ver. Uma indecência crua diante de seus olhos. Sentia uma vontade angustiante de que ela começasse a chorar, para poder abraçá-la.

Repisaram, apáticos, as palavras do advogado a respeito da sua causa, da sua tarefa. O princípio do direito, de inocência até prova em contrário, no qual eles acreditavam, tal como todos os que têm certeza de que jamais incorrerão em nenhuma transgressão mais séria que uma multa de trânsito, fora derrubado. Na poeira levantada pelo desmoronamento, a confusão os isolava; cada um falava por si próprio, e não para tentar se aproximar do outro.

Qualquer outra mulher certamente teria chorado, lamentando a sorte do filho, e ele saberia o que fazer, abraçando-a, chorando também. Disse ele, falando por si: Sabemos menos que antes. O Motsamai não lhe perguntou a única coisa importante. Para mim — para nós. Não por quê — isso é a única coisa que preocupa o Motsamai, é a defesa. Mas como. Como foi que ele fez. Duncan capaz de *fazer* isso, pegar uma arma e matar. Ele é você e eu, não é, e nós não temos como saber, não é? Não porque ele não vai contar ao Motsamai nem a nós nem a ninguém; é uma coisa que não se pode "contar". Tem de estar dentro da pessoa. Dentro dele.

Claudia foi à cozinha pegar comida, porque devia ser mais ou menos a hora em que eles costumavam comer. Harald não tinha habilidades domésticas. Foi atrás dela, guiado por uma espécie de cortesia que era a única coisa que restava naquela situação. Não havia mais nada a dizer; ele já havia dito demais, talvez. O que Claudia estava pensando, montando em sua cabeça no silêncio subterrâneo da cozinha, veio à tona no dia seguinte, quando caminhavam juntos em direção ao estacionamento, indo para a prisão. Uma das folhas rígidas, espatuladas, da bananeira-da-rainha prendeu-se no cabelo dela, e Claudia se esquivou, interrompendo a caminhada inexorável, e ele se virou para ver o que a estava impedindo de andar. Um sorriso amargo rapidamente transformou o rosto dela, e na mesma hora fechou-se. Você acreditou naquela noite que ele era capaz de fazer isso. Não é? Você decidiu. Você não precisava mais da confissão feita para o advogado.

Antes houvera a persona de um prisioneiro sentado do outro lado da mesa no parlatório da prisão, agora era a persona do assassino, assassino confesso, assumido. Duncan. Claudia, sua mãe, conseguiu enfrentar aquela meia hora no formato que lhe ensinara sua profissão, uma segurança que nenhuma calamidade podia abalar; a confiança que nenhuma calamidade podia abalar; a confissão de culpa era o diagnóstico. Mais uma vez, a questão do advogado. O paciente estava absolutamente seguro quanto à competência do profissional encarregado do caso, tinha mesmo confiança em Motsamai, agora que já havia conversado com ele? Gostaria de ouvir uma segunda opinião? Havia muitos advogados experientes, não seria uma boa idéia? A natureza do diagnóstico em si, a terrível malignidade que ele afirma, não está em discussão. O pai confirma: — Eu também já tive oportunidade de conversar com o Motsamai. Acho que é um homem inteligente. E ele sabe que você vai precisar de um homem inteligente. Acho que devemos deixar que ele decida se vale a pena consultar outra pessoa. Uma pessoa que tenha uma experiência específica num certo tipo de causa que lhe interesse utilizar. —

O filho — com sua nova persona, ei-lo, usando uma das camisas que o pai foi buscar no bangalô, o filho que matou um homem — não está observando os dois tranqüilamente como fez nas visitas anteriores, quando eles podiam representar para ele a fantasia, afirmada pela presença deles ali, de que ele não havia feito o que de fato fizera, de que iam encontrar alguém que tinha jogado a arma entre as samambaias. Ele está desatento, mãos e olhos inquietos. Ela chega mesmo a perguntar-lhe: será que ele está com febre? — é só disso que ela entende, sua mãe amorosa, coitada, coitada.

O que ela poderia receitar para esse tipo de febre?

— O Motsamai é um sujeito meio metido a besta, mas é legal. Eu me entendo legal com ele. Então vocês falaram com ele. Já estão sabendo o que têm de saber. —

— Não. Não sabemos o que temos de saber, não. Só sabemos da sua decisão. E que ele aceita. Não tem nenhuma alternativa a propor. Duncan. —

Abruptamente Duncan estende a mão, a mão de um homem afogado fazendo sinais do fundo de suas próprias profundezas, e segura a mão do pai estendida na mesa. Seu olhar hesita entre Harald e Claudia. — Eu teria compreendido, se vocês dois não tivessem voltado, agora.

É assim que Duncan quase chega a admitir, diante dos pais, que fez o que fez.

O homem do sofá não foi sua única vítima. Agora há em Harald e Claudia um ressentimento maligno contra o filho que antes teria parecido tão inimaginável quanto o potencial assassino de Duncan. O ressentimento é vergonhoso. O que é vergonhoso não pode ser compartilhado. O que é vergonhoso separa. Porém cada um deles, individualmente, terá de aprender a lidar com o ressentimento. É um sentimento vergonhoso: porque o que foi que eles fizeram com Duncan? Será aí que se encontra a resposta à pergunta — por quê? por quê? Harald é guiado pelos jesuítas, Claudia por Freud.

Há uma necessidade de reconceber, de regerar o filho.

Sua concepção foi muito divertida, disso Harald sabe. A transformação do eu que ocorre na primeira paixão sexual é uma coisa difícil de recordar com todo o frescor e a delícia do original — não é apenas o hímen que se quebra; parte-se também a crisálida onde ficam dobradas as asas da identificação com todos os seres vivos, para soltá-las. Harald foi o primeiro homem da vida de Claudia, no tempo em que ela era a aluna mais jovem de sua turma na faculdade de medicina, e ele não conseguia se decidir se trocava o curso de engenharia pelo de economia. A confiante arrogância de um jovem apaixonado lhe deu coragem para decepcionar o pai e romper com a tradição familiar de engenheiros, que remontava ao bisavô que emigrara da Noruega.

O pai de Claudia era cardiologista, e quando menina ela brincava de médico com um estetoscópio velho; não decepcionou ninguém, pois sua mãe era uma professora primária cujo feminismo nascente queria para sua filha uma carreira mais ambiciosa.

Harald e sua namorada, Claudia e seu namorado (era assim que seus pais pensavam neles, nos anos 60) eram jovens demais para casar-se, mas foi o que fizeram quando ela engravidou. Uma concepção divertida. O que era tão fascinante no início da relação, o que tornava irresistível a atração do parceiro, é algo que não apenas muda de perspectiva a partir do ponto de vista do que um revela ao outro ao longo dos anos, mas também revela algo mais, algo que estava presente no momento inicial, para ser visto, só que não foi visto. Claudia, tão jovem, já naquela época estava convicta de que a atividade de cuidar do corpo satisfazia a ela e a todas as obrigações humanas possíveis — um destino, para usar um termo pomposo e antiquado. Harald, incapaz de assumir uma autodefinição qualquer, escolhera um trabalho que o interessava pela influência sobre sua própria vida, já escarafunchando significados da existência como camadas de tinta velha. Nenhum dos dois sentiu-se atraído a entrar para o movimento hippie dos anos 60. Fazer amor, fazer amor era uma coisa exclusiva e séria — impossível entender agora o que era para eles naquela época —, como poderiam eles ao mesmo tempo manter-se conscientes da estranheza que os dissociava enquanto seus corpos se encaixavam em jubilosa revelação? E eles haviam resolvido — não, administrado — essas incompatibilidades passando pelas diferentes etapas do casamento, de amar-se em oposição a estar apaixonados — incompatibilidades que eram ignoradas no momento da concepção — porém presentes. O filho nasceu delas.

O espermatozóide a nadar, o óvulo recebendo-o — o que se une na concepção é o que os pais são, e as duas linhagens que culminam neles. Mas seria possível chegar até Adão e Eva em busca daquilo. Hamilton Motsamai, a quem foi confiada a vida do filho — e as deles —, sem dúvida conhece sua própria linhagem, por meio de uma língua falada, de lendas orais, cantos e cerimônias vividas na mesma terra natal. Para aqueles cujos ancestrais saíram de suas terras para conquistar, ou para fugir da perseguição ou da pobreza, a linha ancestral começa com os avôs que emigraram. Há uma terra velha e uma terra nova; a hereditariedade do que é concebido começa com a terra nova, as misturas que ocorreram. O avô norueguês era protestante, mas o pai de Harald, Peter, uniu-se com uma católica cujos ancestrais eram irlandeses, e é por isso que o primeiro nome de Harald é escandinavo, mas ele foi criado — é este o dever da mãe, criar o filho conforme sua religião — como católico. Os pais de Claudia só foram à Escócia uma única vez, numa viagem de férias à Europa, mas o pai, o médico de quem ela foi discípula, foi batizado com o nome de um avô escocês que emigrou numa data esquecida, e é por isso que o filho de Claudia recebeu o nome que é todo um código genético, Duncan Peter Lindgard.

Um anzol no dedo dele.

Quando era que algumas coisas entravam, intrometiam-se e juntavam-se às herdadas, e não podiam mais ser retiradas?

Ele fazia mais coisas, mais atividades, com o pai. Ela imagina que isso seja natural, no caso de um filho homem. Assim, o pai tem uma responsabilidade especial. O pai estava com ele, pescando, e o anzol enterrou-se na ponta macia do dedo médio, ele teria uns seis anos de idade. Ou menos. O pai levou-o para casa para que a mãe médica retirasse o anzol com jeito, tal como ela aprendera a fazer, machucando-o o mínimo possível, um exemplo dado a ele bem cedo. Não se deve fazer mal ao corpo humano de propósito.

Quando criança, ele tinha o equilíbrio perfeito de um pássaro no galho mais alto de uma árvore.

A imagem que ocorria a Harald vinha do tempo em que ele o levava para observar pássaros. Ela dava desculpas para não ir também, era uma atividade parada demais para ela, a espera prolongada pelo pouso de alguma ave, vasculhando o céu vazio com um binóculo até que uma figura recortada cruzasse o campo de visão — o menino consultando, sério, a ilustração apropriada no manual mesmo quando ainda era muito pequeno para ler o texto. Uma imagem aproximou-se do tempo distante, tal como as imagens são aproximadas das lonjuras pelo binóculo: sol dedilhando a floresta esgarçada (onde, que ano) e a figura do menino listrada de sol, como se ele próprio fosse um bichinho, movendo-se com cuidado, para não perturbar nenhuma criatura da natureza; tanto respeito pela vida.

Quando uma vez foi necessário abater um cachorro — sozinha, era inevitável que ela relembrasse esse caso —, foi ela que acabou tendo de fazer o serviço porque ele implorou, não queria que fosse o veterinário. Ele estava com dez, onze anos, queria que a mãe médica fizesse porque tinha confiança nela, sabia que ela não o deixaria sofrer, ela é que devia "dar fim ao sofrimento" (o filho era protegido da morte por aquele eufemismo) do animal de estimação que, enquanto o menino ficava cada vez mais alto e mais forte, tornara-se velho demais para andar. Ela se apressou a realizar o ato por causa da dolorosa indecisão dele, quase adulta, quanto a pôr fim à vida do velho animal; e depois, no rostinho ressabiado, o peso da consciência do que haviam feito repreendendo-a por ter sido sua cúmplice; os adultos deviam saber fazer com que as criaturas vivessem para sempre, saber abolir a morte.

Esse exame sentimental do que o filho era é algo que Harald e Claudia procuram detectar um no outro, não porque um esteja buscando a fraqueza do conforto no outro, mas porque algo vulnerável, que os incrimine a ambos, pode vir à tona. Alguém deve ser o culpado. Se Duncan admite sua culpa. Às vezes o indício de uma busca se revela: quando levam o cachorro para passear (resolveram violar a norma do condomínio que proíbe animais, o mínimo que podem fazer pelo filho) ela comenta de repente sobre o jeito que o menino tinha de se expressar, principalmente quando ficava intrigado com o que acabava de aprender. *Papel é árvore, chuva é a água que sobe da terra quando o sol esquenta. Quer dizer que tudo é outra coisa. E as lágrimas? Quando eu choro?*

Não me lembro de ele ter tido muito motivo para chorar. Um menino alegre. Nunca foi exatamente castigado.

Ela o via quando o rosto era possuído pelo paroxismo vermelho, lívido em torno da boca, da infância.

Porque isso quem fazia era eu.

Assim, você é que provocava o choro.

Responder seria revidar. Ela deixou que o cão a puxasse para a frente. O compromisso dos pais era com a preservação da vida. Mesmo ele, de certo modo, garantindo às pessoas (e ganhando dinheiro com isso, sim, mas ela também era paga pela maioria dos serviços que prestava, não era?) que elas seriam compensadas por qualquer desgraça que lhes acontecesse, e mais recentemente providenciando dinheiro para que os sem-teto tivessem onde morar. O exército — o exército. Foi *lá* que a ética que o filho aprendera com os pais foi invertida. Quando serviu o exército, ele aprendeu a matar; ainda que sob o disfarce de ordem-unida, manobras, cursos de balística (já haviam determinado o calibre da arma encontrada entre as samambaias), o que estavam lhe dando era o direito de matar. Que há circunstâncias em que isso é justificado tanto pela lei humana quanto pela divina — se bem que a sanção divina talvez não tivesse sido assimilada por Duncan, porque, embora o houvesse transformado num leitor, teria Harald conseguido transformá-lo num cristão?

Guerra, direito de matar: um truísmo.

Se Harald toca nesse assunto, ele o esvazia no instante seguinte.

Será que ele chegou a entrar em combate? Nós sabemos que não, demos graças a Deus que não.

Você disse a ele que o exército ia ser uma experiência embrutecedora.

Está bem. E qual era a alternativa? Você não quis mandá-lo para fora, não é? Para fora do país. Uma experiência embrutecedora, moralmente indefensável: mas milhões de pessoas passaram por isso. Ele só atirou em alvos.

Ele nos disse que os alvos eram em forma de pessoas.

Aconteceu uma coisa terrível.

Mamãe e papai queridos:

Aconteceu uma coisa terrível. Foi no sábado, a gente estava jogando futebol, o 2º time, que é o meu. Um garoto do primário entrou no ginásio para pegar uma coisa e aí a gente ouviu um grito, deu para ouvir lá do campo. Ele viu uma pessoa pendurada da viga onde fica o saco de areia. Era o Robertse, da 5ª série. Estava enforcado. O McLeod e os outros professores entraram, mas não deixaram a gente entrar. Mas depois vimos uma coisa enrolada num cobertor sendo tirada de lá. Chamaram uma ambulância e a polícia. Mas tivemos que ficar cada um no seu cubículo ou então na sala comum.

A segunda página da carta se perdeu, embora ela certamente tenha guardado a carta como algo cuja importância deveria ultrapassar o limite dos tempos da escola, da infância. Estava no meio dos documentos referentes às coisas que os pais fazem para proteger um filho, os compromissos que assumem por ele. Reforço contra poliomielite, ficha de tratamento ortodôntico, vacinas contra tétano e hepatite — precauções tomadas antes de um acampamento feito com a escola no Zimbábue. Claudia reencontrou essa carta agora, foi procurá-la em meio àqueles papéis que talvez não fizesse mais sentido guardar.

Quando Claudia e Harald receberam aquela carta, ficaram estranhamente perturbados; ela percebia agora que ali estava a *outra vez* esquecida, a primeira em que foram invadidos por um evento para o qual não havia lugar no tipo de vida que levavam, o tipo de vida que julgavam ter garantido para o filho. (Uma escola liberal — cujo liberalismo não chegava ao ponto de permitir o ingresso de negros como Motsamai, eles se davam conta agora.) O que poderia levar um menino, um colega do filho deles, no mesmo ambiente protegido, com as mesmas experiências de vida cuidadosamente limitadas, os mesmos costumes civilizados e seletivos — eles não teriam colocado Duncan em nenhuma escola que praticasse castigos corporais —, o que poderia ter levado um menino a passar uma corda em torno do pescoço? Aquela idéia era horrorosa — porém o horror era distanciado. A perturbação que sentiam vinha da descoberta de que há perigos, inerentes, nos filhos; perigos no interior da própria existência. Não há segregação que os proteja deles. E ninguém pode saber, com relação a outra pessoa, nem mesmo a um filho, quais são esses desesperos e impulsos primários, destrutivos. Harald e Claudia — eles podiam perfeitamente ser os pais daquele menino, eram clones deles, pagavam a mesma mensalidade na escola, aprovavam a filosofia educacional avançada do corpo docente esclarecido, haviam escolhido uma escola que admitia crianças dos dois sexos para que um menino que não tinha irmãs aprendesse a conviver naturalmente com garotas. O que eles sentiam era medo — medo da possibilidade de que houvesse ameaças a seu filho a respeito das quais eles nada soubessem e nada pudessem fazer. Eles escreveram para Duncan — escreveram? — ou então foram visitá-lo. Ela lembrava-se de ter dito a Harald, quero que você diga ao Duncan, aconteça o que acontecer com ele, seja lá o que ele tiver feito, que ele pode contar conosco. *Não há nada que você não possa contar para nós. Nada. Nós estaremos sempre do seu lado quando for preciso. Sempre.* E eles sentiam que Duncan estava protegido. Graças a eles.

Lembra aquela vez, com o filho dos Robertse? O que você disse ao Duncan.

Lembro que *você* é que falou com ele, tivemos permissão de sair para almoçar com ele. Estávamos num restaurante ao ar livre não sei onde — não havia outro lugar para se ir. Não parecia um lugar muito adequado. Mas enfim.

Por que é que fui eu? Era de se esperar que fosse a mãe.

Porque você é homem, e ele era menino. Acho que a idéia era que você teria — sei lá — uma experiência masculina com ele, é o mais provável, não seria eu.

Que diferença fazia quem tinha assumido aquele compromisso com o menino; o compromisso era dos dois. Foi o documento que ele tinha em mente quando disse, no parlatório: eu teria compreendido, se vocês dois não tivessem voltado.

Quando nos é dada uma catástrofe que parece exceder todas as medidas, não se torna necessário recitá-la, dizê-la?

Harald estava agora dependente das leituras, no sentido patológico da palavra "dependente": a substância das explicações imaginativas que os escritores propunham para o mistério humano era o que lhe possibilitava, após uma noite em que lera até tarde, levantar-se e apresentar-se na sala da diretoria. Recorreu a velhos livros, releu-os; a mise-en-scène do tempo deles o afastava do presente em que seu filho aguardava julgamento por assassinato. Porém, tal como o filho, Harald encontrava passagens que eram suas, que deveriam ser onipresentes para ele, ainda que não copiadas junto com as outras que estavam no caderno que ele mantinha trancado em seu escritório: "... o homem é tal como desejou ser, e tal como, até o último suspiro, nunca deixou de desejar ser. Ele regozijou-se no assassinato, e não lhe custa muito ser morto. Que morra, pois, já que realizou seu desejo mais caro.

"Desejo mais caro?

"Desejo mais caro.

"É absurdo que o assassino sobreviva ao assassinado. Eles dois, juntos, só eles — tão juntos quanto dois seres só podem estar em um único outro relacionamento humano, um agindo, o outro sofrendo — compartilham um segredo que os une para sempre. Um pertence ao outro."

O Naphta de Thomas Mann dirigia-se a Harald nos silêncios que o acompanhavam por toda parte: os silêncios acusadores, protetoramente hostis, entre ele e sua mulher; os silêncios que ele ocupava no momento exato em que chamava a atenção para anomalias nas decisões sendo examinadas nas reuniões de trabalho, ou quando discutia o efeito das novas políticas fiscais sobre o financiamento de títulos hipotecários; um murmúrio dentro da cabeça como se fosse alguém a cantarolar nos seus ouvidos. A naturalidade da moça, na sala do advogado, quando Motsamai disse: Você estava com medo dele; e então, quase como quem conta vantagem: Ele estava com medo de mim. Medo um do outro? — Numa situação de medo, certamente há sempre um que ameaça e outro que teme. Como pode a ameaça ser para os dois lados? Numa situação de impasse; e será exatamente isso, um impasse mortal; assim, se fosse Natalie/Nastácia que seu filho tivesse matado, teria havido uma resposta: um pertence ao outro. O reverso da concepção de amor sexual que romanticamente o define como estado beatífico de união, ao qual a tradicional cerimônia de casamento confere a bênção divina, como se fossem uma só carne. Porém Duncan não tocou nela; era o homem que estava morto no sofá, com um tiro na cabeça, e os amigos sabiam, e também o advogado, e pelo visto todo mundo, que ele não fora o primeiro nem o único homem com quem ela se deitara num sofá, qualquer um deles poderia ter funcionado como vítima do namorado a quem ela pertencia na intimidade da ameaça. Havia momentos em que Harald sentia um impulso de procurar a moça outra vez, mas Motsamai, que sabia onde encontrá-la, desaconselhava tal coisa.

— Não posso correr o risco de chamá-la outra vez, você entende, não é, Harald, ela acha que você e a sua mulher põem a culpa nela. —

— Como a gente poderia pôr a culpa nela? Ele fez o que fez. —

— Porque é necessário pôr a culpa em alguém. O seu filho está numa enrascada. É a natureza humana, nê? Porque *eu* tenho de pôr a culpa em alguém! O advogado dele tem de provar a existência de circunstâncias causais, que espalhem a culpa de tal modo que o ônus recaia em outros que nunca vão ser chamados a juízo. —

Na onda de silêncio que há dentro dele, ali naquela sala conhecida, onde inocência e culpa são assinaladas por pedaços de papel marcando páginas em volumes — este aposento e o parlatório da prisão agora são extensões da casa no condomínio fechado —, Harald sabe: nós. Em nós. Harald e Claudia, que o geraram: de onde vêm os bebês, não pegue no brinquedo do outro, nunca leia a correspondência alheia, não matarás.

— Eu tenho uma maneira muito especial de lidar com ela. Tenho, sim. Ah-hêh. — Os lábios de Motsamai tentam conter uma reação bem-humorada de auto-admiração. — Com as mulheres, sabe; elas são muito espertas. E essa, essa sabe usar seu charme — é como se abrisse uma torneira! — quando sente que está sendo encurralada. Tenho de ir com jeito, sem que ela perceba, até fazer com que ela se incrimine enquanto pensa que está falando sobre ele. A gente tem de saber lidar com esse tipo de mulher. Elas começam a se fazer de vítimas, e daí a pouco estão se gabando de poder dominar qualquer um, qualquer situação. O tal do sexo fraco dá muito trabalho aos advogados. Eu que o diga. —

Harald é obrigado a reprimir a irritação que lhe causa a pressuposição de que ele concordará, por ser homem, com um comentário parentético que encerra uma generalização condescendente sobre as mulheres. Agora pouco lhe interessa o que esse homem pensa sobre qualquer coisa que não seja a causa que ele diz estar defendendo. Os preconceitos não têm importância. Duncan aprendeu a não ter preconceitos contra negros, judeus, indianos, africânderes, religiosos, agnósticos, todos os pecados fáceis que se apresentam em seu país natal.

— O que foi que ela lhe disse? —

— Não leve isso muito a sério — afinal, partiu dela. Ela diz que ele é um pirralho mimado. Palavras dela. Um pirralho mimado. Ela também usa um vocabulário mais pretensioso: "superprotegido", de modo que ele não está acostumado a ouvir não, não aceita nada que ameace a sua vontade, sua idéia sobre o modo como as coisas deviam ser. Ele é que faz as regras — eu questionei essa afirmação, comentei que no tipo de esquema em que esses jovens vivem hoje em dia não há nenhuma regra, no máximo só as mais básicas, quem é que tem o direito de tirar a cerveja da geladeira — e é claro que eles tinham o negro, o Petrus Ntuli, para fazer o serviço sujo para eles. Não, diz ela, as regras dele eram feitas para ele, não que fossem regras do tipo convencional que ocorreriam a uma pessoa como eu, um advogado. De que tipo eram, então? Ah, sobre quem ficava com quem, essas coisas. Sexo, imagino; mas também amizade, ela insistiu, o grupo que mora naquela casa tem umas amizades complicadas, quer dizer, relações de fidelidade. Ele "topava" o modo como todos lá viviam, achava que coincidia com as idéias dele, as regras dele, se você preferir, mas ao mesmo tempo ele era o "pirralho mimado" que ficava indignado quando o estilo dele — isto é, que ele havia assumido como seu — entrava em conflito com as outras regras de que ele havia se libertado. As da geração mais antiga. As suas. Ela diz que essas regras continuavam a existir nele, embora ele achasse que não. Ela disse algo como: ele agora está na prisão, mas nunca esteve livre. E é claro que ela quer dizer que *ela* é livre. —

— Isso não diz muito a respeito do que aconteceu entre eles. O que você diz dá a impressão de que ela não teve nada a ver com aquele casal encontrado no sofá. —

— Isso mesmo. Isso mesmo! Ela se distancia, exatamente. Ah-hêh. E ela parece não ter, bem, não sentir nada pelo homem que morreu em conseqüência do ato dela com ele naquela noite. Ela não dá nenhum sinal de estar sofrendo... por essa coisa terrível. O que, é claro, é muito bom, é excelente para a minha defesa. Quando eu for interrogá-la. *Ela* podia ter morrido. Por que não? Ela nem pensa nessa possibilidade. Por que não? Quando um não quer... nê? No entanto ela não demonstra nenhum remorso por ter sido no mínimo metade da causa da morte do homem, se levarmos em conta que ele sabia muito bem que ela era namorada do amigo dele. É difícil compreender esse distanciamento dessa moça. Como se ela tivesse certeza de que não poderia ter sido ela. Sei que tem coisas que nunca vou conseguir arrancar dela, talvez — nem mesmo com os meus recursos. —

E por um momento ele ri, satisfeito com seus recursos, e imediatamente retorna à seriedade em que o rosto do pai, que o olha fixamente, pode confiar.

Relatar o que se passou numa reunião como essa, com o advogado, implica que Harald, que está fazendo o relato para ela, e Claudia, que o ouve, têm de dizer a si próprios, mais uma vez, como são obrigados a fazer muitas vezes, todos os dias, que Duncan matou um homem. Aceitar esse fato. O homem foi levado ao necrotério, foi feita uma autópsia e ficou confirmado que a morte foi causada por um tiro na cabeça, e depois foi enterrado numa cerimônia organizada pelos amigos que moravam com ele; seu corpo não foi para a Noruega; o homem assassinado por Duncan continua ali, na terra de Duncan.

Quando Harald chegou, Claudia estava ao telefone, fazendo perguntas e comentários fingidamente interessados na vida de outra pessoa; uma dessas pessoas amigas, bondosas, que fazem questão de telefonar regularmente para mostrar que os Lindgard ainda fazem parte da sociedade, embora um acontecimento terrível os tenha isolado do mundo. Ela olha fixamente para ele enquanto continua a falar e sorrir, como se a amiga pudesse vê-la, mas sem prestar atenção no que ela está dizendo; quer dele algo que ele não tem para dar. A incongruência entre o sorriso e o olhar é uma angústia que é doloroso para ele ter de presenciar. Harald vai à cozinha e vê a água transbordar do copo em sua mão como uma medida de tempo. Quando sai da cozinha ela está na pequena varanda, esperando por ele.

E então, o que ele já conseguiu?

Por que aquela atitude agressiva? Como se ele, juntamente com o advogado, fosse responsável pelo pedido, feito pelo advogado, de adiamento do julgamento, para que ele pudesse preparar as provas.

Falamos mais sobre a moça. Ele acha que ela é uma personagem complexa. Ela não diz nada de bom sobre o Duncan — diz que ele é um "pirralho mimado" —, mas parece que o Motsamai acha que isso é uma vantagem. É difícil para nós acompanhar esse raciocínio de advogado. Ele acha que está conseguindo fazer com que ela mesma se condene — algo assim.

Ela se condenar — mas se não é ela que está sendo julgada! Ele quer é lhe mostrar como é esperto. E você ficou satisfeito, é? É só isso que ele faz!

É que ele acha que a moça é uma testemunha-chave da acusação. Temos de confiar nas avaliações dele; ele citou um monte de precedentes para o tipo de defesa que está preparando. Eu e você não entendemos nada dessas coisas. Não temos nenhuma experiência, não é?, a gente podia ler no jornal quando saía alguma coisa ou então ignorar o que tinha acontecido... Mas o fato é que ele concorda com você, ainda que não use as mesmas palavras. Ela é uma vigarista. Quanto mais ele consegue fazer com que ela se revele, melhor para as "circunstâncias atenuantes". Diz que ela é completamente fria a respeito do homem que morreu, não tem nenhuma consciência, nem mesmo imagina que ela poderia estar no lugar dele. Tão cheia de autoconfiança que acha que nunca poderia ter sofrido nada, fizesse o que fizesse. Sabe Deus por quê.

Porque Duncan estava apaixonado por ela.

Ao ouvir o que Claudia acaba de dizer, Harald tem uma sensação de repulsa, de angústia, que não consegue reprimir.

Então você acredita nesse tipo de amor, ela trepa com outro sujeito e aí o namorado vai e mata ele! Prova de amor. Eu pensava que você tinha uma opinião melhor sobre o seu próprio sexo, que vocês são responsáveis pelos seus atos, como os homens. Você chama isso de amor. De onde foi que ele tirou esse amor!

Estou tentando entender, Harald. Você nunca se apaixonou?

Que porra de pergunta idiota. Você perguntar isso. Eu me apaixonei por você. Eu achava que era capaz de morrer por você, se bem que imagino que era só uma ilusão inofensiva da juventude, sabendo que era pouco provável isso acontecer. Mas pensar que eu poderia matar alguém. Nem mesmo a mim. Não. Amor é vida, é procriação, não pode matar. Se mata, não é amor. Eu não consigo, não consigo imaginar o que ele sentia por aquela mulher.

Então talvez ele a odeie. Resolve castigá-la matando o homem que ela desejava. Se matasse a ela, então ela não ia sofrer.

Não estamos num debate sobre eutanásia entre médicos. Como se ele não soubesse que perdendo um homem ela arranja outro.

Nós estávamos apaixonados, você estava apaixonado por mim, uma paixão louca, segundo você diz — e se você tivesse me encontrado nas circunstâncias em que ele a encontrou?

Claudia. Como é que eu posso saber. Não posso mais me sentir como eu teria me sentido na época. Eu teria me afastado de você, nós não estaríamos aqui agora, não existiria o Duncan — é o que eu digo agora. Ah, mas talvez eu reconquistasse você e trepasse com você também, sei lá o que eu teria feito, apaixonado. Pirralho mimado ou não, esse tipo de amor não vem de mim. Eu não seria capaz de tirar a vida de uma pessoa.

Agora você pode dizer isso, porque sabemos que é necessário viver, aconteça o que acontecer.

Você seria capaz? Há mulheres que dizem que mataram "por amor" — que pergunta para fazer logo a você, que o seu trabalho é manter as pessoas vivas. Que insulto, perguntar isso.

Mas era mais um deboche.

Há mulheres que, quando têm algo a dizer que jamais deveria ser dito, levantam a voz, gritam as palavras, e outras que falam baixo, como se falassem sozinhas, para não ser ouvidas, nessas ocasiões. Claudia é uma delas.

Agora entendo que nunca estive apaixonada assim — loucamente, como você diz. Nunca.

Podem parar os relógios, trancar as portas, mas toda tarde de verão repete-se o arrebol que eles antigamente saíam à varanda para ver, quando o céu se iluminava como se com a fogueira do dia. Mais um dia; esperando. Continuam saindo para ver. Esperando o julgamento. Um passa o jornal para o outro, como pessoas que não se falam mas que reconhecem uma a presença da outra. Estão aqui, não há remédio. Quando ocorriam as pequenas decepções e contrariedades das suas vidas — pequenas, pequenas, reduzidas a trivialidades —, eles chegavam em casa e um mergulhava no outro, na cama. Ele toma sua dose diária de álcool enquanto os pássaros (tecelões, comuns na região) puxam assunto um com o outro, como estrangeiros num bar.

Pirralho mimado.

Ela levanta a vista, ao ouvir a citação.

Ah, isso é querer se esquivar das responsabilidades adultas pelo que você faz. Essa história de síndrome de controle de esfíncteres. Eu jamais toleraria mimos num filho meu.

"Mimado." Estragado. Chocolate e brinquedos. Mas "estragado" tem um outro significado; estragar uma coisa é danificá-la de modo irremediável. Como uma queimadura no tapete.

Você sabe tudo — você leu tudo —, uma pessoa pode cometer um crime por odiar a si própria? É possível? Não é uma outra explicação que as pessoas dão? Será que ele só odeia? Por quê? O que foi que ele fez que permitiu que ele fizesse aquilo?

Harald entregou-lhe uma outra seção do jornal e voltou às páginas que estava lendo. Pensar — pensando — em coisas a que antes só dava atenção passageira: a pessoa inteligente lê de modo seletivo, não acompanha com muito interesse as aventuras sexuais das pop stars nem os crimes horríveis que devem ter sido cometidos por loucos. Mas agora — ali estava a mulher que amarrara seus dois filhos pequenos nas cadeirinhas dentro do carro, saltou fora e deixou o carro afundar na água, afogando os dois.

Os outros! Os outros! Essas coisas horríveis só acontecem com os outros.

Não faz diferença se esses pensamentos eram de Harald ou de Claudia; estavam no ar, ali na varanda, ao entardecer, estavam nos quartos da casa, como o cheiro de cigarro que fica nas cortinas, nos estofados.

Harald sabia que ele e ela pensavam nessas coisas em termos de acontecerem *com* o criminoso, não com a vítima: como se o motivo, a vontade, viesse de fora. Mas vinha de dentro. “O homem é tal como desejou ser, ele realizou seu desejo mais caro.”

Claudia foi sozinha à prisão. Harald estava representando a firma numa reunião de banqueiros e corretores de seguros convocada pelo ministro do Desenvolvimento Econômico; ele não podia continuar subordinando tudo o que estava na sua agenda ao murmúrio incessante em sua mente: sem desempenhar os encargos normais, ao menos exteriormente, a vida não podia prosseguir, até mesmo por falta de sustento material. O advogado Hamilton Motsamai, o estranho ao qual ele estava intimamente ligado durante o decorrer dos trâmites legais, custaria seis mil rands por dia quando estivesse atuando no tribunal, e metade dessa quantia pelo tempo gasto na causa em seu escritório.

Claudia deu por si pensando na roupa que devia usar; como se sentisse que, sem Harald, sua presença estaria em destaque, de modo que suas roupas revelariam uma atitude — com relação ao filho —, sua atitude. No inverno ela usava calças, camisa e suéter sob o jaleco branco do trabalho; no verão, uma saia de algodão e qualquer coisa que combinasse com ela e estivesse à venda no momento — gostava de andar na moda, trabalhando numa profissão tão antiga quanto a história da humanidade. A pessoa que cura não precisa andar mal vestida; os antigos, tal como os *sangomas* e xamãs do presente, usavam colares de contas e penas. Se Claudia fosse à prisão com suas roupas de trabalho, estaria, de certo modo, fantasiada; não ia ao consultório naquela manhã. Se se vestisse como se estivesse indo a um congresso de medicina (tal como Harald punha um terno escuro para ir a sua reunião) ou a um restaurante com Harald para jantar com algum colega dele, pareceria estar sendo excessivamente respeitosa para com a autoridade do lugar sombrio onde seu filho estava encerrado. Se trajasse os jeans dos fins de semana de lazer (um eufemismo, pois um bip podia chamá-la para ir ver um de seus pacientes a qualquer momento do dia ou da noite), isso poderia ter o efeito de acentuar o fato de que lá fora, fora daqueles muros e guaridas com guardas armados, havia gente caminhando sobre a grama à sombra das árvores, as bananeiras-da-rainha estavam floridas junto à varanda da casa onde seus pais ficavam no verão, o empregado Petrus Ntuli estava regando o canteiro de samambaias. Por fim, Claudia vestiu-se, sem se dar conta do que fazia, de modo a agradá-lo. Para parecer o tipo de mãe que ele queria — nem manifestando as convenções e juízos de uma geração mais velha nem tentando assemelhar-se à dele, aproximar-se dele tentando parecer jovem — ela sabia que às vezes aproveitava-se imprudentemente do fato de que parecia ter menos de quarenta e sete anos e usava roupas feitas para mulheres mais jovens. Suas roupas deveriam confirmar a afirmativa: aconteça o que acontecer, faça o que você fizer, você pode sempre contar comigo.

Duncan não fez nenhum comentário sobre a ausência de Harald; era como se estivesse mesmo esperando por ela. Foi Claudia que mencionou o fato de que seu pai fora obrigado a comparecer a uma reunião convocada pelo ministro. Ele mandou um abraço. Era a linha rabiscada como pós-escrito ao final de uma carta, ainda que a suposta mensagem jamais tivesse sido de fato mandada.

Duncan disse que tinha ouvido alguma coisa a respeito da reunião, no rádio. Essa tênue ligação com o mundo exterior de algum modo surpreendeu-a, como se a afirmação de seu filho implicasse que uma voz fraca na superfície da Terra estava sendo ouvida por um astronauta amarrado dentro de uma cápsula espacial. Claudia não conseguia entender como uma pessoa poderia ficar sentada — não, não devia haver nenhuma cadeira na cela —, deitada num colchão estendido no chão ouvindo notícias sobre a *vida*. Lá fora.

Ela não tinha reparado, nas visitas anteriores, que Duncan levantava e baixava as pálpebras, devagar, quando os outros — ela e Harald — falavam com ele. Não piscava, exatamente. Era como o movimento de um abano, paciente, distante, estóico. Ele ouve tudo o que temos a dizer. Ela estava observando-o de modo muito mais intenso e atento desta vez do que antes. Quando Harald também estava presente, ela e Harald tinham juntos como que sensores invisíveis, como as antenas com que certas criaturas captam impulsos externos dirigidos a elas, e isso os impedia de se concentrarem por completo no filho. Um ficava atento para o modo como o outro reagia a Duncan; havia uma interferência, uma estática, que perturbava os sinais que vinham do filho.

Harald não estava lá; após um certo número de visitas, era tal como dissera Motsamai: o carcereiro era uma presença tão apagada quanto o tampo arranhado da mesa. E nessa mesa Claudia de repente conseguiu tomar as duas mãos dele nas suas. Ela sempre admirara as mãos de Duncan, tão diferentes das dela, com ossos proeminentes e a pele áspera dos médicos e das lavadeiras; quando Duncan era pequeno ela abria sua mãozinha de dedos compridos e polegares grandes para mostrá-la a Harald: veja, igual à sua (e ria, orgulhosa), caprichei para ele não puxar pela minha, não é? Claudia virou-as, agora, com as palmas para cima, como no gesto antigo, mas ele as retirou e cerrou os punhos, jogando a cabeça para trás.

Ela ficou consternada. Por Duncan poder ter imaginado que o gesto era um modo de lembrá-lo do que fizera com aquelas mãos. Ali, a Duncan, naquele lugar, não podia explicar que era uma daquelas reminiscências femininas, sentimentais, complacentes, que os filhos adultos acham, com toda razão, desagradáveis e tediosas. Era o tipo de momento em que o jeito é se levantar e sair correndo da sala. Mas não daquela sala. Quem sai dela não pode entrar de novo. Só no próximo dia de visita. Ela não estava em casa, onde os mal-entendidos podiam ser explicados.

O gesto irreparável tornou-a ousada.

— Você disse a ele que é culpado. O advogado. Não consigo acreditar em você. —

— Eu sei que você não acredita. — Ele balança a cabeça de um lado para o outro, está medindo as quatro paredes, está se encerrando nas paredes do parlatório. Ela jamais viu a cela onde o filho vive, mas ele leva consigo as dimensões do recinto.

— Você quer que eu acredite? —

— Às vezes quero. Mas sei que é impossível. Às vezes não penso nisso, porque tanto faz que você acredite ou não... —

Aconteceu uma coisa terrível. Ela não pode mencionar aquela carta que ele escreveu há tanto tempo, e a promessa que ela — o pai? —, que eles fizeram.

— Não seria melhor você tentar me dizer alguma coisa agora em vez de eu e o Harald ficarmos ouvindo... coisas... quando você tiver de responder no tribunal... —

Ele continua a balançar a cabeça daquele jeito, é insuportável para ela.

—... para que eu possa lhe dizer agora, eu estou dizendo agora, que não importa o que aconteceu, não importa o que você tiver feito, você pode sempre contar conosco. —

Duncan olhou para ela, e uma dor profunda foi modificando seu rosto diante dos olhos de Claudia, o nariz sendo estreitado pelas rugas que se abriam nas faces em ambos os lados, até a boca. Melhor não exercer seus direitos de mãe.

Ele não precisou dizer isso.

Lenta, cuidadosamente, ela pegou uma das mãos dele outra vez. — Lembre-se disso todo o tempo que você estiver fechado aqui dentro. Todo o tempo. —

Ele não retirou a mão.

— Você imagina as coisas que a gente quer perguntar. Harald e eu. — Ela evitou a expressão "seu pai", qualquer coisa que associasse aquela identidade com suas conotações de autoridade e julgamento — Harald com seu Pai Nosso que estais no céu — poderia destruir aquele frágil contato. — Posso falar um pouco sobre a moça? —

— Natalie. — Estava só pronunciando o nome, e não refrescando a memória de Claudia. Como se dissesse: é o nome que a representa; o nome nada tem a ver com o que ela é.

— Eu tive a impressão de que seu namoro com ela não era tão sério assim, quer dizer, nas poucas vezes em que vi você com ela. E confesso que não gostei muito dela. Mas você provavelmente reparou isso. Sua mãe tentando ser gentil, quando no fundo não aprovava. Claro. — O relaxamento de um leve sorriso entre eles. — Eu achava que a outra, a anterior, era mais o tipo de moça que você escolheria para viver com você. Mas essa. Eu olhava quando ela não estava percebendo e reparava que tinha aquele jeito infantil típico de muitas mulheres promíscuas. São as caçadoras — como é que se diz, as predadoras com cara de vítima. Vejo muitas mulheres assim no meu trabalho, negras e brancas, todas têm o mesmo jeito. Não tenho nada contra ela pelo fato de ser promíscua, você sabe. Minha única objeção se baseia no que a promiscuidade pode fazer com os corpos que tenho de tratar. Sempre imaginei que você mesmo tivesse passado por muitas experiências do tipo. Quando eu e o Harald éramos jovens só havia doenças que podiam ser curadas com algumas injeções. Agora existe essa que não se pode curar com nada. Na clínica me levam bebês que já começaram a morrer dela no momento em que nasceram. Mas eu pensava — ah, é claro que pessoas de classe média como eu e o Harald têm essa atitude esnobe — que você certamente só andaria com mulheres tão... Bem, tão exigentes quanto você. Difíceis na hora de escolher parceiros. Não era a promiscuidade que me incomodava, era o jeito dela, a dissimulação, o jeito infantil. A experiência me mostrou que por trás disso sempre há uma coisa muito diferente. E preciso lhe dizer mais uma coisa. Harald esteve com ela na sala do Motsamai, e a coisa veio à tona. Não tinha nada de infantil. —

— O que era que você queria saber sobre ela?

— Qualquer coisa que você quiser me dizer. —

— A Natalie teve um filho — não comigo — que ela deu para ser adotado, e depois ela tentou pegar de volta e não conseguiu e aí teve um colapso nervoso. Foi então que a gente se conheceu. Ela se recuperou, e estava cheia de — você sabe — alegria de viver, de voltar à vida. Ela se mudou lá para o bangalô, foi viver comigo. Ela tem uma energia que não consegue, nem tenta, conter. —

— Você já sabia disso? —

— Acho que sim. Sabia e não sabia. Mas se você me perguntar sobre ela, vai ter de perguntar sobre mim também. —

O carcereiro mexeu-se um pouco, como um cão de guarda adormecido. Nervosa, ela levantou a mão para consultar o relógio. Haveria tempo, haveria tempo para isso? Anos tinham se passado, separando os dois seres que eles eram; os vínculos de sangue de nada valiam.

— Você disse a ele que era culpado. —

— Você podia trazer mais livros? Peça ao Harald. Não precisa esperar até a semana que vem, é só entregar ao comissário. —

Porém ele a abraçou, do outro lado da mesa, ela sentiu na face a aspereza de uma barba de vários dias; fechado naquela cela, ele estava fazendo o que os homens fazem, ela sabia, para mudar sua auto-imagem, deixando crescer a barba. Não há espelhos nas celas, os cacos de vidro são armas, mas ele podia levar a mão ao rosto e sentir a imagem.

No carro, voltando para casa, ela se sentia atormentada ao pensar nas perguntas que não havia feito. A perda de uma oportunidade, a sós com ele, que talvez não se repetisse; uma conexão que se partira, mas que, embora por pouco tempo, havia se formado, irresistivelmente, disso não havia dúvida. Será que ele pensou — que ele *não* pensou — nas conseqüências? Como poderia ele não saber onde estava?

Talvez ele planejasse se matar depois de fazer o que fez. Ninguém havia pensado nisso. Ficou deitado na cama, no bangalô, esperando que viessem pegá-lo. A única resistência foi dormir, ou fingir que dormia, e não ouvir as batidas fortes na porta. Será que ele não pensou no que aconteceria com *ele*? Com ela. Com Harald.

Aguardando o julgamento. Que foi adiado.

Quando Harald avisa à secretária que não vai ao trabalho na parte da tarde, todos na firma sabem que deve ser o dia de visitas na prisão. Quando é necessário notificar sua ausência aos colegas — os pedidos de desculpas dos faltosos são lidos em voz alta como parte das formalidades rotineiras da reunião da diretoria — os rostos ficam sérios, como se estivessem observando um minuto de silêncio; as secretárias diante dos computadores, os funcionários trabalhando nos arquivos, todos trocam a palavra universal de solidariedade do país: *Shame*.* O sentido da exclamação é exatamente o oposto do que diz o dicionário — ninguém sabe como foi que tal coisa aconteceu. E nesse caso em particular, a inversão é curiosamente nítida: ninguém está injuriando o nome do senhor Lindgard por conta do ato criminoso de seu filho; o que estão manifestando é uma mistura de

* Literalmente, "vergonha"; usada como exclamação, porém, a palavra significa "que pena". (N. T.)

pena com lástima contra a injustiça de uma coisa dessas acontecer com um senhor distinto como ele.

Harald e Claudia tinham amigos próximos, antes. Embora eles tenham muita vontade de ajudar, de dar apoio, isso é impossível. Harald e Claudia sabem que agora têm pouco em comum com eles. Ela atura pacientemente as conversas telefônicas; sem discussão, ambos se esquivam de convites, que não são apenas gestos caridosos: esses poucos amigos íntimos, chocados, verdadeiramente consternados com o que aconteceu, sentem-se excluídos da responsabilidade pela vulnerabilidade humana, o instinto de proteger-se dessa vulnerabilidade reunindo-se todos numa espécie de abrigo coletivamente construído, o bunker dessa outra guerra, para proteger-se dos obuses da existência.

A única pessoa com quem eles têm algo em comum é o doutor Motsamai; Hamilton. Sem se dar ao trabalho de lhes pedir permissão, ele começou a chamá-los pelos primeiros nomes. O fato de que ele próprio podia dirigir-se a Harald desse modo não se questionava. Ele tem autoridade. Na situação em que eles se encontram, Motsamai tem completa autoridade sobre tudo. Motsamai, o estranho, o homem que vem do Outro Lado do passado dividido. Os dois estavam em suas mãos negras de palmas rosadas.

Os Lindgard não eram racistas, se racista é aquele que sente repulsa por uma pele de cor diferente, que acredita ou quer acreditar que todos aqueles que têm cor, religião ou nacionalidade diferente são intelectual e moralmente inferiores. Claudia certamente conhecia provas de que a carne, o sangue e o sofrimento são iguais, sob qualquer espécie de pele. Harald certamente tinha como prova sua fé em que todos os seres humanos são criaturas de Deus, feitas à imagem de Cristo, nenhuma delas superior a nenhuma outra. Porém nem ela nem ele haviam participado de movimentos, protestado, saído em passeatas, falado publicamente a favor de suas convicções. Simplesmente achavam que não eram o tipo de pessoa que fizesse essas coisas; como se fosse uma questão de determinação imutável, por exemplo em razão do grupo sangüíneo a que se pertence, e não falta de coragem. Ele não arriscava sua posição no mundo dos negócios. Claudia trabalhava nos hospitais públicos cuidando das feridas que o racismo abria; não arriscava a própria pele entrando em contato, fora do íntimo contato profissional, com os homens e mulheres de cor negra de quem ela tratava, nem oferecendo asilo quando concluía que eram militantes fugindo da polícia, nem agindo como uma espécie de mensageira entre revolucionários, o que suas idas e vindas de uma a outra comunidade viabilizariam. Quanto ao que essas pessoas chamavam de "a luta" — ela reconhecia que era necessária, reconhecia a coragem dos que lutavam, quando lia reportagens sobre seus atos, nos jornais; porém afastava-se delas fora do expediente. Atinha-se a sua luta pessoal contra a doença, e os danos que as outras pessoas causavam: *outras pessoas*, que atacavam os negros com gás lacrimogêneo e cães, que os expulsavam de suas casas e obrigavam-nos a morar em casebres, de onde saíam velhos que lhe eram trazidos morrendo de pneumonia, e crianças que a desnutrição não deixara crescer. Também dessas *outras pessoas* ela se afastara.

Harald a deixava dormindo nas manhãs de domingo e ia comungar na catedral. Ficava na zona leste da cidade, onde o centro comercial se esgarçava em clubes sem fachada em que se vendiam drogas e hotéis com quartos cheirando a mofo alugados por hora. Na congregação, não havia ninguém que o reconhecesse com sorrisos solidários de saudação, como os que ele teria de enfrentar na igreja da paróquia a que pertencia seu condomínio. Ele ficava sozinho com seu Deus. Não era da conta de Claudia. Não era culpa de ninguém, só do próprio

Harald, ele não ter percebido, quando se casaram, que ela era incapaz de mudar, era ignorante, uma analfabeta nata na esfera da vida em que agora poderiam estar unidos diante da catástrofe imprevista. Aquela congregação anônima continha todas as gradações de cor e fisionomia. Velhinhas brancas como papel, saídas de quartos de aposentados; moças adolescentes de olhos como conchas de mexilhão e faces lisas e escuras como bolotas de carvalho; negros magros, perdidos em paletós grandes demais para eles, doados por instituições de caridade; mulheres de seios volumosos, com roupas negras de ir à igreja; rapazes das ruas, com penteados afro que lembravam representações medievais do sol: Febo cercado por uma auréola emaranhada de cabelo e barba. O homem à sua frente na fila era da idade de seu filho; tinha um bafo forte de álcool e coçava a carapinha. Harald tomou a hóstia umedecida de vinho lado a lado daquele homem abençoado pela Criação com o que, poucos anos antes, era uma maldição, por força da proibição legal da mistura de peles de cores diferentes, o sofrimento do negro, a apostasia do branco.

A religião de Harald certamente o protegia do pecado da discriminação. Era bem verdade que ele jamais fizera nada no sentido de impedir que os outros discriminassem, antes que a lei mudasse a sociedade de modo a tornar uma atitude assim perfeitamente legal e protegida. Durante todos aqueles anos em que estava, como dizem os defensores da iniciativa privada, "galgando a escada da firma", ele aceitara sem questionamento o fato de que não era possível conceder empréstimos para aquisição de casa própria a pessoas negras; elas não teriam dinheiro para pagar as prestações. Um risco perigoso. Era um fato. O governo da época devia providenciar moradia para aquelas pessoas: por isso ele votava contra o governo, que não cumpria seu dever. Sua responsabilidade só ia até aí. Agora as novas leis levavam em conta muitos dos fatores que haviam tornado a pobreza uma condição tão inevitável para os negros quanto a cor de sua pele. Harald era uma dessas pessoas que não tomam iniciativas, mas que sabem agir depois que a iniciativa é tomada; tinha lugar de destaque entre os membros de sua profissão que trabalhavam com bancos comprometidos com o risco de dar moradia às pessoas cuja única caução era a necessidade. Dava-lhe uma certa satisfação pensar que estava ajudando a melhorar as vidas de seus semelhantes, muito embora não tivesse seguido o ensinamento de Cristo de destruir os templos de seu sofrimento. Ele atuava numa comissão composta de representantes do novo governo e do setor financeiro. Os membros eram negros e brancos, é claro; agora todos dividiam o risco. Mesmo que não tivessem mais nada em comum, pelo menos sua filosofia de negócios era a mesma.

Com Motsamai, o caso é muito diferente. Hamilton. Antigamente os patrões só conheciam o primeiro nome dos criados, hoje todos sabem que isso era uma atitude intrinsecamente aviltante. Já *neste* caso, a utilização do primeiro nome de um negro é sinal não de igualdade, isso seria pouco — é sinal de que ele aceita você, o branco, ele lhe concede acesso ilimitado a seu poder. Nesse relacionamento, os termos de igualdade aceitos com naturalidade, tranqüilamente, uma vez aprendido o vocabulário correto e compreendidas as mesmas referências, são afastados por um fantasma que emergiu do passado, onde decerto estava aguardando a hora de surgir. Naquelas mãos agora. Hamilton. Tudo o que existe, nos silêncios entre Harald e Claudia, é o fato da vida do filho deles. Todas as outras circunstâncias da vida são mecânicas (fora as preces de Harald; o ressentimento cético que Claudia sente quando percebe que ele está rezando). Por causa do antigo condicionamento, mais um fantasma que emerge de algum lugar, vem a consciência de que a posição em que o país havia se entrincheirado desde os primórdios agora se inverteu: um daqueles estranhos mantidos separados, no Outro Lado, veio para cá, e agora Harald e Claudia dependem dele. O negro vai agir e falar por eles. Agora são *eles* que não podem falar nem agir por conta própria.

A relação entre advogado e cliente é uma relação profissional diferente de todas as que Harald conhece, embora o melhor advogado disponível esteja sendo muito bem pago por seus serviços. Claudia talvez compreenda melhor essa relação; deve ser parecida com a que há entre paciente e médico quando há a ameaça de um mal grave. Porém Claudia ficou contrariada quando o advogado sugeriu que ela e Harald fossem à casa dele — para terem uma conversa tranqüila, foram as palavras dele, segundo Harald.

O que Hamilton lhe dissera era confidencial. — Eu tenho a impressão que eu e a doutora Lindgard — Claudia — ainda não estamos nos entendendo bem. Sinto que ela não tem confiança — você sabe — no que nós, os advogados, estamos fazendo. Ah-hêh. É. Eu queria que ela me conhecesse não aqui, nesta sala que lembra a ela o que está acontecendo com o Duncan, este lugar com cheiro de tribunal — não é? Nê? Quero conversar com ela de modo mais descontraído, quero fazer com que ela me conte o tipo de coisas que as mulheres sabem sobre os filhos que nós não sabemos, meu amigo... Eu vejo isso com os meus filhos. Eles correm para a mãe. Nós, homens, chegamos em casa com o trabalho na cabeça, mesmo quando não o trazemos na pasta, de modo que parecemos mais distantes, você entende? Qualquer trauma de infância pode ser útil para mim nesse tipo de defesa em que não se trata de provar a inocência do acusado — quanto a isso, não temos opção — e sim de provar por que motivo o réu foi levado além dos limites que ele consegue suportar. Isso. Agir contra sua natureza. Ah-hêh. Qualquer coisa. Qualquer coisa que a mãe lembre que indique, por exemplo, uma natureza muito afetuosa e leal no réu. Que mostre *a gravidade do mal* que lhe causou o convívio com essa mulher, a Natalie. Como ela traiu esses atributos dele e destruiu de propósito os controles naturais do comportamento dele — imagine aquela cena no sofá! Nem mesmo foram para o quarto, rapaz! Ela sabia que qualquer um poderia entrar ali e ver o que ela estava fazendo, sabia — creio eu — que ele podia voltar para procurá-la, sabia o que ele ia ver! —

Uma breve amostra da eloqüência que Motsamai ia utilizar em defesa de seus clientes, no tribunal.

Harald é obrigado a reconhecer o fato com um gesto.

— A Claudia passava tanto tempo — ou tão pouco — com ele quanto eu. Médico também traz as preocupações para casa, e nem tem hora para trabalhar. E ele estudou em colégio interno... se levarmos isso em conta, o tempo que estivemos com ele. Acho que a Claudia não sabe nada sobre ele que eu não saiba. —

— Pois eu discordo. Me desculpe! Estou trabalhando com o lado de Natalie, estou satisfeito com o que consegui, e o que quero da mãe de Duncan é o outro lado da história, como o rapaz era antes de aquela moça pôr as mãos nele. —

Harald já sabe que, quando tem algo a dizer que provavelmente vai provocar emoção e desalento, Motsamai adota a tática de desenvolver o tema de repente e depressa, de modo a não deixar uma pausa em que o interlocutor possa ficar especulando, apreensivo, a respeito do que vem pela frente. Agora ele faz isso até mesmo sem mudar de tom ou nível de voz. — Fiz um pedido para que Duncan seja submetido a uma observação psiquiátrica. Para lhe dizer a verdade, foi por isso que não reclamei do adiamento. Entre outros motivos... Preciso de tempo, preciso de um relatório psicológico detalhado para preparar minha posição. Absolutamente essencial. Preciso saber tudo o que há para saber a respeito de Duncan. Como eu já lhe disse — de você, de Claudia. E preciso saber também o que vocês dois não sabem e nunca vou conseguir extrair dele. A promotoria vai nomear um psiquiatra, e nós vamos escolher outro, por nossa conta. Já contratei um de primeiríssima, a sua mulher já deve ter ouvido falar nele. Duncan vai para Sterkfontein — uma instituição psiquiátrica do Estado, sim. Ah-hêh. Não fique alarmado. Sei que a idéia não lhe agrada. Ele vai ficar lá só algumas semanas — quer dizer, quatro semanas. E é melhor vocês não fazerem visitas. Não fique chateado. É um procedimento rotineiro nesse tipo de caso. O seu filho não é louco, rapaz! Claro que não é isso que vou alegar. Uma coisa diferente — o que levou o réu a agir como ele agiu. —

Duncan Duncan. Mais uma vez, a marca do ferro em brasa. — Ele é culpado. De plena consciência. —

— Não, não, Harald, nossa posição é de que ele é "inocente". O termo é esse. Ainda que reconheçamos *fatos constitutivos* que provem a culpa, nossa posição é que houve perda momentânea da capacidade de distinguir o certo do errado. —

O seu filho não é louco.

— Só algumas semanas lá. E por acaso... é uma vantagem para nós, do ponto de vista da hora do julgamento. É... Ah-hêh. Eu tenho minhas fontes. —

Os brancos dos olhos, vítreos, registram um sorriso rápido que é como uma cutucada, dirigida a ele próprio, não ao homem angustiado a sua frente. — É bom saber quais os juízes que vão estar atuando em que período. Há um velho preceito que os advogados têm — é, uma espécie de ditado: você deve enfrentar o juiz dentro do clima moral em que ele vive. Quero o juiz cujo clima moral seja o que me parece apropriado para este caso excepcional. —

O seu filho não é louco, ele disse. Ela, Claudia, compreende melhor. Eu já esperava isso, diz ela.

Que espécie de lugar é?

Muito desagradável, diz ela.

E não diz mais nada.

Protegido pelo distanciamento do telefone, Harald disse ao advogado que Claudia estava estressada e queria descansar no fim de semana. Motsamai não parecia ofendido, mas pediu a Harald que fosse ao seu escritório na hora que fosse melhor para ele, naquela tarde.

Da parte de Harald, era preciso mostrar que não houvera intenção de ofensa — afinal, o homem oferecera sua hospitalidade, ainda que por motivos profissionais.

— A Claudia está inacessível. —

Mas Motsamai compreendeu que Harald não sabia o que estava dizendo, não sabia que estava na verdade irritado e pedindo ajuda, e não avisando ao advogado que ele não teria sucesso com sua mulher. Motsamai está acostumado com as reações erráticas dos clientes — pessoas angustiadas — alternando entre confiança e suspeita, dependência e ressentimento.

— Às vezes é impossível conversar justamente com a pessoa que está no mesmo barco que a gente. Não sei por quê.

Mas isso acontece, e acontece muito. Não se preocupe se ela não consegue se comunicar com você. Não fique perturbado, Harald. —

Ah-hêh. No silêncio que se instaura, ressoa seu meio-suspiro tranqüilizador; às vezes é como um ronronar humano, às vezes um gemido que não se pode manifestar por si próprio.

E Harald imediatamente sentiu uma raiva nova, dirigida a si próprio: por ter se revelado. Tarde demais para retirar a imagem que deveria ter permanecido na privacidade de seu próprio lar, entre ele e a mulher, para rejeitar o reconhecimento manifestado (urbanidade expressa de modo desajeitado, pela primeira vez) por aquele terceiro para quem nada deve permanecer privado porque tudo pode vir a ser útil. Não há privacidade para ninguém depois do que aconteceu, do que está acontecendo. Logo a privacidade total do isolamento do prisioneiro será violada pelos médicos. Anotações noturnas na mesa-de-cabeceira descobertas por olhos intrometidos.

— Mas vou ter uma boa conversa com ela assim mesmo. Vou marcar uma consulta para uma hora em que a gente tenha certeza de que você não vai poder vir. Talvez eu apareça na clínica dela, no final do expediente. —

— Boa sorte. —

Ele não sabia que este era o dia em que o advogado havia resolvido visitá-la. Claudia não tinha hora para voltar para casa; chamados de emergência pelo bip podiam atrasá-la a qualquer momento; hoje ela chegava carregando um saco de supermercado do qual se destacava a coroa espinhenta de um abacaxi. Ele fez menção de levantar-se para ajudá-la, mas Claudia já estava entrando na cozinha.

Harald preparou um gim com tônica para ela, uma relíquia daquelas noites em que os dois instalavam-se na varanda para apreciar as cores produzidas pela mistura de vapor com poluição a dispersar-se no céu, escutando os lamentos ruidosos dos íbis com plumagem de seda iridescente equilibrados nas copas das árvores daquele pedaço de chão com tratamento paisagístico.

Quer que eu leve até aí?

Ela voltou à sala com o abacaxi na mão e fez sinal com a cabeça para que ele pusesse o copo numa mesa. Ela estava com a cabeça em outro lugar, e não ignorando-o; hesitou, pôs o abacaxi num espaço aberto para ele numa tigela de maçãs, mas logo o retirou e voltou lentamente para a cozinha.

Uma das maçãs caiu e foi rolando no chão, até parar diante dos pés de Harald.

Que diabos Claudia ia fazer com a porra do abacaxi? Resolvera que não iam comê-lo? Tudo o que eles comiam, bebiam, tudo o que faziam, o ar que respiravam, de tudo isso *ele* estava privado — eles aproveitavam mas ele não, eles tiravam dele todas essas coisas porque as aproveitavam enquanto ele, o filho, Duncan, estava prestes a ser preso junto com esquizofrênicos e paranóicos. Ela vai fazer com que Motsamai entregue o abacaxi naquela outra prisão, talvez eles o deixem recebê-lo. Talvez examinem a fruta para ver se dentro dela foi enfiada uma faca boa para cometer suicídio, ou uma lima que ele possa usar para fugir da cela; esses truques baratos de ficção policial são uma realidade, para nós. Quando não é um abacaxi, é uma salada embrulhada em plástico, um cacho de uvas, um queijo de leite de cabra — será que ela se dá conta de como são irritantes essas tentativas inúteis de levar a ele o tipo de vida que nós vivemos?

Que Deus me dê paciência com ela. Esta noite, quando ela estiver deitada do meu lado, sem saber de nada.

Você pediu que o Motsamai fosse falar comigo?

Claudia voltou e pegou o copo de gim. Ela faz o gelo tilintar contra o vidro, e seu olhar percorre a sala.

Eu? Não, por quê?

Para falar sobre Duncan.

Foi idéia dele, ele que quis. Eu não podia dizer não por você, não é mesmo? Você é que tinha de dizer se queria ou não falar com ele. Eu só disse que você não estava com vontade de ir à casa dele no fim de semana, dei uma desculpa educada e plausível.

Por que eu? Qual a diferença entre falar só comigo ou com nós dois juntos?

Mas ele também já falou comigo sozinho, não é? Nas vezes em que você não pôde ir. E você não me disse que tinha combinado falar com ele na clínica hoje — não sei por que não me disse, você deve ter algum motivo para isso.

Ela está olhando para Harald com muita concentração, como se esperasse detectar alguma iniciativa da parte dele.

Não entendo você, Claudia.

Ele quer saber tudo, a infância de Duncan, a adolescência dele, tudo — de mim. Como se eu o tivesse gerado por partenogênese. Só eu.

Bobagem. Não é verdade. Você sabe por que ele precisa questionar a nós dois, tudo o que a gente lembra, tudo o que a gente sabe — o filho é nosso, quem mais poderia saber? Para que ele possa mostrar as pressões terríveis que o acabaram levando a fazer o que ele fez. Contra a natureza dele, a formação que ele teve. O que o nosso filho diz que fez. Mas é verdade que o Motsamai tem uma atitude meio paternalista em relação às mulheres, de modo que você...

Não o achei paternalista, não.

Então o que é?

Se, quando pequeno, ele era feliz na escola, em casa, se era agressivo, se me fazia confidências. É claro que era feliz! Como podia não ser, amado do jeito que foi? Uma pergunta que só pode sair da cabeça de uma pessoa que bate nos filhos.

Ela está fazendo uma busca entre suas palavras. Ele tenta encontrar as palavras corretas para ela.

Ele tem essa idéia de que as mulheres, sei lá, são mais acessíveis que os homens, as crianças recorrem à mãe — está na cara que é porque na casa dele é assim. Aposto que ele deve ser uma tremenda autoridade na casa dele. É o estilo deles.

Ela encontrou algo.

Se o menino teve formação religiosa. Se ele ia à igreja.

Harald sorriu. E você disse o quê?

Que você era católico e levava Duncan à igreja, mas que eu saiba ele parou de ir quando tinha idade suficiente para decidir sobre essas coisas. Não tentei influenciá-lo nem para um lado nem para o outro.

Bem, não vamos discutir isso agora.

E se ele acredita em bem e mal. Se acredita em Deus.

E ele acredita?

Você sabe que esse tipo de pergunta nunca ia surgir entre o Duncan e eu.

Harald levanta as mãos, um movimento rígido, e aproxima a tenda de dedos das narinas, dos lábios e do queixo; sua respiração, inalterada, aquece a ponta dos dedos.

Nenhum dos dois sabe se o homem, Duncan, acredita num ser supremo pelo qual ele terminará sendo julgado, num julgamento superior ao do tribunal.

A barreira de mãos é desfeita.

Talvez Motsamai esteja jogando um de nós contra o outro. Talvez esteja sendo obrigado a fazer isso. De modo que consiga tirar de um o que o outro (Harald rapidamente se censura para não dizer "não quer lembrar") — o que o outro não lembra.

A casa do condomínio é um tribunal, um lugar onde só há acusadores e acusados. Claudia recosta-se na cadeira, os braços esparramados para os lados, preparando-se, desnudando-se.

O que foi que eu fiz com ele que você não fez?

Está claro qual é a idéia do advogado — ele quer é poder convencer o júri de que o assassino confesso é uma pessoa a quem, por conta de sua formação católica rigorosa, seu próprio crime causa horror. A confissão em si é sem dúvida um argumento forte; ele confessa seu pecado, valendo-se da mais elevada lei dos homens, diante da lei de Deus. Entrega-se à piedade divina. Jesus Cristo morreu para todos os outros, matar é violentar a ética cristã que o rapaz aprendeu desde pequeno, e que ainda existe dentro dele.

E, talvez, se ela — sentada do outro lado da sala, levando o cachorro para passear, pendurando as roupas no cabide antes de se deitar, deitada ao lado dele com o bip à mão (eles que se danem) — pudesse ter ido além do conhecimento do microscópio e das constatações do patologista para chegar ao conhecimento (no sentido verdadeiro da palavra, o verdadeiro conhecimento), à idéia de que há muita coisa que existe mas não pode ser conhecida, provada num tubo de ensaio nem por comparação com os resultados do placebo — se ela não estivesse limitada a essa dimensão do ser, o menino poderia ter se tornado o homem que, aos vinte e sete anos de idade, jamais seria capaz de matar, de tornar-se alguém mais terrível que a água. "Não tentei influenciá-lo nem para um lado nem para o outro." Mas não era essa afirmação uma definição exata da posição dela? Seu poder. A mãe conseguiu muito bem ser uma mãe amorosa, fazer o bem aos outros e cuidar deles, curando os doentes. Ela sabia cuidar de si própria. Muito claramente, não precisava de ninguém a lhe prestar contas quanto às tentações que toda criança e adolescente conhece, a tentação de mentir, de roubar, de usar a força para conseguir o que se quer. "As crianças recorrem à mãe." Nesse caso, o que o menino encontrou nela foi uma auto-suficiência material — inclusive a medicina, a especialização em tratar da carne — que, se bastava para ela, não bastava para ele. Se de fato ele se contentou com isso quando parou de freqüentar a igreja.

Parou — ah, mas isso não implica necessariamente que ele deixou de acreditar em Deus. Isso o pai ignora tanto quanto a mãe. Se bem que, quando ele se sente em comunhão não apenas com Deus como também com os desconhecidos a sua volta numa catedral no bairro menos recomendável da cidade, uma comunhão com a vida que o protege da possibilidade de fazer mal a qualquer pessoa, qualquer uma delas, seja quem seja, ele sabe que há homens e mulheres que permanecem próximos a Deus sem participar do ritual celebrado por um sacerdote. O filho dela talvez continue a acreditar, apesar dela; meu filho.

Por outro lado, há aquele outro tipo de conhecimento especializado: o da lei, o melhor advogado disponível. *Ele* sabe o que quer, o que será útil. Talvez ele resolva apresentar *duas* influências morais: a fé religiosa do pai, o humanismo secular da mãe. Os dois corpos de preceitos morais em que todo o mundo se funda — e haverá outros? — para conter nosso instinto violento, que nos leva a soltar bombas, tocar fogo, violentar a vontade do outro em todos os tipos de estupro, não apenas da vagina e do ânus mas também da mente e das emoções, pegar uma arma e atirar num amigo, no colega com quem se mora, atirar na cabeça. Que argumento forte em favor da defesa um dramaturgo como Motsamai poderia tirar daquilo: a força de perversão e de mal que deve ter exercido aquela mulher, Natalie, para conseguir que aquele réu jogasse às baratas todos os sólidos princípios morais de que estava imbuído: primeiro, o mandamento sagrado, Não matarás, segundo, o código secular, a vida humana é o valor mais elevado a respeitar.

Uma visita antes de ele ser levado de um destino para outro, destinos que ele mesmo fez para sua vida: da prisão para o hospício.

A caminhada submissa pelos corredores onde há sempre um prisioneiro negro ajoelhado, esfregando, esfregando, o lugar onde toda a sujeira e corrupção da vida é guardada em quarentena tem de ser mantido obsessivamente limpo. Pena não haver desinfetantes que lavem a dor, das vítimas e dos criminosos, contida aqui. O que estará Claudia pensando: que não é possível ele ter feito aquilo? Será que ela ainda se apega a isso? Como se adiantasse. Como se adiantasse alguma coisa para nós.

Numa casa, na sala de um diretor executivo, numa clínica, a cada dia nada é igual ao que era na véspera. Num vaso, uma flor perdeu as pétalas. As cestas de papéis foram esvaziadas, um cinzeiro mudou de lugar. Chegou um maço de relatórios de patologistas.

O parlatório e a mesa e as duas cadeiras e as paredes que espreitam são sempre exatamente iguais. Dois carcereiros, um de cada lado do réu, agora, são os mesmos zeros; só Duncan está fora de lugar, só ele está fora de seu elemento. Duncan é Duncan, seu rosto, o timbre de sua voz, até o ângulo de suas orelhas — a atenção dos visitantes instaura a seu redor um nimbo, a existência de sua presença em outro lugar, como é inevitável para que haja continuidade na existência, nos lugares da cidade em que ele é conhecido, na casa no condomínio, onde ele vai almoçar aos domingos; naquele bangalô. Quando vêm visitá-lo, eles lhe trazem *ele mesmo*; como nunca estiveram presos, não sabem que é isso que o prisioneiro recebe de seus visitantes.

Ele está bem, sim; eles estão bem, sim. Sua mãe passa a mão de leve na própria face para demonstrar que gostou da barba dele, fios rígidos de um castanho vivo, lembrando filamentos de lâmpadas. Terminou o preâmbulo.

Nenhuma menção ao lugar em que ele será confinado, por iniciativa de Motsamai, para ser observado e para que seja avaliada sua capacidade de distinguir o certo do errado, que lhe foi incutida por eles. Comentam o assunto, de modo oblíquo.

— O advogado me procurou lá na clínica. Um tremendo interrogatório. Me perguntou tudo sobre você, quando criança, adolescente. —

— Sei. —

Harald fez menção de falar. Mãe e filho ignoraram sua intervenção.

— Duncan, você acha que eu tive alguma influência especial sobre você? Alguma coisa que eu fiz? —

— Mamãe, é claro. Mas os dois tiveram influência sobre a minha vida, é inevitável. Não é uma pergunta. Tudo o que vocês fizeram por mim. E por que vocês fizeram tudo. O que você quer que eu diga? Vocês me deram amor. Você sabe isso tudo. Eu sei isso tudo. —

Esse tipo de afirmação jamais seria feito em qualquer outro lugar senão naquela ante-sala deslocada de suas vidas.

Ele olha para os dois, ambos à espera de uma acusação ou de um julgamento seu.

— A carta. —

É tudo o que ele disse. Mas é como se, com sua precisão de arquiteto, ele tivesse desenhado linhas que confinassem os três num triângulo.

— Então você ainda se lembra daquela vez em que eu e seu pai fomos visitar você na escola quando aconteceu aquilo. —

— Mas primeiro vocês escreveram uma carta. É capaz de eu ainda ter essa carta guardada em algum lugar. —

— Você lembra quem foi que assinou? —

— O papai... faz tanto tempo. —

— Mas você lembrava dela. —

De repente ele se tornou muito doce com a mãe. — Você repetiu o que estava escrito nela — você esqueceu — quando você esteve aqui no outro dia. —

— O advogado — ele perguntou se você acredita em Deus. — Claudia consegue dizer.

Mas ele sorri (é sempre extraordinário e perturbador quando ele sorri neste lugar, uma atitude indiscreta diante dos dois bonecos dos carcereiros), de modo que ela pode sorrir com ele.

— É. Para o Motsamai, nada é irrelevante. Ele é muito detalhista. —

— Eu tive a impressão de que ele estava jogando verde. Que pretendia encontrar alguma coisa em mim. Bem, você já é adulto há algum tempo. —

Foi a seu pai que ele disse, como sempre, à guisa de despedida, como em todas as outras vezes, que estava precisando de mais livros. — Vou precisar, naquele lugar. —

— Parece que não querem que a gente vá visitar você lá, se bem que eles não podem me impedir, já que sou médica. Lembre-se disso. Se houver qualquer problema — qualquer problema mesmo — insista que você tem direito de nos chamar. —

— Você já leu Thomas Mann? Vou trazer *A montanha mágica* para você. —

No carro, Harald fala.

Ele não respondeu a sua pergunta.

Que pergunta?

Mas ele sabe que ela sabe.

Fé. Deus.

Ele deixou bem claro, não é? Se "nada é irrelevante" para o Motsamai, essa... pergunta, ou lá o que seja, é irrelevante para Duncan, não se coloca para ele.

É a sua interpretação do fato de que ele se esquivou da pergunta que você fez a ele de repente. A pergunta mais íntima. Você o pôs no banco dos réus.

Mas Harald também não respondeu à pergunta que ela lhe fez, em outra ocasião. Isso quer dizer que ele acredita, sim, que ela é mais responsável que ele pelo que aconteceu com Duncan, por Duncan ter se tornado o que é agora. Ela dá prosseguimento ao pensamento em voz alta: O que Duncan se tornou — seja lá o que for, nenhum de nós dois quer admitir o que é. Quer dizer, como é que qualquer pessoa pode, como é que nós podemos...

Ele, o grande leitor, corrige a imprecisão dela com seu vocabulário superior.

Muito ingênuos em nossa segurança.

Claudia reprime o impulso de dizer muito obrigada; a autodepreciação faz mal à saúde; se ele quer chafurdar, que chafurde sozinho.

A vida toda, eles devem ter afirmado — definido — a moralidade como a controladora das paixões. Quer essa aceitação inconsciente viesse dos ensinamentos da palavra de Deus, quer de um princípio de autocontrole nos racionalistas. E a aceitação pode continuar sem sofrer qualquer questionamento até acontecer um ato extremo de transgressão, de rebelião: a catástrofe que se encontra nos limites destroçados de toda moralidade, a paixão indizível que leva ao homicídio. Os testes de moralidade que eles já conheceram — que um conheceu do outro — são ridículos: se Harald deve permitir que seu contador desconte as despesas com entretenimento no imposto de renda, se a doutora deve dar um atestado médico a um paciente que faltou ao trabalho não por estar doente, mas para prolongar um feriado. Mas o que é trivial numa extremidade da escala, a extremidade inofensiva — quando é que deixa de ser trivial? Nunca precisaram pensar nisso, a vida toda, nem ele nem ela, porque o controle jamais sofreu um teste mais rigoroso. Meu Deus (o dele), não! Onde é que os tabus começam de verdade? Onde foi que o filho deles seguiu em frente, além dos limites que os pais lhe ensinaram, até um ponto onde eles jamais poderiam imaginar que ele pudesse ir — Duncan, o filho deles. Ah, eles agora têm a sensação de que Duncan lhes pertence, tal como se ele tivesse voltado a ser a criança que os dois educaram com base em preceitos e exemplos: com base no que eles próprios eram. Pais. Como outrora foram cúmplices nessa conspiração de adultos, nenhum dos dois pode considerar-se isento de responsabilidade por ter Duncan transgredido os limites que lhe ensinaram, tal como não podem absolver-se das auto-acusações com que se atormentam. Separadamente, perderam todo o interesse e a capacidade de concentração em suas atividades, e estão acorrentados um ao outro, ambos solitários, naquela proximidade inescapável que os incomoda. Intromissões incongruentes atingem a ambos no meio de conversas que têm com terceiros, conversas que, naturalmente, dizem respeito ao mundo normal no qual se locomovem, sem ter o direito de fazê-lo. Atingidos, levam tais golpes para casa, e, do silêncio ao arrepio do ruído dos talheres contra os pratos ou da voz do locutor falando na tela da televisão, emergem de repente afirmações descontextualizadas.

Você tem muitas ações de companhias de cigarro, não tem? Você conhece gente que morreu de câncer no pulmão. O lugar onde você trabalha está cheio de placas de Proibido Fumar. Mas as ações rendem bastante.

Há um contexto; os dois estão nele. Harald jamais poderia ter imaginado que ela fosse capaz de ter uma atitude mesquinha. Ele se prepara, embora não saiba exatamente o que está em discussão, deve estar relacionado ao único assunto que os dois têm agora.

Ele ri. Riso sem graça, cansado. Estamos comendo uma galinha que você comprou. Imagino que foi criada em circunstâncias cruéis. Presa entre grades.

A última frase calou fundo. Como você pode se preocupar com as galinhas quando você conversa com o seu filho dentro de uma prisão?

Eu estou lhe perguntando, por acaso isso me interessa, se o assassinato é o único pecado que a gente reconhece.

É o pior de todos, não é? Não é o que você quer dizer?

Não.

A mentira, o roubo, o falso testemunho, a traição...

Continue. O adultério, a blasfêmia, você acredita em pecado. Eu acho que não acredito. Só acredito em prejudicar: não prejudique os outros. Foi isso que ensinamos a ele, é isso que ele sabe — sabia. E então — matar é o único pecado reconhecido por pessoas como eu? Pessoas que não têm fé. Não as como você.

Claro que não. É o que eu disse: o pior. Não há nada mais terrível.

Diante de Deus. Ela o encurrala.

Diante de Deus e dos homens.

Eu achava que para quem tem fé há uma saída pela confissão, pelo arrependimento, pelo perdão que vem lá do céu.

Não para mim.

Não? Por quê? Ela é implacável.

Porque não há recompensa para aquele cuja vida foi destruída. Nada pode ser feito por ele. É só o que matou que recebe a graça.

Neste mundo. E no outro? Harald, você não aceita a sua própria religião.

Quanto a esse ponto, não.

Então você comete o pecado da dúvida. Isso é só agora? O olhar dela é explícito.

Não, sempre foi. Você não sabe porque nunca consegui falar com você sobre essas coisas.

Desculpe, é que o máximo que eu conseguia fazer era respeitar a sua necessidade desse tipo de crença. Eu não podia entrar numa discussão sobre uma coisa que tenho certeza que não existe. Seja como for — você permitiu a você mesmo fazer a mesma distinção que eu faço entre o que é e o que não é importante. Mesmo tendo o seu Deus por trás.

Ah, me deixe em paz. Então eu sou um assassino porque as pessoas morrem de câncer no pulmão.

Em que ponto o que a gente deixa passar se torna sério? Harald? Se Deus permite que você feche os olhos para tanta coisa que você mesmo faz, como é que você pode saber se uma pessoa não vai seguir o seu exemplo de não ter que seguir as regras porque ela aprendeu com pessoas que elas próprias não seguem as regras sempre? Claro que elas sabem até onde podem ir. Porque na vida delas nada vai além desse ponto. Elas são protegidas. Ganhar dinheiro com cigarro não é um pecado muito sério para um bom cristão.

Claudia não olha para ele enquanto fala. Seu rosto está virado para o outro lado. Se fosse para controlar as lágrimas, quebraria a tensão que é ao mesmo tempo hostil e excitante, o coração dele jorra como um gêiser dentro de seu peito, contra ela. Ela não oferece lágrimas; afirma o distanciamento de não vê-lo. A coisa que aconteceu implantou naquela casa algo que ela não foi feita para conter; nisso Claudia tem razão — a vida deles, juntos, não estava equipada para agüentar-se até aquele ponto, até aquela beira de abismo. As pessoas têm a ambição de que seus filhos irão mais longe que elas; o filho deles transformou essa ambição num horror.

Uma vez ela disse: O que foi que eu fiz com ele que você não fez? Ele tinha vontade de dizer agora, com uma voz controlada que era capaz de usar com a força de um grito: E o que foi que eu *não* fiz por ele que *você* não fez? Por que eu? *Porque eu sou o homem*. Aquele recurso súbito à tática feminina. Vestir a roupa de fraqueza do cordeiro quando interessa. Eu sou homem e portanto sou responsável, eu compro ações cujos rendimentos você gasta, dinheiro que mata, eu o transformei num assassino, uma galinha morta e um homem com uma bala na cabeça, tudo isso leva ao inferno.

Toda a comunicação fora tragada pelo vácuo da hostilidade. Se ele tivesse aberto a boca, Deus sabe o que teria saído dela.

Assim, Harald conseguiu acreditar que seu filho fez o que fez, e que tem de ser punido. Nenhuma confissão (já feita), nenhum arrependimento em troca de perdão é possível. A isso se resume a compaixão do Deus de Harald e Seu Único Filho, que foi concebido não por meio de penetração e esperma (porque são coisas humanas e sujas), mas que assumiu todos os pecados humanos para purificar todos os outros que pecam. A isso se resume a fé religiosa que dava ao pai sua superioridade moral, que o levava a sair para rezar e confessar (o quê?) todas as semanas, levando consigo o menino todos os domingos para lhe dar orientação para a vida, a compaixão e o amor fraternal decretados no céu, enquanto a mãe virava-se para o outro lado na cama e adormecia outra vez. A mãe guardava dentro de si a apostasia abjeta do pai, tal como guardara o feto nela implantado por ele quando ela contava com dezenove anos de idade.

O grande olho do sol estava embaçado por uma catarata de nuvem: o brilho difuso confundia os planos do rosto de tal modo que, por alguns momentos, Harald e Claudia não conseguiram identificar quem era aquele negro. Estavam no estacionamento, em meio a camburões da polícia, Harald trancou o carro com um toque no dispositivo eletrônico, por força do hábito, estavam virados para o forte. Havia um reconhecimento naquele rosto, dirigido aos dois; eles e o homem foram se aproximando, atravessando aquele espaço entre a chegada e as portas de entrada que sempre dava a impressão de demorar tanto tempo para ser atravessado. Khulu. Como era mesmo o sobrenome — Dladla. Da casa onde ficava o bangalô. Da casa do sofá. Ele estava saindo da prisão, depois de ir visitar Duncan. Duncan estava de volta na cadeia, depois do hospício. Eles estavam indo visitar Duncan. Uma estranha irrupção de afeto brotou daquela coincidência. Harald não o via desde o dia em que ficara esperando na casa sob aquele outro olhar, o do computador, Claudia provavelmente não o via desde a vez em que o filho os convidara a ir a casa, antes de a coisa acontecer. Ela não via sentido nenhum, não entendia o que podia ser apreendido num confronto com o lugar, certamente era como ser obrigada a olhar para uma sepultura onde os restos de uma autópsia foram guardados para serem esquecidos. A vítima desaparece, o criminoso permanece. Certamente provocaria uma sensação de repulsa pela cena que a sala havia testemunhado, e ela não podia se arriscar a sentir essa repulsa pela pessoa que dizia ter cometido o ato.

Nkululeko Dladla, vulgo Khulu. Também ele trazia à prisão o que nela faltava, Duncan *ele-mesmo*, que continuava a existir em algum lugar, fora dali. Qualquer associação indesejável com a casa que ele evocasse evaporou no sol que batia sobre o cascalho do pátio diante da prisão; Harald e Claudia experimentaram um certo sentimento de gratidão. Eles não tinham mais ninguém, só Hamilton.

A presa curva de algum felino capturado engastada em ouro sobrepunha-se a uma cruz etíope sobre o peito largo que aparecia sob a camisa desabotoada. O lampejo das abotoaduras e de um anel com uma pedra vermelha — esses ornamentos, junto com as outras convenções antimaterialistas do jeans surrado e do tênis —, ele era a normalidade, uma variedade de normalidade contemporânea que parecia surpreendente, a liberdade pura e simples surgindo na esterilidade daquele espaço diante de muros sem janelas, como uma margarida brotando por entre as pedras.

— Não, ele está legal, sim. Eu acho. É, está, sim. Eu até pensei em vir antes, mas, sabe como é, não é, eu não sabia se ele ia gostar. De me ver, sabe. Mas ele está bem. —

Esse era um dos dois amigos que haviam encontrado o terceiro amigo com a sandália pendurada no pé, morto por uma bala saída de uma arma que pertencia a todos que usavam a casa, dividida irmãmente tal como os maços de cigarros espalhados pelas mesas e as garrafas de bebida na cozinha. Ele era um dos dois amigos que saíram correndo para avisar o quarto amigo, no bangalô, de que acontecera uma coisa terrível.

E de repente, eles todos tão próximos, no abrigo à frente da prisão de onde ele saíra e em que eles estavam prestes a entrar, o rosto de Khulu, tão próximo dos deles, tentou conter uma tensão de músculos, e seus olhos, horrorizados com o que estava acontecendo com ele, arregalaram-se, úmidos. Ele fungou as lágrimas sem nenhuma vergonha, como uma criança.

Claudia pôs a mão em seu braço.

Mas um homem não deve ser humilhado pelo hiato condescendente do silêncio de um outro homem: acontecera a mesma coisa com os olhos do próprio Harald uma vez, no carro, quando ele voltava da prisão, logo no início do período de espera pelo julgamento. — Tenho certeza de que ele gostou de ver você. Você fez muito bem em vir. Obrigado. —

Duncan assumiu uma atitude que os impediu de fazer qualquer pergunta sobre o período que ele passara entre esquizofrênicos e dementes. E também não comentou que acabara de receber uma visita. Já havia aprontado uma lista de coisas que queria, e o tempo era curto, eles agora certamente já sabiam, tanto quanto ele, que em breve os carcereiros começariam a mexer-se, inquietos: hora de voltar para a cela. Havia um distanciamento pragmático em seu modo de falar. Como se a intervenção dos médicos o houvesse despertado de uma espécie de letargia, naquele outro lugar onde a mente humana, com todas as assustadoras distorções de sua complexidade, é posta a nu. Eles teriam de entrar em contato com Julian Verster (eles sabiam como fazê-lo? se não em casa, pelo menos na firma, no escritório de arquitetura) para que ele fosse retirar tudo o que ainda estava na prancheta dele, de Duncan. Os desenhos. O projeto em que ele estava trabalhando. — Posso fazer aqui. Eles não podem me proibir. O Motsamai já deu um jeito. E digam a Julian para trazer tudo o que vou precisar, tudo, até a última caneta. O Motsamai conseguiu uma mesa. —

Harald anotou os pagamentos que teriam de ser feitos: prazos já estourados. O tempo, pelo visto, tinha sido destruído, junto com todo o resto da vida de Duncan, e agora a consciência do que havia passado, interrompida no momento do ato, voltava à tona. O seguro do carro. E o carro teria de ser colocado sobre calços. Para proteger os pneus. Desligar a bateria. A menos que ela quisesse usá-lo — por um momento o rapaz se deu conta da mãe, lembrou, como se fosse algo a ser levado a sério, que sua mãe se divertira muito na ocasião em que dirigira o carro esporte italiano de segunda mão que o filho comprara; um carro para transportar a vida passada de um jovem.

— A apólice deve estar numa gaveta. No quarto. Um arquivo com outras coisas. —

Isso Harald não precisa anotar, ele já esteve lá, vendo o que não era para ele ver.

Havia cartas a pôr no correio. As autoridades carcerárias permitiam que cartas fossem entregues, antes do julgamento ainda havia alguns direitos que restavam, e Harald pôs os envelopes no bolso do paletó sem olhar para eles. Seu filho acompanhava com o olhar as cartas sendo guardadas como se visse um navio desaparecer no horizonte; não há horizonte dentro dos muros de uma prisão. E ele sabe que aqueles dois vão ver para quem ele está escrevendo cartas, depois que saírem deste lugar. E vão querer saber, desesperadamente, o que há dentro desses envelopes, o que uma pessoa como ele tem a dizer àquelas pessoas cujos nomes eles reconhecem ou não reconhecem. (Todo mundo quer saber o que há dentro dele, todo mundo.) Vão querer saber, porque o que ele escreve e o que ele está pensando na cela é o que ele é, o mistério do que ele é para eles, meus pobres pais.

Eles prometeram a um menino de doze anos que, fizesse ele o que fizesse, fosse o que fosse, qualquer coisa, ele poderia sempre contar com eles. E lá estão os dois, sentados à sua frente, no parlatório da prisão.

Projeto.

O projeto que o filho deles vai continuar a fazer numa cela — prédio comercial, hotel, hospital — seja lá o que for — prevê algo que virá a ser. Futuro. Fé. Aço, cimento, vidro, nessa forma; um futuro presumido.

Mensageiros.

A secretária do advogado mandou a mensagem via fax, e a secretária de Harald Lindgard levou-a a sua mesa. Entrou silenciosamente, por consideração, e colocou-a à frente de Harald, tal como faria se fosse uma carta para ser assinada por ele, mas é claro que sabia qual o assunto dessas mensagens. O senhor Motsamai havia reservado "a parte da tarde" para eles, a partir das três e meia. Como sempre, o encarregado da garagem lhes reservaria uma vaga se a secretária do senhor Lindgard ligasse para dar o número da placa do carro. Qualquer que seja o teor da mensagem que ele traz, o mensageiro não tem responsabilidade, não pode fazer nada; tudo o que a secretária podia fazer era ligar para o homem da garagem e lhe passar a informação pedida, a qual, naturalmente, ela já sabia de cor — fazia parte do seu trabalho.

Harald foi pegar Claudia na clínica. Embora a mensagem tivesse chegado em cima da hora — ele ouviu a recepcionista da clínica, a senhora February, perguntar o que fazer com os pacientes que estavam com hora marcada, quando a doutora imaginava estar de volta, perguntas que foram respondidas com um gesto de indiferença. Dessa vez era Claudia quem dizia: eles que se danem. Porém Harald, com distanciamento, via aquele gesto como sinal da deterioração da personalidade da mulher, já que sem a ética do médico não lhe restava nada em que se apoiar.

Sobre o que conversaram no carro? Nenhum dos dois se lembraria depois. Talvez tivessem permanecido mudos, talvez ambos achassem melhor não dizer nada. Já estavam sentados na sala quando Motsamai — Hamilton — entrou com a animação de quem vem de um almoço prolongado, como um ator nos bastidores após ser aplaudido pela platéia.

— Não deu para vir antes! —

Largou a capa de chuva, afastou as mãos, um sorriso que parecia ter a ver com as últimas amenidades e comentários espirituosos trocados à porta do restaurante. Talvez tivesse bebido vinho.

Era como se tivesse esquecido por que era mesmo que havia chamado aqueles dois. Acalmou-se enquanto os ignorava, folheando os papéis que haviam chegado a sua mesa em sua ausência. Só então deu-se conta de fato da presença deles; virou-se e apertou a mão de Harald com as duas mãos, cobrindo o punho, e apresentou-se a Claudia. — Chá. Você toma um chá. Ou prefere suco? —

A bandeja foi trazida, e o ritual obrigatório foi observado como preparação para — o quê? "A parte da tarde." Era importante dar um peso considerável de seu tempo ao que quer que tivesse a lhes dizer.

— Vocês já estiveram com seu filho esta semana, não é? Tenho a impressão de que ele está resistindo bem. —

— Seja lá o que isso quer dizer. —

Ela pode não saber, mas ele, Harald, impaciente, sabe: por que fingir que não! — Ele está decidido a terminar o projeto em que estava trabalhando, foi você que conseguiu isso, imagino. Não sei como é que a firma vê a coisa. —

— Ah, ele ainda está recebendo salário. Ora! É bom que esteja! Era só o que faltava, despedirem o rapaz antes de ele ser julgado. Eu não deixaria que isso passasse em branco, disso vocês podem ter certeza. —

— Mas o próprio acusado não esperou que fosse julgado culpado. —

— Ah. Harald, já lhe expliquei mais de uma vez. Não é assim que a coisa funciona. Mas os fatos têm de ser examinados pelo tribunal, têm de ser verificados. Você não pode esquecer que há casos em que o acusado pode estar pagando o pato por outra pessoa — pode haver dinheiro grande envolvido, ou até mesmo, quando é uma questão de pena capital, por amor, quando uma pessoa é capaz de fazer qualquer coisa para proteger a outra. —

— Você não acha que há alguma possibilidade de ser esse o caso, não é. —

Claudia não está perguntando, está secamente esvaziando qualquer otimismo infundido que possa haver nela.

— Não acho, não. Estou repetindo, por outro ângulo, o que sabemos ser a base da nossa defesa: as circunstâncias. Circunstâncias que serão reveladas durante o julgamento. Como já expliquei a vocês. Tenho estudado os relatórios do psiquiatra. Tenho conversado com pessoas na última semana. Verster. David Baker etc. Pessoas da casa, pessoas que freqüentavam a casa. O que se deve e o que não se deve esperar dos interrogatórios. Se vale ou não a pena chamar este ou aquele para depor como testemunha. —

— A única que há é o homem, o jardineiro. Se é que é testemunha uma pessoa que diz que viu uma coisa mas não a achou. —

Harald apertou as pernas contra a cadeira para conter sua irritação com Claudia. O advogado estava querendo chegar ao que queria dizer a eles, era o que indicava seu jeito de inclinar-se para trás e depois debruçar-se sobre a mesa que o mantinha a uma distância profissional deles dois, seus clientes angustiados; se era necessário ter uma certa intimidade com eles, para lhes inspirar confiança, era também preciso manter a cabeça fria sempre um pouco acima deles. Motsamai poderia ter lhes apresentado a definição: o melhor advogado disponível é aquele que pensa por aqueles que não sabem o que pensar.

— Já recebi todos eles nesta sala, um por um. Com exceção de Baker, o companheiro de Jespersen, nenhum deles tem nenhum sentimento violento dirigido a Duncan, o que me surpreendeu, tenho de admitir. Mesmo eles pensando que estavam escondendo o fato de mim — eu sei como enxergar por trás das máscaras que as pessoas usam. Afinal, um deles morreu, era de se esperar que eles sentissem por Duncan uma repulsa absoluta — que nunca mais o quisessem ver. Ah-hêh... —

— Um deles foi visitar o Duncan. Encontramos com ele quando saía de lá. —

Motsamai inclinou a cabeça em direção a Claudia, num gesto de confirmação; certamente fora ele quem mandara Khulu ir.

— Ah-hêh. Era necessário que alguém fosse visitá-lo. Alguém da casa, os dois que restam do pequeno grupo que morava na propriedade. Uma espécie de família. Apesar do que aconteceu na casa. —

— Ele não mencionou a visita de Dladla, que tinha acabado de estar com ele. —

— Imagino que ele ficou um pouco espantado. Mas ao mesmo tempo foi uma coisa que vai lhe dar coragem, vocês entendem. Depois. Quando ele conseguir pensar no que aconteceu, lá. Tempo é o que não falta, são tantas as horas quando se está lá dentro... Bem. O Dladla esteve comigo na semana passada, e outra vez ontem. Nós conversamos. Tivemos longas conversas. Ele me contou o que o Duncan não me disse, e o que eu não consegui extrair da moça. Natalie James não me contou os detalhes de seu relacionamento com Duncan. Dladla me disse que ela tentou se matar depois da história da criança. Não sei exatamente o que foi que ela fez, remédios, saiu andando para dentro do mar, foi em Durban, diz ele, mas o Duncan a encontrou e levou para o hospital. Ela nasceu de novo, graças a ele. Literalmente. Natalie deve a vida a Duncan, ou o culpa por ele ter salvo sua vida. Depende da maneira como ela vê a coisa. Com base na impressão que Natalie me causou, é possível que ela o recrimine pelo que ele fez. Pode ter sido esse o motivo da exibição sexual no sofá. Isso mesmo. Uma mulher como ela. Temperamento comprovadamente instável. Eu já disse isso antes — desconfio que ela queria ser encontrada por ele. E agora veio à tona um outro motivo para que ela resolvesse agredi-lo exatamente dessa maneira. —

A fala de Motsamai está mais lenta agora. Todos os três estavam num veículo desembestado, e agora ele estava começando a frear ao aproximar-se de uma lombada cega e perigosa, depois da qual seria necessário disparar outra vez.

— Pois bem. O Dladla, ontem. É. Estávamos conversando. Em inglês e também, na conversa de ontem, na nossa língua, quando há alguma coisa difícil de dizer é melhor usar as palavras que estão mais próximas... —

Motsamai bateu com a palma da mão no peito.

— Ele me contou muita coisa. Eu achava que já sabia tudo com base nas minhas sessões com o Duncan. Mas ele me contou outra coisa. Acho que vocês não sabem. Vocês teriam me dito, vocês saberiam que era importante eu saber, sem dúvida. —

Motsamai está olhando para os dois com a compaixão condescendente de um adulto desconfiado de que uma criança talvez não esteja se abrindo de todo com ele. Ele baixa a cabeça, mas o brilho de seus olhos sob a testa vincada continua voltado para eles.

Eles não sabiam nada. Nada. Era isso, era isso! Era uma acusação, não partindo do advogado, mas de cada um deles dois, dirigida ao outro, Harald, Claudia, outro assassinato, uma vida em comum trespassada, destruída: você, um pai que não sabia nada sobre o filho, deixou-o compartilhar uma arma como se fosse uma caixa de cervejas; você, uma mãe que não sabia nada sobre seu filho, deixou-o dispará-la.

Mas Hamilton, Hamilton Motsamai, o advogado deles, não tinha nenhuma participação naquele lampejo de animosidade entre eles, embora, como o médico e o padre confessor que era, talvez o tivesse percebido, graças à presciência que trouxe consigo do Outro Lado.

— Khulu sabe de uma outra coisa. — Agora ele está disparando ladeira abaixo com os três dentro, não pode parar. Não fale. — Natalie não era a única amante de Duncan no sofá. Segundo Khulu, Duncan e Carl Jespersen tiveram um caso uma vez. Foi Jespersen quem quis terminar, não Duncan. Diz o Khulu que o Duncan ficou muito abalado. Não se mudou de lá, do bangalô, mesmo quando o outro — o Jespersen tinha ido morar com ele no bangalô — voltou para a casa. Mas ele ficou abalado, Khulu diz que percebeu. Deprimido. Embora quisesse demonstrar que não era menos livre que os outros — "para nós, as pessoas trocam de parceiro, problema nenhum, todos continuam sendo amigos", foi assim que ele explicou —, o Duncan de algum modo não tinha a mesma facilidade, a mesma atitude. E foi então que ele viajou para o litoral e conheceu a moça que ele salvou. Salvou a si próprio. É o que Khulu dá a entender. Não sabe se o Duncan já a conhecia, acha possível, de algum lugar, quando ela ainda estava com o outro, o pai da criança. Assim, ele voltou apaixonado por uma mulher e a trouxe para o grupo. Ninguém achou nada demais, ninguém tinha preconceitos, ele era livre para fazer o que bem entendesse, e tudo bem, Natalie James se entrosa perfeitamente com todos. O casal heterossexual no bangalô e o trio gay na casa. David Baker e Carl Jespersen vivem juntos, o caso de Jespersen com Duncan é coisa do passado, para Duncan tanto quanto para os outros. E então, então... o Jespersen resolve seduzir a mulher. A mulher de Duncan. A esposa dele, eu diria, os dois morando juntos no bangalô como qualquer casal normal. Bem, sabemos que ela já teve outras aventuras antes. Mas dessa vez é com Carl Jespersen. Primeiro ele rejeita o homem, e depois seduz a mulher desse homem. Ele é encontrado em cima dela — desculpe, Claudia — ali mesmo, no sofá da sala daquela casa onde todos são tão amigos! —

Motsamai está ouvindo aplausos, a empolgação sacode os ombros sob as almofadas do paletó que lhes dá um caimento tão elegante. Numa geração anterior, condenado pela lei a permanecer do Outro Lado, ele só poderia dar vazão a sua eloqüência no púlpito. Ele os dominou de tal modo que os dois não teriam conseguido interrompê-lo; agora ele espera algo de espontâneo deles. Mas a única coisa que há naquela sala, que já viu tantas emoções de pessoas angustiadas, é a retórica do advogado; isso e o distanciamento entre os clientes — um não quer exibir ao outro qualquer reação.

Por fim, foi Harald quem falou. As palavras são pedras largadas uma por uma.

— E faz alguma diferença, de quem o homem que ele matou era amante? —

A atenção concentrada dos dois, que amplifica cada detalhe da aparência do advogado, os leva a perceber que os músculos dele relaxam sob o paletó, e o colarinho e a gravata pendem mais frouxos.

— Ah, que bom que vocês encaram a coisa assim. Harald, Claudia. (Ele invocou e comandou um e outro, formalmente.) É assim que tem de ser. Gostei. É disso que a gente precisa para que eu possa continuar a trabalhar em prol do meu cliente, com eficiência, sem perder tempo com bobagens. Tenho decisões difíceis pela frente. Porque isso faz muita diferença! Pode ser uma diferença crucial! Esse fator. O promotor — ele não terá nenhum interesse em chamar os amigos: para testemunhar o quê? A posição dele se fundamenta na confissão. Isso basta. É a defesa que decide se chama ou não Dladla para testemunhar. Ele não vai depor a respeito desse aspecto do caso a menos que a defesa resolva trazê-lo à baila. O que importa é a decisão que eu e meus colegas tomarmos. É assim que devemos encarar o que vocês acabam de ouvir. É isso que importa. Vocês são sensatos; acreditem em mim. Muito sensatos, sim. —

Harald levantou-se como se alguém tivesse feito sinal para ele, de modo que Claudia virou-se para a porta. *Para onde, para onde*. Ela se levantou. Motsamai — Hamilton — veio guiá-los, educado.

— Não comentem isso com ninguém. —

Claudia levantou da testa uma mecha de cabelo e prendeu-a atrás da orelha, olhando para ele. — Se você chamar Dladla para depor, qual vai ser o efeito sobre o juiz? Como é que você pode saber qual a atitude dele em relação a essa questão? —

— Ah, tal como vocês dois e eu, todo mundo sabe o tipo de esquema que vigorava naquela casa. Homem com homem. Nada de especial nisso, nenhum motivo para se envergonhar, nada condenável hoje em dia — a nova constituição reconhece o direito de escolha deles. É assim. É a lei. —

Afundando.

Afundando no poço, dentro do elevador, estavam sozinhos. Encerrados juntos.

Que confusão.

Vendo de fora, como se referindo-se à vida de outra pessoa.

Você estava falando sério quando disse que diferença faz, de quem o homem que ele matou era amante?

A manga da roupa dela encostava na dele.

Estava. Por que ele foi assumir um tipo de vida, uma escala emocional que não tinha condição de assumir? Quem é que ele pensava que era?

Harald consegue botar tudo para fora, para ela.

Claudia apertava os ombros contra o pescoço, prestes a rir um riso nervoso de que depois vai se envergonhar. O Hamilton imaginava que o caso homossexual ia nos chocar mais do que aconteceu.

Talvez ele ache que sodomia é crime.

A caixa de espelhos que captava suas imagens privadas de

todos os ângulos, uma câmara que os identificava, parou de repente, estremecendo, e Harald deu um passo atrás, com um gesto exagerado de deferência convencional para que ela saísse primeiro.

No carro, ele desligou o dispositivo anti-roubo; os dois prenderam os cintos de segurança. Foi o que eu perguntei sobre o juiz. Eu estava pensando na velha guarda, os bons cristãos da Igreja Reformada Holandesa — alguns deles certamente ainda estão na ativa. Mas um juiz negro pode acabar dando na mesma, quanto a esse ponto.

Uma confusão é uma situação diante da qual você não sabe por onde começar: o que desvirar primeiro, o que catar primeiro; pega-se um fragmento para logo em seguida largá-lo de novo, talvez no lugar errado. Essa "descoberta" de Hamilton não poderia causar pasmo após o impacto traumático daquela sexta-feira; para eles, tontos, depois de tudo a que já sobreviveram, o que vier são respingos. Como ver Duncan entrar no tribunal entre dois policiais, como a primeira ida ao parlatório. O que mais poderia acontecer após ter acontecido uma coisa terrível; o que poderia se comparar àquele fato? À noite, falavam em voz baixa, embora não houvesse ninguém que os pudesse ouvir na casa do condomínio; uma construção cara, com paredes à prova de som, que os protegiam da curiosidade dos vizinhos. Deitavam-se e, na escuridão, não estavam mais isolados. Tentando dar ordem àquela confusão. Coisa que não se pode fazer sozinho.

Foi para tentar sondar isso que o Motsamai foi me procurar na clínica.

Acho que não. Ele não sabia, na época. Foi antes da conversa com o Dladla.

Mas ele talvez já estivesse cismado, de tanto conversar com o Duncan. Ele consegue arrancar coisas das pessoas que elas nem sabem que estão revelando. Diz ele. Ele está contando vantagem, mas tem um fundo de verdade nisso, é como o dom do diagnóstico que alguns médicos têm e outros não têm.

Eles poderiam recomeçar do ponto em que haviam parado; o fim de semana; qualquer noite. Na sala, Harald andava de um lado para o outro, talvez para acionar o alarme anti-roubo antes de se deitar, parou diante de uma foto, deu por si parado diante do armário das bebidas e começou a afastar as garrafas para o lado, amontoando-as. Encontrou uma que tinha sido empurrada para o fundo, apenas um dedo de bebida no fundo. Verteu o líquido incolor num copo do tamanho de uma dose de remédio e cheirou-o. O resto — virou a garrafa de cabeça para baixo para esvaziá-la até a última gota — foi para um outro copo; ofereceu-o a Claudia, mas ela o rejeitou com a cabeça.

Ele pode ter experimentado no colégio. Quando é um colégio só de meninos, é difícil resistir. Mas eu imaginava — certamente nós imaginávamos! — que, numa escola como aquela, ele experimentaria pela primeira vez com meninas, não é? Porque menina era o que não faltava... Educação sexual. Naquela época, elas já tomavam pílula, não era?

Ele se aproximou dela com o copo, ela o aceitou. Beberam e fizeram caretas — a bebida era forte, vinda do setentrião congelado dos ancestrais de Harald. O único vínculo com aquela região agora era a identidade do homem que foi morto no sofá.

Você acha que foi uma experiência. E foi?

Bem, ele já gostava de mulher, não é? A julgar pelas paixonites que ele teve aos quinze ou dezesseis anos, as horas que passava ao telefone, os agarramentos com as lourinhas que eu pegava em flagrante quando entrava no quarto dele na hora errada.

Claudia pegou o copo d'água na mesa de cabeceira e bebeu grandes goles para tirar o gosto da aguardente. "Agarramento" fazia parte do vocabulário da juventude deles — de

Claudia e Harald; o termo evocava a imagem de animais se preparando para a cópula, como as aves cujas danças nupciais Harald tivera paciência de ensinar seu filho a contemplar através do binóculo.

Isso foi o que vimos. O que era para vermos, mas pode ter havido outras coisas. Talvez ele quisesse ter algum segredo. Quando a gente é adolescente — eu me lembro — parte do processo de crescer é ter uma área na sua vida em que ninguém entra, nem mesmo para dizer — apoderando-se dela — "tudo bem, já que você gosta, meu amor".

Mas ele estava loucamente apaixonado por uma mulher. Essa mulher. Disso não há dúvida. O Verster nos contou. Um envolvimento sério. Aturava as aventuras dela, sabe-se lá o que mais. Tudo indica que ele estava louco por ela. Sexualmente devia haver alguma coisa muito forte entre eles... até mesmo uma coisa devastadora, como imagino que seja quando... O envolvimento com um homem, antes dela, não seria um certo fascínio pelo que acontecia na casa? Uma moda da geração dele, a idéia de que o homossexualismo é a verdadeira liberação, uma coisa superior, que vai além da normalidade limitada. Por que foi que ele optou por morar com aqueles homens? Já sabemos que ele não ficou no bangalô por causa da moça. Foi morar com eles na mesma propriedade porque a liberdade deles supostamente transcende as antigas convenções das relações entre homens e mulheres, casamentos e divórcios e bebês chorando.

Conosco ele não teve nenhuma experiência de divórcios nem bebês chorando.

Queria ser parte daquela turma. Aqueles rapazes. Emancipados. Superiores. Livres.

Ou então queria experimentar tudo. Pode ser. Tenho pacientes assim, que são atraídos pelas drogas, por exemplo. Não que tenham tendência a se tornar dependentes, disposição fisiológica ou genética, apenas por amor ao risco. E depois dá uma tremenda confusão.

Uma lassidão, ela própria uma espécie de droga benigna, apossava-se deles na cama, de seus movimentos pela casa, uma espécie de hiato. Eles se viam a si próprios, Harald, Claudia, Duncan, com um olhar letárgico e distante. Ela ia ao hospital, ele ia à diretoria. Duncan estava em sua prisão. A descoberta não é um fim. Apenas mais um mistério.

Quando iam ao parlatório não sentiam mais a angústia de ele não lhes dizer nada, se bem que havia a promessa que lhe fora feita, ele podia tê-los procurado... menos matar; a vida sexual dele não tinha importância, mas sentados diante de Duncan, com os carcereiros do lado, vinha-lhes agora um sentimento real de repulsa contra uma pessoa que cometera aquele ato: que matara. O breve ressentimento que haviam experimentado na confusão inicial refluía, corroendo o chamado sentimento natural.

Outra descoberta. Um detectava no outro, numa conspiração; não se podia revelar aquilo ao advogado, que acreditava conhecer todos os seus segredos. O crime deles era a repulsa, cometida contra seu próprio filho, e os dois eram cúmplices. O lacre de silêncio que antes havia entre eles fora rompido; os dois fechavam-se em casa e conversavam; saíam de carro para o veld e caminhavam com o cachorro enquanto um ia acrescentando uma dúvida à apresentada pelo outro, dúvidas sobre tendências que haviam observado, sem tê-las comentado na época, no menino, no adolescente, no homem crescido. O charme que o menininho usava para dominar seus amigos — todos os jogos tinham de ser dele, escolhidos e impostos por ele, uma tendência que não parava por aí; uma falta de coragem física compensada pelo hábito de contar vantagem: a única válvula de escape na vida adulta, para aqueles que têm medo, é explodir uma única vez, finalmente, por meio da violência? A incerteza do jovem adulto a respeito de sua carreira: *o que era que ele queria ser?* O que é que você quer ser? Acabou escolhendo a arquitetura, uma coisa que envolvia uma certa escala grandiosa de idéias (que a mãe médica encarou com simpatia, vendo-a como uma característica herdada do pai, um homem culto e não um homem de negócios comum), e felizmente Duncan revelou-se tão talentoso quanto havia sido encantador, mais inteligente que o colega de trabalho que fora seu mensageiro, Verster. *O que ele queria ser.* Um erro encarar aquilo, tal como normalmente se faz, como se estivesse se referindo apenas à profissão.

Pelo visto, ele não sabia o que queria ser.

Claudia compreendeu que aquela observação de seu cúmplice dizia respeito à sexualidade de seu filho. Até mesmo dentro dessa nova forma de intimidade que viera substituir a outra (revitalizada de um modo que não devia ser examinado), ele não podia contar a ela o que de fato estava lhe voltando à mente: "... o homem é tal como desejou ser, e tal como, até o último suspiro, nunca deixou de desejar ser. Ele regozijou-se no assassinato".

As afirmações que parecem esvaziadas de significado por terem sido repetidas incessantemente são as mais verdadeiras. As crenças convencionais são as mais demonstráveis. A vida continua. Não parou naquela noite de sexta-feira; essa solução não está disponível. Nunca. Nem com base no recurso da sabedoria divina, a que Harald tem acesso — ele teve de aceitar essa recusa, se não como vontade Dele, então como o destino do homem —, nem com base na experiência racional que ensinou a Claudia que, mesmo quando algumas condições parecem terminais, algo semelhante à vida ainda persiste. Hamilton disse que estava satisfeito com a preparação do arrazoado e que podia dar uma passada na casa de seus clientes quando estivesse voltando do trabalho para pô-los a par dos últimos acontecimentos — não, não seria problema nenhum. Assim, prepararam uma bandeja com copos, gelo, soda e garrafas. Hamilton não dispensa uma dose de conhaque. Alguns dias antes, Claudia, parada num sinal fechado, impensadamente fez sinal para um homem que saltitava ostentando um candelabro de lírios vermelhos, e assim voltou a comprar flores, tal como fazia antigamente quando voltava da clínica. As flores estavam ao lado do abajur. Hamilton entrou naquele cenário de "a vida continua" tal como entrava na sua sala no tribunal, tão bem equipada quanto aquela; como se todos os lugares fossem preparados para receber sua presença. Um drinque agora caía bem; ele provou o conhaque, estalou a língua e levantou-se da cadeira que havia escolhido, para colocar um pouco de soda no copo.

— Minha notícia é que a data foi escolhida. Um mês a contar de hoje. —

— Não dava para ser antes? —

— Eu sei que parece muito tempo, mas o Duncan compreende. E o juiz é o que me interessava. É isso. —

— O que é que o Duncan compreende, Hamilton? — Harald não ia deixar que o enrolassem para lhe impingir aquele adiamento. — Não temos como extrair informação dele. Mas isso você sabe, já conversamos sobre isso várias vezes. Ele compreende que você está pretendendo fazer com que a moça mostre que foi ela que quase o levou à loucura, a ponto de ele fazer o que fez? *Ela* vai fazer isso, com suas próprias palavras. Quer dizer — ele acredita nisso, acredita que foi ela mesmo? Que ele estava como que possuído, de algum modo. Não sei como você pode usar a moça para ajudar a defesa se o Duncan não aceitar essa manipulação da... dessa... — não sei como dizer — justificativa. —

— Não, não, não do ato; do estado mental, do estado mental, Harald. Porque não foi uma coisa premeditada. Ele foi levado ao limite — e foi ela que o levou até lá, ela! Ela no sofá, com o Jespersen! Foi ela! —

As pernas de Motsamai estavam bem abertas, o corpo inclinado para a frente, enfático, tal como ele fazia quando estava à sua mesa de trabalho, e a obsidiana de seu rosto estava luzidia com o suor de um dia de trabalho; seu negrume era o selo da autoridade naquela sala. — Ele se diz culpado. Só isso. Eu vou mostrar por quê. Vou mostrar quem mais é culpado. Como. —

— De modo que ele a odeia agora. Esteja ou não disposto a culpá-la pelo que ele se tornou e fez. Ele a odeia por causa da cena que presenciou. — Claudia olhou para Harald.

Motsamai respondeu a ambos, mas por um instante voltou sua atenção para dentro. — O Duncan não fala nela. Não quer pensar nela, é a impressão que me dá. É uma coisa que não consigo arrancar dele. Assim, concluo que ele espera isso de mim. Ele sabe que eu vou interrogá-la. —

— Ele a odeia agora. Ou ama. —

Aquela alternativa lacônica colocada por Claudia é irrelevante para Motsamai.

— É claro que ele sabe também que vou interrogar Khulu Dladla. Ah-hêh. —

— Para falar sobre a aventura com o Jespersen. —

— Isso mesmo. Isso mesmo, Harald. O Jespersen tem — teve — sua participação no estado mental do Duncan, também — e muito. Ele e a moça. Uma combinação fatal. Não temos bom motivos para acreditar que, não contente em dispensar seu companheiro, ele também gozou um prazer especial ao dormir com a mulher que estava agora com seu ex-companheiro? Talvez houvesse aí desprezo, ou uma espécie de vingança, o companheiro separou-se do grupo da casa, por assim dizer, ao escolher uma companheira do sexo feminino. Ao preferir uma mulher! É difícil a gente entender essas variações bissexuais. Os dois eram amantes de Duncan. Talvez cada um tivesse um motivo para querer vingar-se dele, vocês sabem como são essas coisas, mesmo em questões normais de amor — meu Deus, se eu pudesse contar para vocês algumas das causas de crimes que constam nos meus arquivos. Rapaz! Talvez o casal desavergonhado tivesse a intenção de humilhar Duncan, talvez se divertissem dessa forma. Sem dúvida, não poderiam ter encontrado uma maneira melhor de magoar e humilhar e levar um homem assim às raias da autodestruição. Uma confissão de culpa pode ser uma forma de suicídio. É o que vejo aqui, e minha tarefa é salvar meu cliente disso. É por isso que vou interrogar a senhorita Natalie James e vou chamar para depor o senhor Nkululeko Dladla. —

Suicídio. Mas ele não apontou a arma para si próprio no bangalô, e sim jogou-a fora.

Claudia e Harald relembram essa cena.

— Ainda não conversamos sobre a sentença. Se as atenuantes funcionarem. Ou se não funcionarem. —

O rosto de Hamilton Motsamai, o tom de baixo profundo de sua voz, o gemido suave daquele ah-hêhhêh... mmhê era como um abraço dirigido a eles. — Eu sei o que vocês estão pensando. Mas há algum tempo que a pena capital não é aplicada, há uma moratória desde 1990, como vocês sabem, quando se tornou inevitável abolir a antiga constituição. A questão vai ser levada agora ao Tribunal Constitucional. A primeira causa a ser julgada lá, aliás, é a proposta de que a pena é ilegal sob a constituição provisória. A pena de morte. Tenho certeza de que o tribunal vai julgar que é inconstitucional. Será abolida. Abolida e extinta antes que o nosso caso chegue ao pronunciamento da sentença. Ah-hêh. É só por mais algum tempo que ela vai continuar na legislação. —

Como vocês sabem, disse o advogado. Mas que interesse o tema poderia ter para eles, senão o interesse genérico que tem para todas as pessoas civilizadas — que no fundo têm suas dúvidas quanto à possibilidade de deter o crime sem impor a penalidade mais radical — apoiando de modo consciencioso a causa dos direitos humanos e as políticas sociais progressistas sempre que elas eram violadas, no tempo do antigo regime. Eram tantas as crueldades praticadas em nome daquele Estado em que viviam, tantos espancamentos fatais, tantos interrogatórios letais, um homem moribundo transportado nu por milhares de quilômetros dentro de um camburão; criminosos comuns passando a noite inteira acordados cantando, à espera da execução na manhã seguinte; enforcamentos ocorrendo em Pretória no exato momento em que a segunda torrada pula para fora da torradeira — a pena imposta a indivíduos desconhecidos não se comparava aos crimes do Estado. Nada daquilo lhes dizia respeito. Assassinos, estupradores, pessoas que espancavam crianças; se uma vez ou outra a doutora Lindgard tinha contatos profissionais com as vítimas dessas pessoas e contava a seu marido o mal que lhes fora feito, não havia possibilidade, por mais remota que fosse, de que ele ou ela conhecessem os autores de tais crimes. (E quem sabe não seria mesmo melhor que pessoas assim fossem eliminadas em prol do bem comum?)

A Pena de Morte. E mesmo agora aquilo parecia não ter nada a ver com eles, com o filho deles. Até então o que os preocupava obsessivamente era o que Duncan teria ou não feito, como fora possível que ele, uma pessoa como eles dois, perpetrasse um ato tão horrendo — não haviam conseguido ir mais longe em seus pensamentos, apenas imaginavam por alto, de modo distraído, confuso, qual poderia ser a punição para ele. Ao que parecia, a punição era aquela cela de prisão que eles jamais viam, jamais poderiam ver, e o parlatório que era, para eles, o único lugar em que o filho tinha existência material. Até mesmo Harald, que, com sua fé religiosa, preocupava-se com o ato em relação ao perdão divino, e cometia a heresia de negar que essa graça existisse para o perpetrador: "Não para mim". A Pena de Morte: destilada no fundo da garrafa guardada no fundo do armário.

Hamilton Motsamai foi embora. A porta fechou-se, seus passos se tornaram inaudíveis, o carro já deve ter atravessado os portões de segurança do condomínio fechado. O advogado era tudo o que se interpunha entre eles e a Pena de Morte. Não era apenas ele que viera do Outro Lado; tudo lhes viera do Outro Lado, a nudez diante do desastre final: impotência, incapacidade diante da lei. Aquela sensação estranha que Harald tivera enquanto esperava por Claudia na catedral secular do saguão do tribunal, a sensação de ser apenas mais um entre tantos pais de ladrões e assassinos, agora se confirmava. Ao ir assistir missa na catedral freqüentada por gente da rua, o que lhe parecera uma maneira de evitar os olhares compassivos de seus vizinhos, estava apenas ocupando o lugar que lhe cabia entre as pessoas mais castigadas pelo infortúnio. A verdade de tudo isso era que ele e sua mulher agora pertenciam à outra categoria, no que dizia respeito à distribuição de privilégios. Nem a pele branca, nem a conformidade com os ensinamentos do Pai e do Filho, nem a respeitabilidade devota do liberalismo, nem o dinheiro, que os haviam mantido em segurança — essa outra forma de segregação —, nada podia mudar-lhes o status agora. De certo modo, esse status era tão definitivo quanto a derrubada do antigo regime; não havia como eles permanecerem onde antes se situavam, sobrevivendo em si próprios *como eram*. Nem mesmo o dinheiro; o dinheiro apenas lhes garantia o melhor advogado disponível. Eles podiam comprar Motsamai. As circunstâncias atenuantes de Motsamai se interpunham entre eles — Duncan, Harald, Claudia — e a decisão de um outro tribunal, um tribunal cuja decisão não seria tomada com base em quaisquer circunstâncias atenuantes do ato de um indivíduo, e sim com base na moralidade coletiva de uma nação que é a substância de uma constituição — o direito de um indivíduo à vida, mesmo se o indivíduo em questão destruiu a vida de outro, o direito do Estado de tornar-se ele próprio assassino, enforcando uma vítima de manhã bem cedo, em Pretória.

A Pena de Morte.

Motsamai está certo de que ela será abolida. "Abolida e extinta" (Motsamai, poliglota, certamente tinha na ponta da língua, e traduzira para seus clientes, uma gíria inglesa-africâner bem mais expressiva, "*finished and klaar*"). Mas, enquanto o homem morto no sofá está enterrado sob as fundações da casa do condomínio e da prisão, e Duncan está numa cela, ela continua na legislação, é o direito da lei, o direito do Estado: o de matar.

Tal como era apenas a questão maior e abstrata da moralidade de uma nação civilizada que dizia respeito a Harald e Claudia no tempo em que lhes parecia claro que a questão jamais se aplicaria diretamente a eles, naquela noite a questão maior não tinha qualquer relevância diante daquela realidade imediata e ofuscante: Duncan está numa cela, aguardando o pronunciamento da sentença. Havia duas criaturas paralisadas pelos faróis da catástrofe. Nada entre Duncan e o juiz que pronunciaria a sentença, exceto Motsamai e sua confiança. O abraço de sua confiança — seria talvez manifestação do homem e não do advogado, a compaixão que ficava no Outro Lado, o lado interior, de seu poder condescendente, aquela armadura de ego que ele tivera que cultivar para chegar aonde havia chegado, considerado o melhor disponível para aquela causa, entre tantos outros advogados que eram brancos.

Nenhum dos dois conseguia parar de pensar na sensação de repulsa que sentiram, não há como negar, ao ver, diante da situação de Duncan entre os dois carcereiros, na última ida ao parlatório, aquele lugar despido de tudo o que não fosse o confronto. A prisão era puro confronto — perpetrador e carcereiro, perpetrador transformado em vítima do carcereiro, filho transformado em traidor do amor que os pais lhe dedicaram, pais transformados em traidores da promessa que fizeram ao filho. A aversão que sentiram de repente naquela vez, não, nas últimas vezes, diante dele, no parlatório. Foi a repulsa que os aproximou. Repulsa contra o filho deles, o menino, o homem deles — deles, sim, independentemente do que tivesse feito — que foi concebido pela antiga, primeva paixão do acasalamento. A dor de ter sido a vergonhosa degeneração, a morbidez dessa conspiração de rejeição, que revitalizara o casamento levou a crise a um esgotamento. Deitado ao lado dela, ele a abraçava, as costas e pernas dela encostadas nele, pés tocando-se como se fossem mãos, a posição que outrora ela chamava de garfo contra faca, e permaneciam mudos. Impossível dizer: condenado à morte. Ficaram muito tempo assim. Por fim ela achou que ele havia adormecido, suas mãos sobre o corpo dela sacudiram-se num espasmo nervoso, como as patas de um cão que sonha que está fugindo. Harald não reza mais. De repente ela se deu conta desse fato; e era algo terrível. Claudia chorou, com cuidado para não acordá-lo, a boca aberta, as lágrimas escorrendo para dentro dela.

Projeto.

Duncan tem uma mesa, uma régua-tê, um esquadro, uma régua-escala e um gabarito de círculos em sua cela e, enquanto aguarda o julgamento e a sentença, o que ocorrerá daqui a um mês, trabalha num projeto. Será que ele entende que talvez venha a ser condenado à morte? Seria uma atitude de desafio — um projeto, um futuro — porque ele tem consciência disso? Ou será que tem alguma idéia maluca, uma esperança inexprimível nascida do desespero, de que vai sair daquele lugar e retomar sua vida? Que se tornará livre do que lhes contou, apesar de lhes ter contado, que matou um homem. Que o tempo vai voltar atrás, como uma daquelas fitas que ele e a moça certamente tocavam na cama, à noite — havia fitas sobre a mesa de bambu, junto com as revistas e o caderno —, e aquela noitada de quinta-feira não terá terminado de modo diferente de tantas outras.

O morto, segundo Harald, não está presente para receber a graça; o morto não tem projeto.

Tudo mudou. Assim, Harald não acha estranho que este velho prédio, com vista para um dos despenhadeiros voltados para o norte daquela cidade localizada num planalto, de fachada tão vermelha quanto o rosto dos fundadores imperialistas que o construíram, com sua entrada larga e varandas com dosséis de madeira, tenha mudado de aspecto. O que ele vê à sua frente é a fachada do velho Hospital das Febres, do qual ele se aproxima, mas não é mais um lugar de quarentena para pessoas que poderiam espalhar a doença entre a população lá embaixo: é a sede do Tribunal Constitucional. Ali funciona a antítese da confusão e desorientação da mente febril: é o lugar do mais elevado patamar da justiça ponderada, um tribunal aonde qualquer cidadão pode levar qualquer lei que o afete para que ela seja contraposta aos direitos individuais tais como são garantidos pela nova constituição. O Tribunal Constitucional, o Juízo Final, será o árbitro decisivo do comportamento humano na cidade, em todo o país. Sua justiça será fundada na moralidade do próprio Estado, terra e moradia, liberdade de expressão, de locomoção, de trabalho — sem dúvida, tais questões estarão em jogo em algumas das causas levadas ao Tribunal, mas são apenas componentes do direito último com o qual um tribunal como esse está comprometido mais do qualquer outro: o direito à vida. *O direito à vida*: está gravado no documento fundador do Estado, é o etos nacional declarado, na própria Constituição.

Saúde, e não doença: vida, e não morte: este, o lugar.

O primeiro caso a ser examinado pelo Tribunal, convocado pela primeira vez, é o de dois homens presos em Pretória aguardando a execução. Eles sobrevivem graças à moratória. Não sabem quando nem se a moratória terá fim; a Pena de Morte continua a existir na legislação. Nenhum dos dois cometeu um crime movido por alguma causa maior, como meio para atingir um objetivo político; são criminosos comuns, julgados culpados de assassinato por um tribunal. Esses homens não negam que sejam culpados. Contestam é que o Estado, por sua vez, tenha o direito de assassiná-los. O argumento deles é que a Pena de Morte é uma violação da constituição. O direito à vida.

Isso tudo Harald leu nos jornais. Ele vem ao antigo Hospital das Febres como quem vai às escondidas ao encontro de uma amante. Para ele, é um encontro clandestino; sobe a escada com passos rápidos; no saguão, não sabe para que lado ir; o lugar está cheio de tapetes novos — deve ter sido totalmente reformado, tem toda uma aura de elegância governamental, não resta o menor vestígio de cheiro de desinfetante; uma fileira de elevadores estende-se diante do assoalho, um quebra-cabeças de pedras coloridas, com palmeiras em vasos. A atmosfera evoca menos a sala B17 que um dos seminários de trabalho que ele freqüenta, realizados em centros de convenções de hotéis. Homens e mulheres, funcionários subalternos, andam de um lado para o outro, com aquele olhar que nada vê cultivado pelos garçons que não querem ser chamados. Porém um membro de uma diretoria tem uma presença que é como uma roupa que não pode ser despida, ainda que ele tenha a impressão de que ela já não lhe serve mais; uma moça o identifica e se propõe a explicar-lhe qual o andar e qual a sala que ele procura.

Há uma azáfama cheia de pose na sala aonde Harald claramente chegou cedo demais. Nos últimos tempos, ele está sempre sendo encaminhado de um lugar desconhecido para outro: este aqui é como um submarino chique, pé-direito baixo, com um estrado elíptico iluminado onde cadeiras oficiais de espaldar alto, vazias, se alinham dos dois lados de uma imponente cadeira presidencial. Atrás do estrado, cortinas como de teatro parecem disfarçar uma entrada particular. Diante de tudo isso, uma área mais baixa, com parede recoberta de madeira encerada e mesas contendo equipamento de gravação para uso dos escrivães, isolada por uma barreira de madeira (um acessório existente em todos os tribunais, como Harald já percebeu) das cadeiras destinadas ao público que está ali para assistir ao funcionamento da última instância da justiça — ou, como ele, por outros motivos.

As cadeiras estão vazias, mas ele é convidado a se transferir da que escolheu, nem muito perto nem muito longe da frente, porque uma pessoa está colocando cartazes de "Reservado" naquela fileira. É preciso evitar os pilares que sustentam o teto; ele hesita antes de fazer uma segunda escolha, e agora é como se estivesse numa espécie de teatro e precisasse assistir ao espetáculo nas melhores condições de visibilidade possíveis. Um funcionário coloca garrafas d'água na mesa curva diante das cadeiras oficiais; outro testa o microfone, que gargareja e guincha; os funcionários trocam ordens num tom familiar, misturando inglês e africâner... o pensamento vai longe... quer dizer que esse nível do funcionalismo público (tal como o dos carcereiros que ladeiam o prisioneiro no parlatório) ainda é reservado a esses brancos, o povo eleito de outrora, velhinhos terminando sua vida útil como zeladores, homens e mulheres mais jovens fazendo parte da última geração para a qual, no tempo em que eles concluíram a escola, o serviço público era uma sinecura reservada para os brancos. Zanzam de um lado para o outro, passando diante de Harald e atrás dele; as moças parecem estar todas usando um uniforme consensual, um traje com variações determinadas pela fantasia de cada uma, para acentuar seu sex-appeal. Um traje preto-e-branco, como as figuras de tribunal nas reproduções de litografias de Daumier que ele e Claudia compraram num bouquiniste parisiense uma vez, deviam dá-las a Hamilton, um sinal de prestígio apropriado para ser exibido naquela sala com sua mesa ampla e reluzente, com seu armário onde é guardado o conhaque servido bondosamente, na hora certa, para reanimar o cliente que está se afogando no que lhe foi revelado. Harald volta à realidade; consulta o relógio. E já começam a chegar pessoas, que se instalam a sua volta.

Ele não conhece nenhuma delas, no máximo reconhece uma ou duas expressões de fotos vistas no jornal ou de programas de debate na televisão — são pessoas que estão ali por uma questão de princípios, membros de organizações de direitos humanos ou indivíduos politicamente comprometidos com posições a favor ou contra relativas a questões como a que vai ser discutida hoje. Harald e sua mulher jamais manifestaram em público opiniões pessoais, o que, imagina ele, equivale a transformar opiniões em convicções: ei-lo ali, agora, entre aquelas pessoas. À sua direita surge de repente um odor de lírios, uma mulher perfumada se ajeita na cadeira com um educado olhar de saudação dirigido ao vizinho, que certamente será uma espécie de aliado, senão o que estaria fazendo ali? Ela tem consciência de que seu longo e farto cabelo ruivo chama a atenção, e o afasta da nuca a toda hora com um gesto gracioso, enquanto folheia uma pasta que tem no colo. Do outro lado de Harald um negro instala-se por alguns minutos, ora olhando para baixo para seus próprios braços cruzados, ora levantando a cabeça e olhando para a esquerda e para a direita; quando ele se levanta, um branco idoso ocupa a cadeira e a transborda, com sua corpulência e suas roupas volumosas. Se se trata de um homem pobre ou se os jeans enormes e desbotados, a camisa xadrez de trabalhador e o colete de couro surrado constituem uma manifestação de desprezo pelas coisas materiais, é algo que Harald, que não freqüenta os meios em que esse código de indumentária possui seu significado, não tem como saber. Seja como for, ele se afasta um pouco do homem, para não constrangê-lo. E assim se passam os minutos; não pensar, não pensar por que ele, Harald, está ali. Ele tem uma consciência intensa da presença extraordinária que representa ali, com a motivação que o levou — sem que nenhuma daquelas pessoas o saiba — a instalar-se entre elas.

Nunca, em toda a sua vida, esteve tão só.

E agora começam a seguir em fila indiana para as cadeiras oficiais no estrado iluminado, sorrindo e conversando em voz baixa enquanto procuram seus lugares, os homens e mulheres que vão atuar como juízes. Nem todos são juízes no sentido de terem sido nomeados em tribunais ordinários, mas todos ostentam o título para os fins deste tribunal. É impossível — por causa do passado, e mais ainda por causa das mudanças do presente — não vê-los em primeiro lugar em termos da cor de cada um. Uma mulher negra com os malares pronunciados e a boca firme que assinala um membro de sua raça que conseguiu atingir o sucesso apesar de todos os obstáculos; um homem negro com a cabeça pesada e os ombros largos da dignidade tradicional transformado em acadêmico (somente ele — Hamilton —

deixou de se registrar na retina interior do cérebro como negro; a relação de dependência que Harald tem com ele eliminou de sua persona o elemento da cor). Há uma mulher branca, despachada, com um nome irlandês bem comum, que poderia perfeitamente ser uma das executivas feministas que já começam a aparecer nas diretorias das empresas; um indiano de pele clara, com os olhos tranqüilos e a curva sardônica nos lábios que indicam uma mente crítica. Um velho juiz branco irradia distinção, o rosto paciente de quem já ouviu tudo que há para se ouvir vindo de pessoas em apuros; um outro que parece jovem, arqueando as sobrancelhas interrogativamente ao posicionar o microfone e a garrafa d'água, mas deve ser um homem de meia-idade, um contemporâneo de Harald (mas Harald não tem mais contemporâneos). Outros assumem seus lugares sem atrair a atenção, com exceção de um deles, um homem moreno (italiano ou judeu?) com um sorriso e olhos — um deles negro e brilhante, o outro cego — marcados por velhas feridas, de quem emana uma vitalidade radiante e insolente, pois ele gesticula com um braço reduzido a um coto. Todos trajam togas verdes com faixas negras e tarjas vermelhas e negras nas mangas — uma espécie de uniforme de judô com um avental branco cheio de franjas — que devem ter sido desenhadas para distinguir este tribunal de todos os outros. Das cortinas ao fundo emerge por fim o juiz presidente, e apenas ele representa uma ligação com o passado, um homem que Harald já conheceu — ou melhor, com quem já esteve presente — numa recepção em algum consulado estrangeiro em que a lista de convidados era um tanto eclética. É um homem com um desses rostos raros — é fácil esquecer que tais rostos existem — que não apresentam nenhuma projeção de ego a se impor às outras pessoas, ao mundo. Parece belo, mas talvez não seja; é a tranqüilidade sem solenidade que confere a suas feições uma harmonia que dá tal impressão. Encara o público de frente, em reconhecimento do fato de que ele é uma pessoa como eles. Não sorri, mas seus olhos, por trás das vidraças dos óculos, têm uma expressão sorridente, e além disso exprimem compaixão — mas talvez seja o distanciamento das lentes espessas que dê a Harald a impressão de que há ali uma compaixão que o comove.

De certo modo, há algo de curiosamente abstrato nesta audiência. Themba Makeanyane e Mvuso Mchunu — são esses os nomes dos assassinos — não estão presentes. Estão encerrados em celas no corredor da morte. O pleito partiu dos advogados que os representam e de associações denominadas Advogados pelos Direitos Humanos, Sociedade pela Abolição da Pena de Morte e até do próprio governo; um governo contestando as leis da nação — um paradoxo produzido pela sobrevida das leis do antigo regime.

Themba Makeanyane, Mvuso Mchunu — quem são eles? Para este tribunal, não importa quem são, o que fizeram, homens que mataram quatro seres humanos; esta causa é um balão de ensaio, e o que está em jogo é o princípio moral mais importante da existência humana.

Aquele antigo mandamento: não matarás.

Há um único indivíduo presente sob aquele teto baixo para quem o que interessa não é o princípio elevado de justiça abstrata. Porém a eloqüência dos argumentos por vezes atrai Harald para o plano elevado, a atmosfera é de debate animado, os advogados dos abolicionistas fundamentando sua posição em seções da declaração de direitos da constituição, que eles citam (envolta em sua aura de lírios, a jovem a sua direita anota o que Harald lê com o canto do olho: *Seção 9 garante direito à vida Seção 10 proteção à dignidade humana Seção 11 proíbe forma de tratamento ou punição cruel desumana ou degradante*). As costas do advogado abolicionista — não se vê mais nada dele da quinta fileira no momento em que ele se dirige aos juízes — agitam-se de convicção enquanto ele apresenta sua leitura da Seção 9: o primeiro princípio é o direito a não ser morto pelo Estado. O advogado dos preservacionistas interpreta a mesma seção como afirmando a obrigação do Estado de proteger a vida preservando a Pena de Morte como medida eficaz contra os crimes violentos que causam a morte de vítimas. Uma carta de um membro do público é citada em tom emotivo: "a única maneira de limpar nosso país é a pena capital". Os juízes interrompem a leitura e após um interrogatório ágil e atilado defendem suas próprias opiniões; a posição em favor da preservação da Pena de Morte parece esbarrar num argumento irrespondível no momento em que o juiz que perdeu um braço e um olho quando um agente do regime anterior tentou assassiná-lo afirma ser contra a prática do braço por braço, olho por olho, afirma não ter nenhuma vontade de ver aquele homem enforcado. Apenas o juiz presidente não se manifesta, reflexivo, dando atenção absoluta a tudo o que é dito, e resume as argumentações quando elas se tornam excessivamente discursivas. Há uma cláusula na Seção 33 que permite que sejam limitados os direitos constitucionais — um questionamento do Juízo Final (a moça está anotando de novo: *apenas na medida em que for razoável e justificável numa sociedade aberta e democrática fundada na liberdade e na igualdade*). O advogado dos abolicionistas corta o discurso da cláusula discricionária e argumenta que, mesmo havendo uma posição "majoritária" em favor de preservar-se a Pena de Morte, isso não implica necessariamente que seja essa a posição correta: desse modo ele chama a atenção do Tribunal para o fato de que a questão em jogo é se a Pena de Morte é constitucional, e não se ela é justificada pelo clamor do público.

Os juízes levantam-se; é o intervalo para o almoço. Depois que o juiz presidente sai pelas cortinas dos fundos, o ambiente torna-se informal de repente. Grupos se formam e impedem o trânsito por entre as fileiras de cadeiras. Um dos juízes sai do lugar para onde se recolheram com o fim de pegar um documento com um mensageiro; sorri e acena para uns amigos, mas quando eles fazem menção de aproximar-se ele diz que não com a cabeça e desaparece: os juízes não podem discutir o caso com ninguém. O odor de lírios se desloca pela fileira, pedindo licença rapidamente, já se dirigindo a alguém que está a sua espera adiante de Harald: Que bando de sanguinários... Pessoas perguntam onde é que se pode tomar um café naquele prédio, uma mulher bonitona, com mechas de branco no cabelo imponente, abre uma merendeira de onde tira água mineral e frutas para seus amigos, e reage com uma tirada grosseira e bem-humorada quando um funcionário vem lhe dizer que é proibido comer ou beber no tribunal.

Tudo isso se passa em torno de Harald, e tudo vai se afastando aos poucos.

Saíram para satisfazer suas necessidades — banheiros, comida, água — como no intervalo de um espetáculo qualquer. Sozinho, cercado por cadeiras vazias, Harald não é mais ignorado; agora ele é o foco de atenções da arena reluzente, o semicírculo vazio de cadeiras oficiais à frente que agora se identificam com as características dos homens e mulheres que nelas se sentaram. Ele se levanta, desce as escadas em vez de tomar o elevador, sai do prédio para a irrealidade do dia ensolarado e das vozes de negros que trabalham num buraco em que alguma instalação, de água ou eletricidade, está sendo consertada. Sol e mão-de-obra — é o clima da cidade, o temporal e humano encarado como tão eterno quanto o eterno. Eles estarão ali por todo o sempre, cavando e cantando. Ofuscado pelo sol por um momento, é fácil nutrir a ilusão de que nada mudou. Aqueles nomes, Themba Makeanyane, Mvuso Mchunu, dois criminosos negros, estão na prisão; o jovem arquiteto está no escritório da firma, em algum lugar no centro da cidade lá embaixo, trabalhando num projeto.

A Pena de Morte é assunto para ser discutido em torno da mesa de jantar por aqueles, os outros, que vão voltar para o Tribunal junto com Harald. A causa que defendem — seja o direito do Estado de assassinar, seja a proibição de que o Estado cometa assassinatos — é objetiva, assumida por ambos os lados como uma responsabilidade e um dever para com a sociedade. Nada de pessoal. A Pena de Morte é uma causa pública; ela será decidida nesse tribunal, revogada sob uma outra constituição em algum dia futuro, sob algum outro governo, sabe Deus quando, só Deus sabe de quantas maneiras o homem distorceu e interpretou e reinterpretou seu Verbo, não matarás. Para aqueles homens e mulheres que voltam ao Tribunal, saindo das lanchonetes que encontraram nas redondezas, o que está em jogo é a posição por eles assumida, um valor impessoal acima do dele; Harald sabe, e o Deus perante o qual ele foi responsável sua vida inteira também sabe. Tal como ele, como Claudia e ele, é impensável que essa questão jamais venha a intrometer-se na vida desses homens e mulheres — quem, entre eles, seria capaz de um ato tão pouco civilizado como matar num momento de raiva, dor, ciúme ou desespero? Os preservacionistas temem ser assassinados por alguém; os abolicionistas abominam o direito de repetir o crime matando o criminoso; nem um lado nem o outro se imagina capaz de cometer assassinato.

As únicas pessoas com quem ele teria algo em comum seriam os pais de Themba Makeanyane e Mvuso Mchunu, quem quer que sejam eles, aqueles para quem o que aqui é tema de uma argumentação erudita não é uma questão abstrata, e sim algo com que eles convivem em seus lares, introduzida neles à força, por filhos que assassinaram quatro pessoas, e pelo filho que deu um tiro na cabeça do homem no sofá. Era pouco provável que aqueles pais estivessem na platéia, é quase certo que sejam pobres e analfabetos, pessoas que têm medo de se expor às autoridades num processo que para elas só pode ser compreendido de uma única maneira: se seu filho vai ou não ser enforcado em Pretória numa madrugada.

Harald permaneceu do lado de fora por um momento depois que todos os outros entraram no prédio. O brilho do sol no metal dos carros indicava a atividade incessante da cidade; seu coro de ruídos fundia-se no murmúrio abafado do que sempre ficava dito apenas pela metade lá embaixo; o som chegava até ele em ondas de impulso.

A morte é a pena da vida. Cinqüenta anos. Ele está com cinqüenta anos; é fácil lembrar-se do número, mas naquele momento, naquele lugar, ele está vivenciando o que aquilo significa, a sua idade. Em vinte anos ele estará atingindo sua expectativa de vida. Aceita o fato, em obediência a sua religião, embora muitos apelem para drogas e implantes, o domínio de Claudia, uma extensão. Muito tempo pela frente, para ele. Cinqüenta anos, mas ele ainda acorda todos os dias com uma ereção, vivo. Cinqüenta anos. A possibilidade de a pena ser paga aos vinte e sete anos — é isso que está em jogo para ele, é isso que os argumentos trazem à tona, disfarçado de questão abstrata. Harald volta para o tribunal, para ouvir o que ninguém mais ouve.

O julgamento seria no final do segundo dia da audiência. Com uma lâmina de barbear, Harald recortou dos jornais as notícias sobre o Tribunal e as acrescentou a seu próprio relato, para Claudia. Não precisava confessar suas idas clandestinas ao Tribunal; desde o dia em que Hamilton comentara, de passagem, a lei que continuava a constar na legislação, os dois assumiam que ambos estavam constantemente pensando em meios de encarar essa situação mentalmente; a conspiração disfarçava a vergonha, transformava-a num outro fim: como fazer tudo, qualquer coisa, utilizar todo e qualquer meio para conseguir com que Duncan não corresse nenhum risco de ser enquadrado na lei que ainda constava na legislação. Informar-se. Um jornal publicava relatos seletos sobre as atividades realizadas e as posições defendidas pelos juízes no passado; a inferência era a de que eles haviam entrado para o Tribunal Constitucional já decididos a favor da abolição da Pena de Morte; o veredicto eram favas contadas. As especulações baseavam-se em informações pessoais sobre os juízes e boatos que eram sem dúvida a fonte em que se baseara Hamilton para fazer sua aposta disfarçada de certeza. Porém Harald ouvira depoimentos passionais que citavam a petição em favor da volta da Pena de Morte, com um número de signatários que aumentava enquanto transcorriam as discussões do Tribunal; lia diariamente notícias sobre assaltos, estupros, seqüestros — assassinatos — que levariam mais pessoas a assinar a petição — a prisão não impede o crime, a prisão perpétua acaba sempre sendo comutada; por conta de "bom comportamento" na prisão os criminosos são soltos para matar outra vez: a única proteção, a única justiça, é olho por olho, vida por vida. Harald disse isso a Claudia. Calou-se. De repente:

Para onde é que vão agora as pessoas com doenças infecciosas?

Muito lentamente, ela sorriu para ele. A maioria dessas epidemias não existe mais. Por isso acabou o Hospital das Febres. As pessoas são vacinadas na infância. O que preocupa os médicos agora é o que é transmitido por meio de contatos íntimos, como você sabe; de modo que não seria direito impedir os portadores de ter contatos normais, andar entre nós. No entanto, é mais uma coisa de que as pessoas têm medo.

Existe um labirinto de violência que não é contrário à cidade, mas uma forma de comunicação dentro da própria cidade. Eles não viviam mais inconscientes desse labirinto, isolados por trás dos portões do condomínio. A violência agora os reclamava para si. É um desafio terrível o fato de que — por mais que se tente rejeitar a idéia — Duncan está detido naquele labirinto junto com os homens que roubaram e esfaquearam uma pessoa e a jogaram de uma janela do sexto andar — deu no jornal hoje; amanhã, tal como ontem, haverá mais alguém, um que estrangulou a esposa ou tocou fogo em toda a família que dormia dentro de uma cabana. A violência — uma leitura de sua densidade variável poderia ser feita se existisse um dispositivo como o que mede a poluição atmosférica e a registrasse todos os dias. O contexto no qual se insere o contexto deles — de Duncan, Harald e Claudia — é natural. Está no ar abafado de uma sala de visita às três da manhã, com a secura de um tapete de lã, o cheiro de borra de café e o estalar da madeira sob pressões atmosféricas. A diferença entre Harald e Claudia tal como eram antes, assistindo ao pôr-do-sol, e tal como são agora é que estão dentro do labirinto, pelo contato íntimo com um portador de uma natureza diferente dos que Claudia mencionou. Harald, mais uma vez, encontra seu texto. Está ali, uma noite em que se levantou da cama sem fazer barulho para não acordar a mulher, e pega um livro que já leu mas de que não se lembra mais: "... a transição de qualquer sistema de valores para um sistema novo forçosamente tem de passar pelo ponto zero da dissolução atômica, atravessar uma geração sem qualquer ligação com o sistema antigo nem com o novo, uma geração cujo próprio distanciamento, cuja indiferença quase insana para com os sofrimentos dos outros, cujo estado de desprovimento de valores se torna uma justificativa ética, e portanto histórica, para a rejeição cruel, em tempos de revolução, de todo sentimento de humanidade... E é talvez necessário que assim seja, pois somente uma geração assim poderá suportar a visão do Absoluto e o brilho cada vez mais forte da liberdade, a luz que se acende sobre a escuridão mais profunda, e somente sobre a escuridão mais profunda...".

Sem rejeitar todo sentimento de humanidade, nos tempos que recentemente se tornaram o passado, um ser humano não poderia ter suportado a desumanidade do ataque contra o corpo e a mente promovido pelo antigo regime, os espancamentos e interrogatórios, as mutilações e assassinatos, nem sua própria necessidade de colocar bombas em cidades e matar em emboscadas de guerrilha. É isso que o texto está dizendo a Harald? O que acontece, depois, com essa rejeição de todo sentimento de humanidade que foi aprendido com tanta dor, com um desespero tão lancinante e passional, com o cultivo deliberado de uma frieza cruel, quer para suportar os golpes desfechados contra si próprio, quer para desfechá-los contra outrem? Será isso que continua a existir depois que seu tempo acabou, solto e às cegas; não apenas as cabanas incendiadas e assassinatos motivados por rivalidades políticas atávicas numa parte do país, mas também os ladrões de carro que levam a vida do proprietário junto com as chaves do veículo, os motoristas de táxi que matam os rivais com quem disputam passageiros; e que dá licença a um jovem para que ele pegue uma arma que tem à mão e atire na cabeça de seu amante (amante de sua amante, meu Deus, sabe-se lá) — um jovem que nem sequer foi exposto às necessidades temíveis da revolução, que nem sofreu golpes nem os desfechou contra os outros, já que graças às manipulações dos pais o mais próximo que ele jamais chegou do conflito foi um campo de treinamento onde o alvo era um boneco. A violência profana a liberdade — é o que diz o texto. É isso que o país está fazendo consigo mesmo; Harald o sabe ele próprio, como parte do país, não para argumentar que o que seu filho branco fez pode ser desculpado como parte de um fenômeno coletivo, uma aberração passada adiante por aqueles em quem ela surgiu como mutação provocada pelo sofrimento, mas porque a violência é o inferno comum de todos que estão associados a ela.

Livrar a cara dele.

A expressão grosseira, jargão do submundo criminoso, era o melhor termo para designar o projeto em que eles estavam engajados agora. Dar um jeito, por bem ou por mal — isso mesmo, tratava-se de aceitar e até mesmo antever meios ilícitos. Quando Harald leu para Claudia relatos de processos antigos, coisas que antes os dois, pouco interessados em emoções desse tipo, jamais teriam lido, eles se deram conta de que os interstícios da lei, as interpretações tortuosas da letra dos códigos legais, salvavam réus que, sob todos os outros aspectos, eram claramente culpados. Livravam a cara deles.

Se antes Claudia fora com relutância à sala do advogado quando por ele convocada, agora ela e Harald estavam o tempo todo pedindo consultas com Hamilton Motsamai. O que queriam dele era uma espécie de astúcia, um certo tipo de manha profissional que era vedada aos leigos, e que pessoas cujos preconceitos generalizados outrora lhes pareciam desagradáveis atribuíam a advogados que pertenciam a determinadas raças.

Advogado tem de ser judeu ou então indiano. Teria um advogado negro os mesmos recursos? Seria uma tarimba que se adquiria com a formação e a prática em advocacia? Ou faria parte de um estereótipo racial cuja origem estivesse no fato de que as pessoas dessas raças tinham necessidade de burlar as leis que as discriminavam? Neste caso, por que não teria Hamilton desenvolvido seus instintos naturais de astúcia voltados para a autopreservação — quem melhor do que ele? Por que motivo ele teria aberto mão dessa astúcia em nome da retidão profissional altiva de um advogado ariano que jamais vivera do Outro Lado? Estaria essa astúcia ali mesmo, na sua sala, disfarçada, sob o olhar das fotos emolduradas que o mostravam entre seus distintos colegas no Gray's Inn em Londres? Harald achava que sim; sua maneira de abordar a moça, de tentar descobrir quais as motivações que atuavam em seu relacionamento com Duncan lhe pareciam prova disso. Mas Claudia, em conflito com a confiança que aprendera a depositar no homem, perguntava-se se um dos outros, mencionados por pessoas cuja admiração era de certo modo desabonadora, não seria a pessoa indicada para defender o filho deles de qualquer maneira, usando todos os métodos. Um judeu, um indiano. Embora ela não dissesse isso, seu marido compreendia; de muitas maneiras, certas atitudes estereotipadas que antes, na situação protegida em que viviam, estavam tendo de ser assumidas desde que fora necessário abrir mão de outros valores daquele tempo. Uma vez ocorrido um assassinato, que importam essas coisas? A única coisa importante é salvar outra vida. A ética burguesa de uma médica, de um membro de uma diretoria, tornam-se coisas triviais.

Hamilton reagiu com entusiasmo à nova atitude que percebeu neles. Como se a estivesse estimulando desde o início, ah-hêh, ah-hêh, casal branco bem-comportado emergindo de seu mundo irreal. Ele não via, ou fingia não ver, que eles julgavam estar lhe fazendo uma exigência, um desafio disfarçado, o pedido de que fizesse alguma coisa, qualquer coisa antiética (do ponto de vista deles) em defesa de seu filho. Era espantoso constatar a ignorância das pessoas instruídas, brancas ou negras, em relação às convenções da lei — provavelmente Claudia diria a mesma coisa quanto à ignorância das pessoas a respeito da medicina. Ainda não entendiam até onde podiam ir as táticas defensivas de um advogado competente. Como é que eles imaginavam que se podia defender um réu que confessa ter cometido assassinato?

— Será que você não podia usar o como-é-que-se-chama — o Julian —, o que nos contou, foi para ele que o Duncan telefonou logo depois, naquela noite? Tenho a impressão de que ele não gosta da moça, ele presenciou cenas que o chocaram, cenas em que ela — não sei — se descontrolou, provocou Duncan de algum modo, o que pode ser importante para você. —

— Meu arrazoado, sim. — Ele instiga Claudia a falar mais.

— Coisas que você conseguir arrancar dele. Se bem que ele me parece não estar querendo falar por achar que a amizade implica uma certa confidencialidade, essas coisas. Um sentimento de lealdade com os moradores da casa, talvez tenha medo de que os outros o acusem de alguma coisa... —

— Claro, você tem razão. Eu tenho conversado com ele. Um rapaz reservado. Mas a questão é que, quanto ao que você diz sobre a casa, as pessoas que a freqüentam ou moram lá — é verdade, ele gosta de ser aceito por aquelas pessoas, mas ele gosta mesmo é do Duncan, é o Duncan que é importante para ele. Mas não sei se vale a pena chamá-lo para depor. —

Harald insiste quanto ao outro, Khulu. — Esse não é mais interessante? Se eu fosse o juiz, eu daria mais peso ao que ele estivesse disposto a dizer. E além disso ele mora mesmo na casa, não é só uma pessoa que trabalha com o Duncan, um colega, uma pessoa de fora, um amigo que nem sempre estava ali para presenciar as coisas que aconteciam. Já o Khulu... —

— E o Khulu é gay. Ele conhece os padrões morais, como você quiser chamar, o que se faz e o que não se faz, como é que eles organizam a vida deles, acertam contas um com o outro. —

Quero dizer
Será que
Não que
Ah-hêh
Quer dizer
Só uma coisa
Mas e se
Deixe eu explicar

Estão excitados, aquilo é ao mesmo tempo uma consulta e uma disputa. Felizmente, para os clientes atribulados, Duncan se tornou uma questão abstrata, e não uma presença entre eles na sua cela como costuma acontecer quando seus pais vão falar com o advogado.

O assistente de bombeiro e jardineiro: vale a pena chamá-lo?

— Para quê? Esse eu deixo para a promotoria! — De súbito Motsamai se torna uma pessoa muito atraente quando ri; uma persona que ele guarda para outras ocasiões quebra o protocolo, talvez provenha do lugar que ele ocupa, marcado pelo corte africano de seu fio de barba, num antigo círculo aristocrático, ou talvez de seu domínio sobre o outro círculo, a bonomia dos advogados jantando no refeitório do tribunal.

O termo vulgar, de rua, não é usado aqui: livrar a cara dele. Mas todos o compreendem, com todas as limitações que a expressão implica. O que seus clientes estão pedindo, eles e o advogado sabem que não vai poder tornar Duncan livre, livre do que ele disse ter feito, livre do que o encerra tal como outrora ele ficou encerrado no ventre de sua mãe, invisível. Ele terá de ser punido, ou pela vontade do Deus de seu pai ou pelas leis humanas que norteiam a vida de sua mãe. O termo só pode servir como o meio — todo e qualquer meio — de livrá-lo da pena que ainda existe na legislação. Vida por vida.

— E vou precisar mais de vocês dois. Vocês sabem. Ah-hêh... muito mais. Quanto a isso (a mão espalmada é levantada no ar) nós ainda não falamos o bastante. Falamos muito pouco. Como ele era, quando menino. Como ele era, mesmo. Problemas que vocês podem ter percebido na época. O que pode ter afetado suas reações no futuro, conflitos, essas coisas. Algumas das coisas que vocês esqueceram, que vocês acham que são coisas do passado, definitivamente enterradas. —

Foi como se subissem as persianas naquela sala pacificada, e uma claridade sem sombras caiu sobre eles.

Nunca houve nenhuma.

Ele era um menino feliz.

Mas isso não foi dito.

SEGUNDA PARTE

Por que é que Duncan não está na história? Ele é um vórtice ao redor do qual todos se espalham: Harald, Claudia, Motsamai, Khulu, a moça, o morto.

Seu ato o transformou num vácuo; o vácuo é a antítese da vida. Se os outros não conseguem entender como ele foi capaz de fazer o que fez, ele também não consegue. Menos a moça; ela talvez entenda, certamente entende. Ela estava preparada para matar, matar a si própria. É o mais próximo que há de praticar o ato contra outra pessoa. O ato em si, não o significado. Ele não se lembra do ato em si; o advogado acredita nele, ou quer acreditar, precisa acreditar nele; mas o promotor, o juiz e seus assessores, qualquer um que o ouça não vai acreditar nele. Para usar as palavras do advogado, ele não "premeditou" o que fez. A coisa foi *representada* muito depressa, um clímax que logo termina, a emoção insuportável escapando, sumindo. Ele se lembra da arma largada na mesa, mas isso foi na véspera, algum idiota estava falando em comprar uma arma e perguntou como se usava. A arma da casa. Ela estava sempre largada em algum lugar, como proteção não ia servir para nada, porque na hora em que fosse necessária ninguém saberia onde estava guardada. Ele a vê largada, esquecida, na mesa, entre garrafas e copos, na noite da véspera. E quando eles — Jespersen, Natalie, eles dois — lavaram os pratos, arrumaram a sala, fizeram amor no sofá, deixaram a arma ali. Chegou a hora. Eles deixaram a arma ali para ele.

Duncan não vê a arma quando relembra o momento em que os encontrou. Lembra exatamente como os encontrou, do modo mais detalhado. Os dois estão vestidos (é assim que ela gosta), só os órgãos genitais expostos, a saia dela levantada, as nádegas dele ainda semicobertas pelas calças no momento em que a penetra. Um incentiva o outro com sons — ele não pode impedir-se de ouvi-los — bem conhecidos, tanto os dela quanto os dele, e no momento exato em que se dão conta de que alguém os surpreendeu são tomados por algo que não pode ser controlado, a coisa está acontecendo na frente dele, parece-lhe que é sempre assim, se fosse possível a própria pessoa ver, uma contorção, um ataque epiléptico. Ele fugiu. Teve a impressão de que a ouviu rindo e chorando. Ficou sentado, no escuro, no bangalô, esperando que ela entrasse, tateando, e dissesse: Pronto, foi só isso, o que é que tem! Mas desta vez não é só isso, não.

Quantas noites, nas horas terríveis que se passam após as horas boas, no meio da noite, ela não se levantou, sacudindo os cabelos longos, uma Fúria (ah, deixe eu botar um pilar ou uma coisa assim na sua arquitetura grega clássica pós-pós-moderna ou lá o que seja), rindo e chorando — para ela é tudo a mesma coisa —, e se debruçou sobre ele gritando, como se ele fosse surdo: "Sua bicha! Por que é que você não volta para um dos seus amiguinhos, hein? Vá para a casa, vamos, se eu não sirvo para você, você quer me refazer toda, seu Deus-todo-poderoso". Ela, para quem tudo era permitido, não via problema em repreendê-lo por coisas a que na verdade ela não dava importância. Na confiança inspirada pela liberdade da experiência, das emoções, liberdade que ela pregava e praticava, ele fez o que jamais deveria ter feito: contou-lhe sobre o episódio, não, sejamos honestos, foi mais que isso: seu caso com Jespersen. Deu-lhe uma arma para ela brandir acima de sua cabeça, encostar em sua garganta e — quando conseguia arrancar dele a reação que queria — retirar fora rindo, eu estava só brincando.

A torrente terrível daqueles ataques lhe voltava para torturá-lo na cela. Fora ela que o encurralara ali. Ele nunca conhecera nenhum ser capaz de falar como ela, uma espécie de maldição. Você me arrastou de volta para a vida me fez vomitar a morte dos pulmões me trouxe de volta depois do hospício dos médicos psicopatas você planeja você planejou me *salvar* na posição papai-mamãe e não só em cima de mim bom gosto casar filhos com você porque o meu eu dei como uma cadela que devora os filhotes que ela pariu você inventa "carreiras" para mim porque uma mulher que você salvou tem que ter uma carreira você me salvou da morte para *isso* para o que *você* acha que tem que ser a minha vida diz que eu tenho que parar de me punir mas vou lhe dizer uma coisa se eu fico com você é porque *eu* escolho eu escolho o pior castigo que posso encontrar para mim eu adoro isso você sabia disso?

A coisa não pára aí. Flui de todas as noites em que conversaram até as três da manhã, inebriados pelas palavras dela, qualquer outra droga seria desnecessária. E o tempo todo, enquanto ela o enlouquecia de raiva e o açoitava — ele ouvia mais uma vez o que jogara na cara dela em vez de lhe dar um soco na boca, uma violência substituída por outra: eu devia ter deixado você morrer. Que pena que eu não deixei você morrer —, ele pensava com a dor mais profunda nos versos que ela escrevera para ele num de seus poemas: "Sou uma chama de vela que se agita/ em correntes de ar que você não vê./ Você tem de ser a pessoa/ que me mantém firme para arder". Ele não fizera isso para ela; não era a pessoa certa.

Eu devia ter deixado você morrer.

Isso queria dizer que ele tivera vontade de matá-la? Olhar para trás para a Eurídice que salvara do Hades, para que ela não pudesse mais segui-lo. Livrar-se dela, amando-a tanto; escolhendo-a de modo tão desastroso como ela dizia ter escolhido a ele.

Isso seria premeditação. Quantas vezes ele havia contido a mão prestes a acertá-la na boca. Ela tinha razão quando zombava dele por ter tido uma formação de classe média; isso não passa de docilidade, dizia ela. Seus pais são caretas, hipócritas. O seu pai levava você à igreja, ele é cristão praticante, mas os cristãos de verdade são rebeldes, vão presos por se revoltarem contra o que acham que é errado, em vez de ir contar os pecadilhos deles para um padre escondido atrás de uma cortina fingindo que é representante de Deus. A sua mãe é uma boa liberal, o que quer dizer que ela era contra tudo o que acontecia de errado nesse país antigamente, e deixava que os outros corressem o risco de lutar para mudar a situação.

E você (teria ele dito isso a ela?), você acha que é uma anarquista, e a anarquia não tem forma, você é o caos, e foi por isso que eu me afastei da minha prancheta.

O dia inteiro esperando que ela voltasse, e nada. Nas outras vezes em que teve um caso, sumindo por alguns dias, ela voltava com a bolsa onde cabia o suficiente para um fim de semana com um amante, nunca pedia desculpas (era uma pessoa livre) mas estava tranqüila, claramente satisfeita de vê-lo de novo. Uma vez até lhe trouxe uma lembrança, um pedaço de fóssil. Ela conseguia se safar com gestos improváveis como esse. Depois, uma noite inteira os dois conversando. Ele passava a noite sentindo um desejo forte por ela, mas não queria ir tão depressa aonde outro homem tinha acabado de estar. Depois de um ou dois dias eles voltavam a fazer amor, e para ela era como se nada tivesse acontecido. Foi só isso, o que é que tem.

Por fim, no final da tarde ele se levantou da cama onde ficara o dia inteiro e saiu em direção à casa. Mas, antes, os estranhos movimentos cotidianos foram executados, abriu uma lata de comida para cachorro, colocou-a num prato junto à porta; o cachorro saltitando a sua volta em expectativa, o prazer simples do apetite, da existência. Ele foi em direção à casa. Não queria falar com ninguém, mas ouvia a sua própria voz num monólogo silencioso, e desta vez as palavras não seriam no meio da noite e não seriam dirigidas a ela. Ele não sabia o que estava dizendo, o que ia dizer. Estava angustiado até o fundo da garganta, engasgado. Se tinha algum objetivo, era saber o que diria quem porventura estivesse escutando seu silêncio. Era Jespersen. Jespersen estava deitado no sofá.

Assim, ele encontrou-o de novo.

O homem levantou a cabeça e sorriu, arregalando os olhos sob as sobrancelhas erguidas e virando para baixo os cantos da boca, sua tradicional expressão simpática de culpa, no estilo de um mímico experiente. O que ele disse foi: Ah, meu Deus. Desculpe, *bra*. A expressão aprendida com os negros que freqüentavam a casa era bem adequada para exprimir entre eles o sentimento generalizado de fraternidade que absorvia qualquer transgressão.

Era exatamente o mesmo jeito, eram as mesmas palavras com que ele comunicara o fim dos meses que haviam vivido como amantes.

A perplexidade explodiu; ele não estava pensando em nada além dela, era ela que o preenchia até a fonte das palavras, era ela que ele trazia consigo numa acusação, o cadáver de suas emoções. Ao ouvir aquelas palavras, ao ver aquela expressão facial, voltou-lhe o baque daquele golpe anterior, ele sentiu outra vez, vendo-o deitado no sofá, relaxado, com um daqueles quimonos japoneses de algodão de que ele se lembrava, flexionando os dedos de um pé musculoso calçado na sandália favorita, o sofrimento cru daquela rejeição que havia muito tempo lhe parecia ser uma fase já esquecida daquele processo que é a vida, à medida que as paixões e as frustrações da adolescência vão murchando até assumir proporções modestas. Era Jespersen que ele perdera, perdera no corpo da moça. Também Jespersen era o cadáver da vida. Aquele homem destruíra tudo, absolutamente tudo, o significado de si próprio e o da moça, nas contorções, no espasmo horrendo daquela cópula.

Falando. Jespersen com seu inglês cantado de norueguês alegando as razões óbvias. Não somos crianças. Ninguém é de ninguém. Nós queremos ser livres, não é. Não devemos sufocar os impulsos que aproximam as pessoas, seja para o sexo, seja para uma caminhada, tanto faz, ora. A caminhada terminou, a transa terminou, foi bom, pronto, não é. Lamento a gente ter sido tão impulsivo. Quer dizer, ela é o tipo de garota que costuma fazer as coisas de modo mais discreto, não é. Todos nós sabemos... você sabe, meu *bra*. Das outras vezes que aconteceu, não alterou nada as coisas entre vocês dois. Sabe, nunca se deve ir atrás de ninguém, nunca, isso é um erro, isso é o que fazem as pessoas que transformam seus sentimentos numa prisão e trancam uma outra pessoa dentro dela. Se a coisa não tivesse acabado do jeito que você fez acabar, ela é uma garota formidável, essa sua garota, ela nem ia voltar a pensar no que aconteceu, nem ela nem eu, por mim a coisa ficava nisso, foi só parte de uma noitada boa, depois de umas e outras, do tanto que a gente se divertiu arrumando a casa juntos. Por que você não toma alguma coisa?

Falando.

O tempo todo, enquanto o outro falava, uma outra falação ocorria dentro dele, como se alguém estivesse girando o dial de um rádio de uma freqüência a outra, fragmentos explosivos do passado, da noite, de outras noites, desespero, auto-rejeição, ternura inexprimível, repulsa crua, raiva insuportável que não havia como organizar. As comunicações do cérebro estavam em pane. Ele não sabia o que pensava, o que sentia, debaixo de todo aquele blablablá. Era o grande apocalipse de todas as conversas noturnas até as três da manhã. Foi certamente para dar fim a isso que ele pegou a arma da casa, que viu com o rabo do olho, e atirou no amante, dele e dela, acertando-o na cabeça.

Foi só isso.

Claro que ele jamais faria uma coisa daquelas. É por isso que não há nada a explicar para aqueles dois, coitados, quando eles vêm visitá-lo no parlatório. O que havia — o que há — nele que ele próprio não sabia, os dois certamente não sabiam, não têm como saber. O advogado esperto tem de inventar uma explicação. Nós agora estamos nas suas mãos, *bra*. Fora o advogado que lhe dissera que a autópsia confirmou que Carl, Carl Jespersen, morreu com um tiro na cabeça. Foi assim que ele conseguiu acreditar. Ele não viu Carl sangrar. Não esperou para ver o que aconteceu depois que ele pegou a arma da casa. Fugiu tal como fugiu para o jardim uma vez em que derrubou e quebrou o abajur do quarto da mãe, quando menino. Se ele for punido com a morte, talvez fosse bom seu cérebro ser entregue aos pesquisadores; talvez haja uma explicação a ser encontrada nele, que possa vir a ser útil. Útil à sociedade. Tudo o que ele pode fazer pelos dois que vêm visitá-lo no parlatório é torcer para que a sociedade não os sujeite a um excesso de publicidade quando começar o julgamento. *Ele*, como diretor de uma grande empresa, é um alvo fácil para os jornalistas de um setor; *ela*, como uma pessoa que faz boas obras em prol da humanidade, é um alvo fácil para outro setor; as pessoas vão querer ver o que os fotógrafos podem mostrar das pessoas com status cujo filho fez o que jamais poderia ter feito. Mas talvez passe despercebido, um assassinato dentro de casa (jardim num subúrbio), briga obscura de amantes, ciúmes domésticos de gays, algo assim, em comparação com a violência pública espetacular a qual permite que se filme ou fotografe gente morta a tiro na rua, no fogo cruzado dos novos esquadrões da morte contratados por motoristas de táxi e traficantes de drogas que aprenderam as táticas com os esquadrões do antigo regime, toda uma variedade de métodos para a "remoção permanente" de adversários políticos, desde explodi-los com bombas em carros e em pacotes enviados pelo correio até punhaladas em série para não deixar dúvida de que as balas fizeram o serviço.

Se alguma coisa pudesse ser encontrada nos lobos do cérebro para explicar de que modo todas essas pessoas, pessoas como ele, puderam fazer coisas assim; continuar a ferir e estropiar, até — como realização final — matar.

A arma da casa. Se não fosse ela, como se proteger, nesta cidade, da possibilidade de perder o aparelho de som, a televisão e o computador, o relógio de pulso e os anéis, a possibilidade de ser amarrado, estuprado, esfaqueado. Se não fosse ela, o homem do sofá não estaria agora debaixo da terra da cidade.

Ele era um menino feliz. Não era? Claudia não precisava fazer essa pergunta a Harald. Claro que era. O que teriam eles a lembrar das coisas que — segundo o advogado — eles julgavam "definitivamente enterradas". Como se houvesse alguma coisa escondida; escondida de Motsamai, deles dois. O que Duncan queria deles? O que Duncan pedia a eles?

Você ainda tem a carta?

Uma daquelas caixas no armário velho, que a gente trouxe quando se mudou para cá. Mas só tem a primeira página.

É, ele se lembrava; eles haviam pensado na carta, inevitável, em meio a toda a confusão que eles viveram depois daquela noite de sexta-feira. *Aconteceu uma coisa terrível*, escreveu o menino. Eles haviam se acusado mutuamente de ter sido ou não o que escreveu: *nós estamos sempre do seu lado quando for preciso. Sempre.*

Eu estava pensando que talvez interesse ao Hamilton. Mas, pensando bem, acho que não. A carta não exprimia nenhum choque mais forte, o menino parecia ter enfrentado bem o impacto que o enforcamento do outro aluno representou para ele. *Nós* é que ficamos muito mexidos.

Só porque ele escreveu aquilo não quer dizer que não tenha sentido nada. Pode ter ficado incomodado, com medo.

Mas não conseguiu escrever para nós. É. Por quê?

As crianças não dizem as coisas assim direto. Eles propõem uma versão para os adultos interpretarem. Eu aprendi isso tentando diagnosticar crianças.

Harald levantou a cabeça e correu os olhos pela sala, negando, procurando. Um deles — Claudia ou ele, aquela discussão boba que eles tiveram, um tentando se justificar ao outro — os dois haviam feito uma promessa ao menino, não há nada que você não possa contar para nós. Nada. Mas ele não conseguira lhes dizer nada que o tivesse levado àquela noite de sexta em que uma coisa terrível aconteceu com ele. Ele não lhes dissera que amava um homem, ou pelo menos o desejava, que explorara aquela emoção, embora tivesse aprendido a manifestar suas emoções, bobagem essa história de que homem não chora. Ele não lhes contara que salvara uma moça das águas, que vivera com ela em conflito, com sua opção pela morte. Ele levava moças para tomar um drinque na varanda da casa do condomínio: uma hora de conversa, sobre coisas da cidade, férias, talvez política, troca de casos engraçados, risos, opiniões a respeito de um livro que ele e o pai haviam lido — e talvez eles dois voltassem a ver a moça, talvez não. Esta com quem ele parecia ter estabelecido um relacionamento permanente, eles tinham visto tão pouco quanto as outras; ele entrava na casa sozinho, para os filhos a gente está sempre em casa, e sentava-se à mesa para comer com eles. Então impunha-se uma forma antiga de intimidade, um reconhecimento entre os três, por assim dizer, conversavam com aquela privacidade das questões familiares, suas experiências em seus mundos profissionais diferentes, ele dizia à mãe que se preocupava porque ela trabalhava demais, discutia com o pai a possibilidade de sair da firma para a qual trabalhava e abrir seu próprio escritório de arquitetura, para atuar mais em conformidade com suas próprias tendências estéticas. Uma vez Harald perguntou: Você está apaixonado por essa moça?, e ele pareceu gostar de ouvir aquele reconhecimento vindo de outra pessoa. — Acho que estou, sim. —

Mas dizer isso era dizer que o amor era difícil; havia dificuldades. Harald, Claudia deviam ter percebido. Mas havia a liberdade, o direito de privacidade: a forma de amor que os dois tinham por ele.

A promessa não significava nada.

Fora o compromisso mais importante da vida deles dois. Sem ele, todas as pessoas de cuja velhice ela tratava, os homens, mulheres e crianças cujas feridas ela pensava, não eram nada, e sem isso todo o amor que Harald tinha por Deus não era nada. E se *ele* tivesse conseguido — não, se tivesse resolvido procurá-los, teriam eles podido impedir a coisa de acontecer? Em que etapa da desordem que estava tomando conta de sua vida isso poderia ter sido feito? Qual — e quando — era o ponto antes do *irreversível*; quando a moça foi ressuscitada — a forma mais básica de "salvação" — teria sido possível impedi-lo, protegê-lo, não deixar que ele resolvesse "salvá-la" no sentido final, de reconciliá-la com a vida? Quando a autodestruição era claramente o dínamo dela, a própria energia que a tornara atraente para ele?

Ou haveria um ponto anterior, anterior à moça? Pensavam — tudo isso vinha à tona com freqüência e era discutido pelos dois — no episódio homossexual. Se era mesmo isso: um episódio. Teria sido algo que pedia uma intervenção, deveria ter sido visto, diagnosticado, como o início da degradação de uma personalidade — e não seria um juízo heterossexual da parte deles ver o homossexualismo como uma "desintegração"! Se ele lhes tivesse falado a respeito daquela atração, teria sido correto aconselhá-lo num tom adulto, indicar que era o ambiente daquela casa, uma moda, a atração dos laços entre homens num período — sua vida adulta — e um lugar em que os agrupamentos sociais estavam em transição. Naquela casa, como diz o ditado: não há problema, pretos e brancos, irmãos juntos na cama.

Poderia ter sido assim.

Mas então Harald pensava sobre a coisa sozinho, à noite, e voltava para a cama e a encontrava acordada. Talvez se tivéssemos tido uma oportunidade, se ele tivesse nos procurado na época — teria sido um erro ver o caso com o Jespersen como um episódio. Talvez aquilo fosse a estabilidade para ele.

Você quer dizer, a vida naquela casa. Aquela vida.

É. Salvar a moça foi uma tentativa de se transformar em algo que ele não é. Uma pessoa como nós. Não sei como é sentir desejo de fazer amor com um homem. Não sei se eu não quereria fugir de mim mesmo, também. Com a educação que recebi. Talvez o melhor para ele fosse ficar com os homens. Aquilo é que era certo para ele. Se não o Jespersen, algum outro haveria de aparecer, e talvez eles tivessem uma vida melhor no bangalô, melhor que essa coisa sórdida em que ele se meteu por causa de uma mulher.

Ela se levantou da cama.

O que é que você está fazendo?

À janela, ela abriu as cortinas, era uma noite de um negrume úmido como carvão molhado, e um avião seguindo em direção ao aeroporto traçava uma constelação adicional entre as estrelas. O mundo estava assistindo. Você acha que era isso que ele ia querer de nós?

Volte para a cama.

Estavam mais próximos — descobrindo coisas um a respeito do outro — do que jamais haviam estado desde os primeiros tempos em que se conheceram, quando eram jovens e viviam a novidade da perigosa intimidade humana.

O Tribunal Constitucional está deliberando a respeito do veredicto, e Harald e Claudia não dispõem de nenhuma informação quanto ao tempo que isso pode levar.

Para eles, o filho já foi julgado — num tribunal diferente daquele a que ele vai comparecer — e está aguardando um Juízo Final acima de qualquer outro que lhe possa ser imposto quando chegar a hora de sua audiência. Motsamai assume uma atitude compreensiva e condescendente, tranqüilizando-os repetidamente. — Sei que vocês não acreditam em mim. Ah-hêh... Sei o que vocês pensam: como é que eu posso ter segurança se todo o caso já foi defendido diante da autoridade mais elevada que há abaixo do presidente da república e de Deus, e esses juízes até agora não entregaram o veredicto? Mas isso ainda pode levar muitas semanas. Minha preocupação com meu cliente não envolve nenhum medo a respeito do desfecho do caso. A Pena de Morte vai ser abolida. Minha preocupação é demonstrar sem sombra de dúvida que esse rapaz foi levado pelas circunstâncias a cometer um ato totalmente contrário a sua natureza. Essa mulher, e o indivíduo que já tinha sido mais do que seu amigo — esses dois cometeram uma traição que o deixou fora de si! —

Havia outras pessoas angustiadas aguardando a hora de ser recebidas por Motsamai. Ele encaminhou os dois à porta de sua sala. — Sabe, eu queria que vocês conhecessem minha mulher, meu filho — nós estamos tentando colocá-lo na faculdade de medicina, não sei se ele tem vocação, você podia nos dar uma orientação, Claudia? Que tal esta sexta à noite? Espero que lhes sirvam um bom jantar. Vou estar voltando do Tribunal de Recursos em Bloemfontein — que tal oito e meia, por aí. —

Aquele aplomb ocultava a sensibilidade para a situação em que os dois se encontravam; ele sabia como era, eles estariam se esquivando da companhia dos amigos cujas expressões comiserativas só serviam para afastar as antigas bases em que se fundava a amizade, circunstâncias em comum que já não existiam. Nem sempre era necessário ou desejável manter num plano formal o relacionamento com os clientes. Aceitar uma causa implica estabelecer vínculos humanos de confiança, de troca, com os familiares daquele cuja vida se quer defender, conservando ao mesmo tempo a objetividade profissional. Aquele casal branco não tinha a maleabilidade que os negros adquiriram depois de viver por tantas gerações como pessoas angustiadas por conta da cor de sua pele. Ele sabe como lidar com aqueles dois: eles vão se julgar capazes de fazer alguma coisa por ele; daí o pedido de orientação vocacional para um filho ambicioso.

Quando estão no parlatório, nenhum dos dois deixa que venha à tona sua preocupação com as deliberações desconhecidas do Tribunal Constitucional. Não era a primeira vez que se viam obrigados a recorrer a esse tipo de tato; há tantos assuntos e reações que não seria apropriado demonstrar diante de uma pessoa que leva uma vida inconcebível, que se apresenta a eles por apenas meia hora entre dois carcereiros. O prisioneiro é um estranho que não deve ser levado a enfrentar assuntos que só podem ser tratados no ambiente familiar da liberdade. Sem dúvida Duncan saberia qual o tema em pauta na primeira sessão do Tribunal Constitucional; ele teve acesso aos jornais, só que — também por uma questão de tato, é preciso que a coisa atue nos dois sentidos para que essas visitas sejam possíveis — ele também não toca no assunto. Ou talvez não o faça porque seus pais são incapazes de entender o que os trabalhos daquele Tribunal representam para ele quando ele acompanha o noticiário. Um homem que se confessa culpado admite que está disposto a morrer? Ou será que ele, de um modo que ninguém mais sabe, tem consciência de estar no corredor da morte, tal como Makwanyane e Mchunu, afirmando seu direito à vida, independentemente do que possa ter feito?

O que lhe perguntam é se ele está conseguindo trabalhar no projeto, e ele diz que sim, o trabalho está correndo bastante bem.

— É notável você conseguir fazer isso. — Harald manifesta admiração, uma forma de estímulo que é admissível.

— O único problema é que eu não tenho com quem discutir algum problema que surge. Lá na firma, a gente normalmente pode conversar com os outros. De modo que esse projeto vai ser mesmo todo meu... talvez até saia uma coisa meio excêntrica, quem sabe. —

— Talvez dê para alguém da firma vir aqui conversar com você. Por que não? — Harald está disposto a perguntar aos membros mais antigos da firma se eles não poderiam fazer esse serviço (se Verster, mais novo, fosse a pessoa indicada, Duncan certamente o teria mencionado); a prisão não é uma doença, não há possibilidade de contrair uma infecção ali naquele parlatório.

— Não vale a pena. Quando eu terminar o esboço do projeto, o Motsamai leva e alguém dá uma olhada. —

O que está sendo dito aqui é: Duncan compreende que se o Juízo Final for favorável a ele e sua vida não for terminar agora, ainda será necessário continuar, voltar à prancheta. Mas o que isso representa para ele, que uma vez sacrificou a vida ordenada e trocou-a pelo caos, é algo que não pode ser expresso.

Quando descem os corredores, seguindo as nádegas do carcereiro de sempre, Claudia — e talvez Harald também — sente inveja de uma mulher que segue o mesmo caminho e tenta, humildemente, esconder o rosto num lenço enquanto urra, como uma besta de carga, num choro convulsivo.

Claudia achava que era impossível dizer não. Preferiam ficar juntos em casa, agora. Melhor assim. Recentemente Harald comprara ingressos para um concerto de música de câmara, sua peça favorita de César Franck estava no programa, mas os caminhos da música são tão vitais, ao contrário das percepções que distraem num filme ou numa peça de teatro — o efeito foi aprofundar ainda mais o isolamento deles.

A intenção do homem era boa. Harald conhecia bem aquela combinação de interesse profissional com uma certa simpatia pessoal, é claro, que levava a um convite como aquele.

Harald e Claudia nunca tinham ido à casa de um negro. Esse tipo de gesto, dos dois lados — o negro convidando, o branco aceitando —, era típico daqueles círculos esquerdistas de que eles não faziam parte no tempo do antigo regime, e também dos círculos de novos liberais surgidos da noite para o dia, cuja conversão eles dois não levavam a sério. Se, no passado, não haviam tido coragem de agir contra os horrores cotidianos da época, como faziam os esquerdistas, que, além de freqüentar jantares, arriscavam suas carreiras e suas vidas, pelo menos nunca tentaram disfarçar essa falta (de coragem: Harald sabia disso, quanto a ele próprio, tal como agora tinha consciência de outras opções morais fáceis que havia assumido) comparecendo a jantares. Seus colegas negros na diretoria — bem, eles já não se contentavam com ser apenas nomes que constavam no timbre da firma; estavam levantando questões e influenciando decisões; reconhecer isso — certamente era alguma coisa, não era? E Claudia — ela tinha experiências muito além das que ele tivera, uma familiaridade táctil com a carne dos negros, o conhecimento de que era igual à dela, sempre soubera disso — uma acusação, também, por tudo o que ela não fez no passado, mas uma qualificação no presente; ela não precisava do gesto de passar o sal numa mesa.

O endereço que a secretária de Motsamai entregou-lhes no cartão de visitas ficava num subúrbio construído nos anos 30 e 40 por comerciantes brancos da segunda geração endinheirada. Seus pais haviam imigrado na época em que a mineração de ouro, antes atividade aventureira de garimpeiros, estava se transformando numa indústria que dava lucros a acionistas e criava uma cidade de consumidores; eram mascates e lojistas que vendiam o milho de que os milhões de negros cujas terras haviam sido confiscadas precisavam para sua subsistência, fabricantes de materiais de construção, roupas e móveis, importadores de charutos, rádios, jóias e tapetes. Seus filhos, instruídos, herdaram dos pais os meios que lhes permitiram construir casas que lhe pareciam manifestar a distinção característica do dinheiro velho; residências como aquelas que seus pais viam de longe, de suas cabanas e isbás na Europa: mansões de condes, solares senhoriais de lordes. Os arquitetos que eles contratavam interpretavam essas idéias de acordo com suas próprias concepções de prestígio e afluência, os pilares de casas de fazendas do Sul dos Estados Unidos e as varandas ornamentadas de onde faziam discursos os fascistas italianos da época. Nos jardins, que nunca faltavam, havia piscinas e quadras de tênis.

Algumas dessas fortunas haviam entrado em declínio, de modo que tinha sido necessário vender uma parte das terras, alguns dos filhos voltaram a emigrar, dessa vez para o Canadá ou a Austrália. Alguns dos netos reagiram contra aquele materialismo todo, um luxo a que se podem dar as terceiras gerações, e saíram do subúrbio para ir viver e trabalhar em conformidade com sua consciência social. Houve um hiato durante o qual as casas eram incompatíveis com o gosto da época; eram vistas como relíquias dos nouveaux-riches, enquanto o dinheiro mais novo preferia propriedades com estábulos, afastadas da cidade: as casas seriam demolidas e substituídas por sedes de multinacionais.

Porém a dessegregação racial, ao que parecia, acabou sendo uma solução imprevista. Chegou uma geração nova, de dinheiro ainda mais novo, e estes não eram imigrantes vindos do exterior. Eram aqueles que sempre haviam vivido no país, só que contemplavam aqueles pilares e varandas nos casebres e conjuntos habitacionais em que eram confinados. Era uma dessas casas que Motsamai havia comprado. Quer admirasse ou não a arquitetura (os pais não tinham os critérios do filho para julgar o gosto dos outros), o fato era que a casa proporcionava um espaço confortável para um profissional de sucesso e sua família, e agora estava equipada com todos os acessórios indispensáveis da época — portões eletronicamente controlados para proteger os moradores dos que continuavam morando em conjuntos habitacionais e favelas.

O falatório animado da televisão fazia parte da festa, e seu nível variável de luminosidade era mais um rosto entre eles. Estavam reunidos numa área, reunidos pelo tamanho excessivo da sala de visita, onde ilhas de poltronas e mesas de pernas palito se agrupavam. Hamilton Motsamai havia tirado o paletó, tal como havia descartado a persona daquele dia passado voando de um lado para o outro, para defender uma causa no Tribunal de Recursos em Bloemfontein. — Esteja em casa, Harald! —

Um bar, que certamente já viera com a casa, estava bem abastecido com as melhores marcas, e um rapaz cuja atitude contrastava um pouco com a animação do pai foi instigado a servir drinques enquanto Motsamai apresentava os convidados a várias outras pessoas convocadas — um cunhado, a irmã de alguém, o amigo de um outro alguém; não estava claro se eram todos convidados ou se mais ou menos moravam na casa. Motsamai passou para sua língua materna para ralhar com vários garotos que estavam deitados de bruços no tapete, balançando as pernas para cima ao ritmo do grupo pop que estava se apresentando na televisão, e não haviam se levantado para cumprimentar as visitas.

A mulher e uma filha — tantas apresentações a serem feitas ao mesmo tempo — haviam entrado trazendo tigelas com batatas fritas e amendoim. A esposa de Motsamai era um tipo de beleza fora de moda, de seios fartos, cabelos alisados e ondulados num penteado matronal europeu; mas a filha era alta e esguia: nela a ênfase obrigatória que a natureza dava à fonte de nutrição, os seios, ficava diminuída sob as roupas largas; os cabelos longos, à rastafári, emolduravam um perfil de Nefertiti; os olhos, judiciosos como os do pai, emergiam oblíquos das pálpebras pintadas, e o queixo delicadamente proeminente exprimia a rejeição de tudo aquilo que teria determinado sua vida no passado.

A mulher de Motsamai — Lenali, isso mesmo — estava veementemente envergonhada com o comportamento dos filhos.

— Deixe, eles estão se divertindo, não vamos incomodálos. — Afinal, ela, Claudia — ah, tanto tempo atrás — tivera a mesma reação de mãe quando seu filho manifestara desinteresse pelas cansativas convenções do mundo adulto.

— Esses meninos são terríveis. Vá por mim. Não sei o que é que aprendem na escola. Não têm respeito. Se você teve um menino, é claro que sabe como é, a mãe não consegue nada com eles e o pai... bem, o pai tem sempre assuntos importantes para tratar, não é? Sempre! O Hamilton só sabe se queixar comigo! Não sei se com você foi assim também! —

Esta mulher não sabe o que aconteceu com o menino de Claudia; ou então, se sabe (não é possível que Hamilton não lhe tenha dito nada a respeito dos clientes que chamou para jantar), faz questão de não chamar atenção para o problema por que eles estão passando fingindo que o filho não existe, que o que ele diz ter feito anulou tudo que já foi, tal como os amigos dela devem se achar na obrigação de fazer. Duncan não é um tabu, hoje, ali. — Eu pensava que era porque o nosso é filho único, e vivia cercado de adultos, que a única reação possível para ele era ignorar as pessoas. Não queria beijar as tias que lhe faziam festas e perguntavam o que ele queria ser quando crescesse... ele se escondia no quarto dele. —

— Ah, mas eu acho que os adolescentes são os piores! Na nossa cultura, a gente não beija a tia, mas tem de recebê-la da maneira como sempre se fez. —

Harald, enquanto conversava com os outros, ouvia; Claudia estava rindo, falando sobre Duncan.

— Você também é advogado, como o Hamilton? — Era o cunhado, ou então outro parente qualquer.

— Não, não, sou da área de seguros. —

— É uma boa área também. Você paga, paga a vida inteira, e se vive por muitos anos a companhia de seguros acaba ficando com mais dinheiro seu do que vão ter de pagar depois, não é? —

E seguiu-se uma risada de jogar a cabeça para trás.

— É a lei dos rendimentos declinantes. —

Os níveis heterogêneos de instrução e sofisticação que se misturavam sem constrangimento naquela reunião eram algo que não existia na vida social que Harald conhecia; em seu mundo, quem tinha um cunhado que trabalhava num matadouro (o primeiro homem dissera qual era sua profissão) não o convidava para a mesma ocasião em que estariam presentes um cliente que era membro de uma diretoria e um acadêmico, apresentado como professor Seakhoa, que corrigiu o humor ingênuo do outro com um axioma irônico. Hamilton pôs uma mão no ombro de Harald e outra no do homem do matadouro. — Beki, este meu amigo não é dos que vão de porta em porta vendendo apólices, é um diretor que trabalha no décimo quinto andar de uma dessas empresas que negociam contratos milionários para indústrias e construtoras — não é pouca coisa, não. —

— Então deve ser melhor ainda, nê. Mais grana. Porque o governo tem de pagar. —

Caras novas entravam e saíam da sala. Alguns eram amigos dos adolescentes, vozes nos registros mais elevados. O acadêmico, cuja barriga estremecia quando se deleitava com suas próprias tiradas espirituosas, começou a provocá-los. Claudia — onde estava Claudia — as antenas de Harald estavam ligadas nela — conversava com o filho, certamente sobre a carreira de médico, o pai o fisgara e o entregara a ela. O rosto de Claudia entrevisto no momento em que lhe foram oferecidas *samoosas*: uma expressão generosa de energia concentrada; provavelmente estava prestes a sugerir ao rapaz que fosse visitá-la no hospital público, vestisse um jaleco e tentasse ser útil, para ver o que representava a prática da medicina quando posta a serviço do povo e da nação. Ela riu outra vez, ao que parecia para concordar com alguma coisa que o rapaz estava dizendo.

Um velhinho pequeno, de tez clara, havia sentido cheiro de comida substancial e estava sentado com um prato bem cheio sobre as pernas, comendo uma coxinha de frango, cauteloso como um gato que roubou comida da mesa. Todos seguiram, conversando, um esbarrando no outro sem maiores problemas, para uma outra sala, quase tão grande quanto a anterior, onde a mesa estava posta com carne, frango com batatas, *putu* e saladas, e sobremesas enfeitadas com floreados de creme chantilly. Harald aproximou-se de Claudia. — A gente não sabia que era uma festa. — Mas ela apenas sorriu, como se ainda estivesse falando com um outro convidado. — Ah, acho que não é isso, não. É só a maneira normal de a família se reunir no fim de semana. —

Harald teve a curiosa sensação de que ela queria afastar-se dele, misturar-se aos outros que faziam seus pratos, aqueles outros que eram estranhos não apenas naquela noite, mas também em toda a sua vida, fora os contatos profissionais, em que ela os reduzia a partes da anatomia. Ali, em meio a vidas intimamente entrelaçadas, que nenhuma ligação tinham com a deles — até mesmo a ligação que Harald tinha com Hamilton em seu escritório inexistia no seio de sua privacidade — se conseguisse perder-se em meio àqueles outros ela escaparia da coisa que unia a eles dois mais estreitamente que o amor, que o casamento, como se suas cabeças estivessem amarradas dentro do mesmo saco, sem poder respirar qualquer ar que não o daquela coisa terrível que acontecera numa outra noite de sexta. A sua volta, ouvia-se o sibilar de latas de cerveja sendo abertas, mas Hamilton, que havia reenchido de gim com tônica os copos de seus clientes várias vezes, abriu uma garrafa de vinho. Com um copo na mão, começou a oferecer várias garrafas; Harald não evitou, como costumava fazer, misturar bebidas — faria qualquer coisa para manter o nível de serenidade atingido. Um homem que equilibrava com cuidado seu prato aproximou-se dele com passos complexos de dança, como se viesse oferecer-lhe um presente — não comida, mas um convite tácito para participar — da noite, da companhia dos outros, dos consolos a curto prazo. Um homem que ouvira dizer que Harald trabalhava na área de empréstimos para financiamentos estava aproveitando a oportunidade para pedir-lhe conselhos, sendo a toda hora interrompido pelos outros.

— Não tem jeito, rapaz, sem garantia você não vai conseguir esse dinheiro todo que você está sonhando. Pergunte a ele. Pergunte a ele. Tenho ou não tenho razão? Se quer construir uma casinha para você morar, aí é outra história, é só ir num desses órgãos do governo, não-sei-quê de habitação, você consegue uns trocados para comprar tijolo e fazer janelas... —

— Um cassino! E como é que você vai conseguir uma licença... —

— Ah, licença é o de menos. Você não está sabendo das novas leis sobre o jogo? Isso ele consegue. Mas se ele encontrar o terreno, ou então a construção que ele vai precisar converter, que pode até estar vazia — aí é que começa o problema. Ora, quem viver verá. Todo mundo cria caso. Os vizinhos, petições encaminhadas à câmara de vereadores — é chateação de todos os lados, a coisa pode levar meses se arrastando. E no final você não ganha. É, eu sei, agora tem liberdade. Liberdade para criar caso. —

— É assim que os brancos pensam. Pode morar em qualquer lugar, desde que não seja ao lado da minha casa. —

— Deixe o homem responder ao Matsepa... —

— Nós não temos capital. Porque essa história de "garantia", afinal, é capital mesmo, é ou não é? Há gerações e gerações que nunca tivemos oportunidade de acumular capital, hoje é sexta, toda sexta-feira as pessoas recebem o salário, que tem de durar até semana que vem. Ponto final. Grana curta. Garantia é propriedade, é uma boa *posição*, não é só emprego, não. Nós nunca pudemos ter isso — nossos pais, nossos avós, e agora querem que a gente tenha a tal da *garantia* depois de dois anos de governo apenas. Dois anos! —

— Mas deixe o Matsepa perguntar, rapaz! —

— As pessoas que recebem dinheiro da sua companhia para realizar projetos, onde é que elas conseguem a garantia? —

— Olhe, o caminho para isso é o consórcio. É assim que a coisa se faz. Porque são projetos de vulto, que exigem recursos para desenvolvimento. — Harald percebe que está usando seu vocabulário de trabalho, como se alguém tivesse esbarrado sem querer num controle remoto: quem é que está fazendo esse discurso? — A questão é o indivíduo que tem a visão, a idéia... o projeto... encontrar outras pessoas... a maioria deles estudou... o projeto exige... critérios estabelecidos... nossa cooperação com o Conselho de Desenvolvimento Nacional... viabilidade econômica... benefício para a população... empregos... produção de bens... O homem pode ter massa cinzenta mas não ter dinheiro no bolso; ele tem é de se associar a pessoas cuja posição inspire certo grau de confiança... — Ele estava sendo ouvido por um jovem, um filho, deitado dentro de uma cela, olhando para uma janela gradeada.

— Quer dizer que eu tenho de procurar um outro doutor Motlana ou Don Ncube? —

— Rapaz, esses já estão cheio de planos, não precisam de você não, Matsepa. —

— Eu vou procurar o senhor assim mesmo, senhor... Lindgard, não é? Vou contatar a sua secretária, ela me diz quando o senhor está livre. Eu vivo zanzando de um lado para o outro, mas pelo menos tenho um celular, é a minha garantia. —

Hamilton aproximou-se. — Meus caros, nada de consultas. Estamos aqui para relaxar. Essa minha gente, Harald... É só eu saltar do carro na cidade que aparece alguém na minha frente me perguntando o que fazer com a loja que pegou de volta a mobília que ele comprou, ou com a mulher que fugiu com a poupança da família. —

O homem que estava ao lado de Harald falou ao pé de seu ouvido, por causa dos risos e da música. — Mas o senhor nem imagina como ele se preocupa com os problemas dos outros, ele não se esquece de ninguém. Falando sério. Apesar de agora ele ser uma pessoa importante. Ajuda gente que depois nem paga o que deve. A gente se conhece desde os tempos de garoto, em Alex. —

O professor segurava pelo cotovelo a linda filha de Motsamai. — O senhor já conhece esta minha sobrinha, a Motshiditsi? —

Ela riu um riso tolerante. — *Ntate*, quem é que consegue pronunciar um nome desses. Eu sou a Tshidi, e pronto. Mas eu e o senhor Lindgard já fomos apresentados. —

— Ela é a minha protegida. Percebi o potencial dela quando ela ainda era deste tamanhinho, fazendo perguntas que nós, os grandes sábios da família, não sabíamos responder. —

Ele diz o que se espera dele: — E ela desenvolveu esse potencial. —

— Olhe, vou lhe dizer uma coisa: ela já começou escolhendo muito bem a hora de nascer, ela cresceu na época certa. Esse é o fator aleatório que mais pesa para nós! Eu e o pai dela pertencemos à geração que estudou na escola dos missionários, a St. Peter's, sim, senhor... e Fort Hare. De modo que já estávamos equipados de antemão para assumir nosso lugar quando a nova África do Sul precisasse de nós. Depois veio a geração que teve de passar pelo sistema de "educação bantu", que de educação só tem o nome. Esses foram preparados para ser mensageiros, faxineiros e babás. A geração dela foi a seguinte — alguns tiveram oportunidade de estudar em escolas particulares, universidades, no estrangeiro; eles puderam ter uma formação de verdade na hora exata para ocupar cargos de planejamento e administração no nosso país. É isso. Ela vai brilhar ainda mais que o pai. —

— Você é advogada também. —

— Sou economista, trabalho no Banco da Terra. —

— Ah, interessante... tem coisas que eu não entendo muito bem no processo de empréstimos para habitação — se bem que nossa área é urbana, claro, o mesmo tipo de problema em princípio deve surgir na transformação que está havendo no Banco, pelo que eu soube. —

Essa jovem é confiante demais para sentir necessidade de exigir-lhe mais provas de que ele reconhece que ela tem competência para responder; ele passou no teste, colocou-se na posição de pedir informações a ela.

— Em princípio, sim. Mas o setor agrícola não só estava totalmente integrado na estrutura financeira, com as estruturas de comercialização do apartheid, a Câmara do Milho etc., como até podia sob muitos aspectos atuar independentemente dela — o Banco da Terra estava lá para eles, era essencialmente um recurso político para servir de fiador para os fazendeiros brancos. Pelo banco, o governo emprestava dinheiro que sabia que nunca seria devolvido. A comunidade ruralista, branca por definição, já que os negros não tinham direito de possuir terra, não havia nem estatísticas — os fazendeiros brancos só tinham que pagar em termos de lealdade política, porque formavam uma faixa importante do eleitorado. —

— E agora isso está mudando. —

— Mudando! —

— Como é que você acha que isso pode mudar? —

Por um momento, ela só lhe dá metade de sua atenção — ela conseguiu trocar um olhar com alguém do outro lado da sala, para quem faz um sinal discreto com uma mão de unhas vermelhas, graciosa como uma asa.

— Fazendo com que mude. Novos critérios para levantar empréstimos. Pequenos financiamentos para ampliar a base do setor, em vez de financiamentos imensos para uns poucos: aquelas pessoas que não precisavam se preocupar se as plantações iam vingar ou não. O Banco da Terra sempre dava uma mãozinha se fosse necessário. —

— Então nada de compensação automática se a safra se perder? —

— Perder? Incompetência do agricultor. —

— E se forem causas naturais? Enchente, seca? —

— Ah, pode haver compensação para o fracasso, mas não recompensa. — Ela ri junto com ele de sua própria rispidez. — Desculpe, mas tem uma pessoa me chamando. Precisamos voltar a conversar sobre essas coisas, senhor Lindgard. Quero saber o que o senhor pensa sobre a questão habitacional... — Ela tem o mesmo toque sedutor do pai; a dose de conhaque.

Os filhos de Motsamai — pelo menos eles também são profissionais liberais; economistas, futuros médicos e advogados e arquitetos, sabe Deus, há outros filhos dele naquela sala. Os avós e os pais sobreviveram a tanta coisa; isso quer dizer que eles estão protegidos, que eles não vão desgraçar suas próprias vidas com alguma coisa terrível?

Onde estava Claudia?

Claudia estava dançando. Alguém havia substituído o rock-rap das crianças por música dos anos 60, mudando o ritmo da sala, e ele acompanhava os movimentos conhecidos e esquecidos do corpo dela, viradas e pausas, ângulos precisos dos pés correspondendo aos do homem que dançava com ela, como se os braços e coxas e pés do homem fossem os dele. Onde está o passado? Obliterado pelo presente; capaz de obliterar o presente. O que havia levado Claudia a juntar-se aos dançarinos — seria uma mulher pesadona e deprimida que antes estava sentada sozinha e que agora dançava sozinha com total autocontrole, sacudindo as pernas grossas e livrando-se de seus fardos interiores? Ou seria a música, que era a batida de metrônomo de seus tempos de estudante, quando contara para os amigos, feliz e orgulhosa, que estava grávida, que no afã e na entrega do amor com Harald ele lançara aos ventos as precauções da jovem futura médica sabe-tudo. Ou seriam as libações de Hamilton. Ou tudo isso ao mesmo tempo. Claudia fora encontrada por um homem cuja experiência de vida fora diferente da sua sob todos os aspectos, menos este: a música, a expressão musical no corpo e nos pés, dos anos 60, não importava onde ele houvesse realizado seus rituais, em bares clandestinos e quintais, enquanto ela o fizera em salões de diretórios acadêmicos; os rituais assumiam a forma de uma afirmação da vida que estava oculta neles dois. O desenho improvisado que os dançarinos teciam um ao redor do outro, com a volição inconsciente dos átomos; ela desaparecia e reaparecia com seu parceiro — ou já seria outro? — e, ao passar por perto, levantou a mão num leve aceno. Quando voltavam para casa, no carro, ela não lhe perguntou: por que você não dançou comigo?, embora ele próprio se dirigisse a pergunta. Bastaria que ele se aproximasse e lhe tomasse a mão, também seu corpo conhecia aquela música que não penetrava, como a de César Franck, nos lugares errados. Comentários esparsos pipocavam entre eles — as relações entre os membros da família de Hamilton: quem era quem —, impressões da casa, quem teria sido seu primeiro proprietário, risinhos ao pensar sobre o modo como os moradores originais reagiriam ao saber de que modo ela tinha escapado ao controle de sua dinastia; chegando em casa, despiram-se e dormiram no meio de uma frase.

Na manhã seguinte, Claudia, vestida, estava parada à porta. Você sabe que eu fiquei bêbada ontem.

Eu sei. Que Deus abençoe o Hamilton.

Não era apenas uma maneira de dizer, vindo de Harald.

Quando a moça não veio no dia combinado duas vezes seguidas, o advogado Motsamai entrou na ligação que sua secretária fizera para a senhorita Natalie James e disse-lhe que, na terceira data, ela deveria comparecer sem falta. Dessa vez a moça veio, e sentou-se em uma das cadeiras colocadas diante da expansão larga e intransponível da mesa sem aguardar pela formalidade do convite para sentar-se. Quem mandava era ela: Motsamai entendeu a mensagem. Ele não a achava bela, mas compreendia como aquela atitude de confronto, afastando e atraindo ao mesmo tempo — aqueles olhos negros com brilhos amarelos e aquele jeito de olhar fixamente para uma pessoa sem se dar ao trabalho de vê-la, como uma ave de rapina —, era muito eficaz: a reação masculina àquela atitude era: *Estou aqui.*

Ele estava ali; mas quem mandava era *ele*, nos recintos da lei. Tinha suas anotações a sua frente. Mais uma vez, relembrou com ela os eventos da noite de quinta-feira em janeiro. Ela tinha a capacidade — que não era comum nas testemunhas, pensou ele — de repetir exatamente, palavra por palavra, as respostas que dera antes. Não havia nenhuma fresta que se pudesse aproveitar no depoimento que ela redigira cuidadosamente de modo a proteger-se. Não havia brigado com Duncan naquele dia — embora brigassem com freqüência.

— Quer dizer que não houve nenhuma provocação específica que talvez tivesse levado ao seu comportamento naquela noite? —

Ela fez uma pausa, com leves movimentos de cabeça e estremecimentos dos lábios que significavam inocência perplexa. Suas reações, calculadas ou não, eram inexplicavelmente contraditas por suas palavras, como se uma outra pessoa falasse por meio de sua boca. — Eu não faço o que faço porque alguém me provoca. —

Foi enquanto prosseguiam dessa maneira, aquela troca de perguntas e respostas que ele suportava com a paciência imbatível do profissionalismo, convicto de que mais cedo ou mais tarde ela vacilaria de um modo vantajoso para ele, que a moça simplesmente mudou de assunto e fez um comentário num tom de quem diz algo que talvez não interesse seu interlocutor.

— A propósito, estou grávida. —

Se ela esperava alguma reação súbita, foi ingenuidade sua. O advogado contém toda manifestação de irritação e raiva no tribunal — uma disciplina que serve para controlar a recepção de qualquer afirmação imprevista. O segredo é saber decidir rapidamente como utilizá-lo. Motsamai apertou as costas contra o espaldar da cadeira. Ah-hêh. E simplesmente fez outra pergunta.

— O pai é o Duncan? —

Ela sorriu da acusação que havia por trás daquela pergunta.

— Não faz diferença. —

— Natalie... por que é que não faz diferença? — Ele tenta uma abordagem paternal.

— Porque aí eles não vão poder cobrar nada. Pode ser daquela noite, não é? Eles não vão poder cobrar. —

— O que você quer dizer com isso, cobrar? —

— Eles vão querer alguma coisa dele. Se acontecer alguma coisa terrível com ele. —

— A Pena de Morte vai ser abolida, minha cara. Duncan vai para a cadeia e depois vai sair. Não é possível que para você seja indiferente quem é o pai da criança que você vai ter. Você certamente sabe, não é? Você sabe, sim. —

— Nós fizemos amor — eu e o Duncan — naquele dia, de manhã, antes de ir para o trabalho, foi tudo no mesmo espaço de vinte e quatro horas. Então não dá para saber. Não faz diferença. —

— Não? Você é indiferente? —

Ah, é ela quem manda, sim; ela. — Não sou indiferente, não; vai ser meu filho. Meu. —

Cabia ao advogado — tudo cabia ao advogado, não admirava que sua mulher se queixasse de ele não dar atenção suficiente à família, à bela casa que ele proporcionara à família — cabia a ele dizer a seu cliente e aos pais do seu cliente o que talvez pudesse vir a ser um novo elemento de suas vidas já tão angustiadas.

Na visita seguinte de meia hora feita ao parlatório, Harald referiu-se à coisa como se fosse um fato, sem mencionar qualquer das circunstâncias que a moça relatara. — O Hamilton nos disse que Natalie James está grávida. —

Duncan dirigiu-lhes um olhar bondoso, como se estivesse olhando para trás, para algo já distante. — Vai ser bom para ela. —

Você a ama?

Acho que sim.

E agora.

Mudar de assunto.

Claudia está falando com ele sobre outras coisas, está dizendo que Sechaba Motsamai é um ótimo rapaz que a ajuda muito no hospital às quartas-feiras, Claudia consegue sentir-se mais próxima de seu filho, nesses últimos dias antes do julgamento, agora Claudia aguarda com expectativa os dias de visita, eles descobriram que a comunicação continua existindo, nunca deixou de existir, é só um ver o outro além das barreiras do indizível.

Harald ouve suas vozes e não entende.

Acho que sim.

Ele e Claudia jamais saberão o que aconteceu. O que aconteceu com o filho deles.

Claudia queria ir ao parlatório na véspera do início do julgamento. Ainda na parte da manhã, Harald saiu de seu escritório abruptamente, passou por sua secretária, cuidadosamente absorta em seu computador (ela sabe, ela sabe, alguma coisa emana das pessoas quando estão cuidando dos problemas que as angustiam); no elevador, onde empregados de cujos nomes, eles sabem, ele não se lembra, cumprimentam o membro executivo da Diretoria como sinal de lealdade para com a empresa que os sustenta; é cumprimentado no estacionamento subterrâneo do prédio pelo segurança com seu uniforme paramilitar, e chega de surpresa ao gabinete do advogado. Hamilton Motsamai está reunido com outro cliente, mas quando sua secretária — ela sabe, ela sabe que o julgamento começa amanhã — notifica-o pelo interfone, ele pede desculpas ao outro cliente e vem ter com Harald. Ninguém está tão necessitado quanto Harald; a mão de Motsamai está estendida, seus lábios estão ainda entreabertos formando as palavras que estava dizendo quando saiu de sua sala, a mudança de atenção de um grupo de pessoas para outro está estampado em seu rosto como num projetor de slides que passa de uma imagem para a seguinte. O rosto de Motsamai foi formado por essa sucessão; por mais que seus clientes lhe paguem, por mais caros que sejam seus serviços, os clientes deixam, como iniciais marcadas na casca viva de uma árvore, sua angústia na superfície daquela expressão facial; sua força, sua confiança, seu orgulho a ostentam como se fosse um palimpsesto. Ele e Harald entram numa antesala cheia de arquivos e caixas. A língua de Motsamai percorre de um lado para o outro a arcada dentária inferior, formando um volume por trás da membrana do lábio; a barbicha levanta-se enquanto ele ouve Harald: não, não. — Muito melhor vocês não irem. Eu vou lá. Eu vou estar com ele hoje à tarde. Ele se preparou, não podemos deixar que nada perturbe a preparação dele. A mãe dele, não — você sabe, só vai servir para fazê-lo ficar pensando como é que vai encarar vocês dois amanhã do banco dos réus. Ele está bem. Ele está tranqüilo, está tudo sob controle. —

Harald está dentro de seu carro. A chave está na ignição. Um mendigo esparramado diante de uma loja arranca pedaços de pão de uma meia bisnaga e os enfia na boca. Vendedoras apregoam mercadorias e discutem em meio a pirâmides de tomates e cebolas. Folhas de repolho apodrecidas bóiam na sarjeta; vida pululando de uma maneira ou de outra. Pessoas passam diante do pára-brisa, escuridão cobrindo a luz. Estará Duncan com medo, na véspera do julgamento?

Duncan não está com medo. Nada pode ser mais terrível do que aquela noite de sexta.

Há um rosto à janela. Um rosto bem conhecido, o rosto da cidade, de um menino de rua: Harald esqueceu-se de lhe dar um trocado por ele ter assobiado e indicado aquela vaga quando ele chegou. Ele baixa a janela. O menino esconde seu frasco de plástico cheio de cola de sapateiro na gola da roupa que está usando; sua pele negra é amarelada, como uma planta doente. O que lhe resta de inteligência rapidamente se apodera da moeda, sua sobrevivência é ver com um golpe de vista se ela basta.

O arrebatamento de enfrentar tudo que me é negado.

Por eles dois, unidos como cães no cio, no sofá. O arrebatamento — então é isso que é violência, a violência de rua. Eu a conheço, eu faço parte dela, agora. Uma coisa que vem à gente por não haver outra coisa possível.

Tudo me volta à mente depois das horas passadas com os dois psiquiatras, com seus rostos pacientes cuidadosamente cultivados — como é difícil para nós, seres humanos, forjar uma expressão completamente despida de qualquer julgamento: só uma idiotice, ou arrogância, sobre-humana — mas eles não conseguiram arrancar nada de mim. Compreender. Nem mesmo Motsamai. E ninguém no tribunal vai conseguir. Ninguém.

Aquele rosto. O rosto dele. *Bra*.

Só *ela* sabe por que eu consegui fazer a coisa. Foi algo que ela tornou possível em mim.

A sala do tribunal é um presente tão intenso que é a eternidade; tudo o que se passou desde aquela sexta-feira se unifica ali, nada é concebível depois daquilo.

Há muitos a testemunhar. Não no lugar vazio no centro do tribunal; em volta de Harald e Claudia. Um julgamento de assassinato, com um acusado que não pertence à classe dos criminosos comuns, um filho privilegiado de um profissional liberal acusado de assassinato, proporcionou aos jornais de domingo matérias sobre um "triângulo amoroso" que falam não apenas à concupiscência dos leitores mas também a alguns preconceitos enterrados em cova rasa: a casa é apresentada como uma "comuna", uma "república" onde negros e brancos, "gays e héteros" moram juntos, e de algum modo conseguiram fotografias — retratos grandes de Natalie James e a reprodução de uma foto tirada por um fotógrafo itinerante numa boate em que Carl Jespersen aparece num grupo junto com Khulu. Por toda a sala: os curiosos, que talvez saibam, talvez não saibam, quem são os pais. Em meio aos cochichos, aos rangidos de cadeiras e arrastar de pés, eles dois não se destacam dos estranhos; para si próprios, têm agora uma identidade única que anos de casamento não haviam conseguido criar. Só existe este tribunal, este momento, esta existência, mãe/pai.

Nem todos os espectadores são voyeurs. Alguns são amigos de Duncan. Há amigos inesperados que eles não conheciam; como Duncan era reservado — com seus próprios pais. Uma mãe com sua filha — mulheres de cabelos fartos, que parecem duas versões da mesma mulher, separadas por um intervalo de alguns anos. Provavelmente judias. Duncan tinha amigos judeus e negros, o que Harald e Claudia não tinham; ele havia dado um passo à frente. As duas mulheres se apresentaram e identificaram. A mais jovem dizia: Para mim é como se estivesse acontecendo com o meu irmão, mas a voz da mais velha se interpôs, em francês: *Nous sommes tous des créatures mêlées d'amour et de mal. Tous.*

Claudia agradeceu-lhes as presenças; há uma forma para tudo, que nos vem de modo espontâneo.

Que foi que ela disse.

Claudia remexeu no fundo da memória o que lhe restava do francês aprendido na escola. Algo assim como sermos criaturas compostas de amor e mal misturados, todos nós. Não entendi muito bem aonde ela quis chegar.

Mas Harald entendeu.

Outros se aproximaram e apertaram as mãos dos pais, mas nenhum sabia o que dizer, como soubera aquela mulher estrangeira, fosse ela quem fosse: uma mensageira. E o outro mensageiro também estava lá. Estava agoniado, eternamente culpado por ter sido o que dera a notícia, uma maldição que ele não podia jogar fora como se joga fora uma arma, a notícia, naquela noite de sexta, de que acontecera uma coisa terrível.

Agora chegara o momento para o qual Hamilton os havia preparado. Duncan estava no banco dos réus, com uma camisa de listras largas e gravata vermelha, calças cinza e um daqueles paletós de linho grandes demais que os jovens gostam de usar hoje em dia — fora a concessão máxima que Motsamai conseguira arrancar dele no sentido de usar um terno semelhante ao traje elegante do próprio Motsamai, Duncan provavelmente nem tinha terno. Uma aparência coerente com o mundo moral em que vivem o juiz e seus assessores — a mãe e o pai do acusado prestavam muita atenção às roupas e o que elas diziám a respeito do homem macilento que estava sentado no trono. Um juiz sofisticado — dissera Hamilton, num tom satisfeito cheio de conotações. Dali, o único traço que singularizava aquele homem de toga vermelha eram as orelhas redondas que se destacavam do crânio, alertas. Seria o estilo de indumentária apresentado por Duncan aceitável para um juiz refinado que não fazia associações entre padrões morais e um terno? Teriam importância as roupas usadas por um homem quando, dissessem o que dissessem as suas roupas, ele havia matado uma pessoa? A voz de um funcionário — o assessor do juiz — confirma a identidade de Duncan naquele lugar, para aqueles fins.

— Seu nome é Duncan Peter Lindgard? —

— Sim. —

— O senhor é acusado do crime de assassinato, por ter matado, de modo injusto e malicioso, no dia dezenove de janeiro de 1996, Carl Jespersen. Qual a sua alegação? —

Tal como naquela noite de sexta na casa do condomínio, quando o mensageiro foi levar seu recado, tudo parou, detido pelo perfil de Duncan, sua presença. Mas o momento é interrompido por Hamilton Motsamai, principal advogado de defesa. Ele mais que depressa pôs-se de pé. — Meritíssimo, tendo em vista a natureza da defesa do acusado, posso fazer a alegação em nome de meu cliente? Ele se declara inocente. A natureza da defesa, meritíssimo, ficará clara quando eu interrogar a primeira testemunha de acusação, que meu douto colega identificou para mim. —

O juiz dá permissão.

Na platéia, as pessoas se compactam de modo a abrir o espaço para os recém-chegados, mas agora todos já sabem quem são os pais; os espectadores não se espremem na fileira em que eles estão sentados.

Também a moça aparece, a tal. A que estava no sofá com as calcinhas baixadas, está ali para ser vista: o outro está fora do alcance da vista de todos, debaixo da terra, junto com todos os outros que foram esfaqueados ou estrangulados ou baleados na violência da cidade, o modo como se morre na cidade. Mais três foram mortos na guerra entre donos de vans num ponto logo ali perto, naquela manhã. Mas Duncan, quando aguardava o julgamento, estava enganado ao pensar que o que acontecera com ele se perderia em meio à violência aleatória e não teria interesse. São os assassinatos na rua que não têm interesse, porque acontecem todos os dias.

Lá está ela. A tal. Há mulheres que em certos dias estão feias e em outros estão bonitas. Pode ter algo a ver com uma série de fatores: digestão, estado do ciclo biológico, o modo como elas querem se apresentar. Ela está num dia bonito. Claudia não ficou surpresa de vê-la com tal aspecto; sabia, com base em sua experiência profissional, que a personalidade neurótica gosta de uma platéia, qualquer platéia, até de uma que vai imaginá-la de pernas abertas num sofá. Harald a via pela primeira vez tal como Duncan sempre a via, sua imagem definitiva, até mesmo nos dias feios; a linda pele macia vincada, como um toque delicado de cinzel numa estátua, nos cantos dos lábios, a testa alta, rosada, sob uns fios esparsos de franja, as pupilas indolentes e intensas sob um disfarce de criança nos cantos externos, voltados para baixo, onde os cílios abundantes se encontravam, as roupas que escondiam e anunciavam seu corpo, a saia longa e discreta que deslizava de um lado para o outro sobre as nádegas enquanto ela caminhava em direção ao banco das testemunhas, a blusa de camponesa de uma amplitude diáfana que lhe caía dos ombros de Modigliani e roçava-lhe os mamilos dos seios magros. Ela não é um tipo de beleza, porém tem a beleza à sua disposição. E quem olha para ela vê que a expressão de seu rosto é daquelas que podem se transformar em algo ameaçador. Dias feios. Quando ela seguia em direção ao banco das testemunhas, não era fácil dizer se estava ou não evitando olhar para Duncan; de repente — Harald viu — do banco das testemunhas ela estava olhando diretamente para Duncan, na mais perfeita imobilidade e concentração; e Duncan lhe responderia, quando ela o solicitasse: *Estou aqui?*. Será? Harald não conseguia ver, não conseguia ver os olhos de Duncan, e, extremamente agitado, mal sabia como conter aquela — imaginada — empatia masculina com seu filho.

Harald sentiu uma antipatia pelo promotor no momento exato em que o homem se pôs de pé. Era uma sensação física, na pele. O promotor tinha as sobrancelhas lúgubres e arqueadas, a boca larga e elíptica de comediante que pode também se transformar no esgar do samurai. Ostentando a versão simpática de sua fisionomia, começou a interrogar sua principal testemunha.

— A senhorita viveu com Duncan Lindgard, como companheira dele? —

— Sim. —

— Quanto tempo durou o relacionamento? —

— Cerca de um ano e meio. —

— Vocês eram felizes juntos? —

Ela sorriu, fez um bico com os lábios e esboçou um gesto

estranho que era o único sinal de nervosismo nela — passou pela garganta os dedos levemente curvos, como se quisesse unhar-se. — De jeito nenhum. Bem, às vezes. Havia momentos. —

— Por que motivo o relacionamento que vocês dois haviam escolhido não era feliz? —

— Escolhido? Eu não escolhi. —

— Como assim? —

— A minha vida pertencia a ele, porque ele me levou para o hospital. —

— A senhorita poderia explicar o que quer dizer com isso? —

— Eu tinha me afogado e não morri porque ele me salvou. —

— A senhorita tinha ido nadar e teve dificuldade em sair da água? —

— Eu fui entrando no mar, andando. —

— A senhorita tinha intenção de se afogar. —

— Isso mesmo. —

A platéia sente um frisson diante desse desprezo altivo e lacônico com relação ao bem mais precioso de todos, a vida. Harald e Claudia sentem que as pessoas a sua volta já se apaixonaram por aquela moça, seus rostos voltados para ela estão capitulando: *Estou aqui*.

— Mas, afinal, a senhorita não achou bom ter sobrevivido? —

— Ele queria que eu vivesse. Isso foi legal da parte dele. —

— Então por que a senhorita não ficou feliz, cheia de gratidão? —

— Ele queria que eu fosse feliz à maneira dele, que eu esquecesse por que havia tomado aquela decisão, tudo o que eu não havia conseguido encarar, como se tudo tivesse deixado de existir. Tivesse sido cuspido fora junto com a água salgada, pronto, uma nova Natalie. Tudo conforme os planos dele. Ele é arquiteto, é a única coisa que ele sabe fazer — elaborar projetos, planejar a vida de uma pessoa conforme as especificações dele. Não as minhas. Ele inventava carreiras para mim, até mesmo atitudes. Nada era meu. —

— Qual a sua reação? —

— Eu queria me resgatar dele. —

— Ele salvou a senhorita e depois começou a solapá-la, é isso? A solapar sua autoconfiança recém-conquistada? Por que a senhorita continuou a viver com ele no bangalô? —

Como é que ela pode ser uma mulher vulnerável, uma criatura de carnes macias, com olhos cuja forma não mudou com o resto do corpo, que retiveram a inocência da infância, e dizer as coisas que ela diz? — Eu pensava — eu estava fascinada — que se conseguisse continuar vivendo daquele jeito com ele — isso seria a pior coisa que poderia acontecer comigo. Eu teria passado pelo teste, se eu sobrevivesse... era uma espécie de desafio. Eu já tinha tido tantos fracassos. —

— Quer dizer que a senhorita estava desesperada. Já havia tentado o suicídio e estava desesperada de novo. —

— Acho que é mais ou menos isso, sim. —

— Ele compreendia o seu desespero? —

— Claro. Por isso vivia tentando encontrar a solução *dele* para mim. O que ele nunca vai entender, não quer entender, é que eu não posso usar as soluções de uma outra pessoa, penduradas no meu pescoço como uma corrente. A única coisa que podia acontecer era ele me estrangular. —

— Numa atitude que alguns poderiam considerar bem-intencionada, você diria que ele era possessivo? Ciumento? —

— Possessivo... cada pensamento que tenho, cada ação, por mais trivial que fosse, ele dissecava, analisava. —

— Ciúme de outros homens — do interesse deles pela senhorita? —

— Ele tinha ciúme até do ar que eu respiro. —

— Como eram as suas relações com os outros homens da casa? —

— Eram amigos dele, e acabaram ficando meus amigos também. Graças a Deus que eles eram assim, não levavam a vida a sério demais, não eram como eu e ele, a gente podia se soltar, se divertir juntos. Ele me afastava das outras pessoas, não dava para eu fazer outras amizades. Nunca eram boas companhias para mim — era *ele* quem decidia. No final, não valia mais a pena brigar por isso. —

— A senhorita sabia que ele tinha um relacionamento homossexual com um dos homens da casa? —

— Sabia, sim, ele mesmo me contou tudo. Mas todo mundo já tinha esquecido aquilo. —

— Na noite de dezoito de janeiro, a senhorita teve relações sexuais com um dos homens? Carl Jespersen? —

— Tive, sim. Aconteceu. —

— Como foi? —

— O Carl era o tipo de pessoa com quem você podia conversar sobre qualquer coisa. E ele sabia como era o Duncan. Quando eu brigava com o Duncan eu recorria a ele, e ele sempre, sabe, dava um jeito de colocar as coisas na perspectiva correta. Quer dizer, não é o fim do mundo. —

— A senhorita já tinha um relacionamento íntimo com Carl Jespersen antes daquela noite? —

— Não, não, de jeito nenhum. Ele era gay; ele vivia com o David. O Carl achou um emprego para mim no lugar onde ele trabalhava, e foi uma *solução* que o Duncan aprovou. O Duncan confiava no Carl, achava que ele ia ficar de olho em mim para que eu não me envolvesse com nenhum outro homem lá. O Duncan vivia com medo de que eu fosse embora. Isso já tinha acontecido com ele antes: ele aperta com tanta força o que tem na mão que acaba matando. —

O promotor fez uma pausa para que a imagem que ela empregara encontrasse ressonância na acusação diante do tribunal: assassinato.

— De modo que o acusado não tinha por que sentir ciúmes de Carl Jespersen? —

— Não. Mas isso não... Ele tem ciúme de tudo, ele fica esmiuçando tudo o que tem a ver comigo, até quando foi ele mesmo que encontrou a solução. Eu e o Carl nos dávamos bem, trabalhávamos juntos todo dia, ele podia até ter cismado um pouco por ser o Carl que sempre resolvia os atritos entre ele — o Duncan — e mim. Que nos reconciliava. Quer dizer, ao que o Duncan é, o que o Duncan estava fazendo comigo. —

— Por que motivo o seu relacionamento com Carl Jespersen como amigo mudou naquela noite? —

— Acabou virando uma festa lá na casa, e eu estava me divertindo. Mas de novo o Duncan não queria, ele tinha certeza de que eu não ia conseguir acordar cedo para ir ao trabalho no dia seguinte. Eu não sabia se queria mesmo trabalhar numa agência de publicidade, mas o Duncan vivia preocupado, com medo de que eu não levasse a coisa a sério. Queria que eu voltasse para o bangalô com ele. Na frente das outras pessoas ele implorava e discutia — me humilhava. Eu já estava cheia, naquele dia. —

— O que havia acontecido que a havia incomodado? —

— A gente tinha passado metade da noite da véspera conversando, a gente brigou de novo na hora de levantar de manhã, acabou da maneira de sempre. Eu já estava cheia. —

— Foi por esse motivo que a senhorita não voltou para o bangalô com o acusado quando a festa terminou? —

— Foi. —

— A senhorita temia que a hostilidade do acusado a sujeitasse a mais uma noite de agressões. —

— Fiquei para ajudar o Carl a arrumar a casa e para botar aquela história toda para fora, conversando com ele. Eu não agüentava a idéia de voltar para o bangalô e mais uma vez ser repreendida, *pelo meu próprio bem*. Eu devia ter pegado o carro e ido embora naquela hora mesmo — ido para qualquer lugar — como já fiz muitas vezes antes. —

— As agressões do acusado tinham um lado físico? Ele batia na senhorita? —

— Não. A coisa nunca chegou a isso. —

— Mas ele a ameaçava? —

— Muitas vezes eu percebia. Não pelo que ele dizia. Mas pelo jeito de ele ser; pela cara dele. Ele estava querendo me matar. Às vezes a coisa saía dele como uma luz. —

— A senhorita tinha certeza de que ele era capaz de se tornar violento. Alguma vez teve medo? —

— Eu sabia que ele não podia me matar, porque eu era a pessoa que ele tinha tirado de dentro do mar. —

— Mas você sentiu necessidade de fugir dele naquela noite? —

— Eu só precisava me libertar daquelas correntes. O Carl me fazia rir em vez de chorar, e me confortava. Então o que a gente fez foi natural. Fazia parte da coisa. O Duncan jamais me confortou. Eu não entendo por que foi que ele salvou a minha vida. —

Mais uma vez, por que é que Duncan não está na história? Ele é o vórtice em torno do qual se espalha o tribunal. Se ele não consegue entender por que fez o que fez, serão apresentadas explicações de outrem. Versões. Há também a versão do que ele viu da porta; isto é, da primeira vez. Ela é que está sendo julgada, não ele. Foi assim que foi para ela: natural. Fazia parte da coisa. Uma dança de acasalamento para três, primeiro ele com um e com a outra, depois aqueles dois juntos. Ela estava "se divertindo", seu lado louco, que ele conhecia tão bem, que era o modo como ela fazia explodir o eu que a atormentava, que terminava no mar ou nas pílulas que ela conseguia arrancar, com seu charme, de médicos e farmacêuticos. Quando disse "ele me levou para o hospital", ela não explicou quantas vezes. Divertindo-se, e ele era sempre o serviço de salvamento, que tinha de levá-la de volta para o bangalô e lhe dar amor, carinho, fizesse ela o que fizesse (que outro conforto poderia haver). Bêbada? Não. Ela não precisa de álcool como estímulo, atacar com palavras é o único estimulante de que ela precisa, dá para manter sua excitação por toda a noite. Quer dizer que desta vez ela não quer ser "salva", como ela diz, de antemão. É a vez de ele ser vítima.

Se ele pudesse se libertar (seus acompanhantes, os policiais, estão a seu lado) e andar até ela, o que ele iria querer dizer?

Como você poderia pensar em algo tão requintadamente (o advérbio é de Motsamai) apropriado para me destruir? Vocês dois, ambos tão inteligentes, me conhecendo tão bem.

Você lhes contou a história à sua maneira: não disse que estava em você, estava na sua cabeça, foi você que pôs a idéia na minha cabeça, foi por isso que você a viu em mim; você me disse mais de uma vez às três, quatro da madrugada — já havia pássaros começando a cantar no jardim onde eu larguei aquele objeto —, você disse, um dia você vai querer me matar, é o que você quer mais do que qualquer outra coisa, me matar para conseguir o que você quer, salvar a mim e a você mesmo.

Mas ela salvou-se. Entrou no carro e foi embora de nós, de Carl e de mim. O morto e o réu. Lá está ela, naquele banco, e nunca mais vamos ficar conversando até os pássaros começarem a cantar.

— A senhorita está grávida? —

Imediatamente o juiz interrompe Motsamai; mas o impacto da pergunta com que o advogado abre seu interrogatório é como um corte no ar.

— Senhor Motsamai, o que essa invasão da privacidade da testemunha tem a ver com o caso em questão? Ordeno que a pergunta seja removida dos autos. —

— Com todo o respeito, meritíssimo, a pergunta é da maior relevância para o relacionamento entre a testemunha e o acusado, e as conseqüências trágicas desse relacionamento. Peço-lhe permissão para prosseguir. —

— É bom que o senhor consiga demonstrar essa relevância, senhor Motsamai, e o mais depressa possível. —

Os dois se entendem; os dois sabem que o juiz é obrigado a intervir, os dois sabiam que em seguida ele suspenderia a proibição. O advogado não fez a pergunta apenas para criar sensação, se bem que o efeito dessa pergunta sobre o público é precisamente esse. Há murmúrios e exclamações contidas. *Shame.*

Não vergonha pelo que ela aprontou no sofá, assunto a respeito do qual estão todos interessados em saber mais, e sim no sentido de "que pena", pena daquela moça tão bonita, pena do que acontece quando uma mulher é posta na berlinda diante de todos pelas perguntas antipáticas de um advogado, e — uma daquelas reações antigas, agora proibidas, volta mais uma vez — uma moça branca ter de ouvir isso de um negro como esse, com seu rosto marcado e tenso por conta dos anos em que alguém como ele não podia dirigir nenhuma pergunta a ela, uma branca.

No momento em que a pergunta foi feita a ela, a todo o tribunal, ao público, o espanto da moça rapidamente transformou-se no reconhecimento relutante e irônico da esperteza do inimigo: ela nunca deveria ter dito aquilo a ele, de passagem, por assim dizer, só para criar um efeito dramático no gabinete dele!

Motsamai repete a pergunta em voz baixa; ela já ouviu.

— Estou. —

Olhando para a moça, Harald compreendeu que ela não dera ao promotor essa informação quando ele a preparava para atuar como testemunha de acusação. E Hamilton — ele certamente teria previsto esse fato, espertamente; a moça sabia que era de seu interesse que o promotor tivesse a melhor opinião possível a seu respeito, dado o clima moral que dele emanava.

— O pai da criança que a senhorita está esperando é Duncan Lindgard? —

Ela respondeu, sem precisar sussurrar: — Não sei. —

— O pai poderia ser Carl Jespersen? —

— É possível. —

— A senhorita não tomou qualquer precaução contra uma tal eventualidade, no clima impulsivo que havia naquela noite após a festa? —

— Isso mesmo. —

— É por isso que a senhorita não sabe se o filho é de Duncan Lindgard, o homem com o qual estava vivendo, ou de Carl Jespersen, o homem com quem a senhorita teve relações íntimas naquela noite? —

— É. —

— A data da concepção, a qual certamente lhe pode ser dada em termos aproximados pelo médico que confirmou sua gravidez, não exclui a possibilidade de que um deles seja o pai? —

— Não. —

— Por que não? —

— O senhor sabe. Eu lhe disse quando o senhor me perguntou no seu gabinete. O Duncan fez amor comigo na madrugada do mesmo dia, era assim que terminavam nossas noites ruins. —

— A senhorita não está preocupada, não está incomodada por não saber quem é o pai da criança que vai nascer? —

Natalie desviou o rosto, primeiro virando-se para um lado, depois para o outro, desviou a vista de todos eles, fugindo do tribunal movida pela vontade do público: *shame*. Em seguida retorna para responder a todos: — O filho é meu. —

Duncan tem vontade de empurrar os policiais contra as paredes e correr para apertar contra o peito aquela pobre cabeça, que diz coisas terríveis a seu respeito, silenciando-a, ninando-a pelo filho que ela abandonou, Natalie/Nastácia, a morte que a levou a submergir e perder — mas não há como conter Motsamai, como interromper o julgamento. Desde o momento em que ele, Duncan, chegou à porta da sala e viu o que viu, teve início um processo que não pode mais ser detido.

— Não a perturba a idéia do sofrimento que essa notícia vai proporcionar ao réu, que lhe deu seu amor fiel e seu apoio, os quais a senhorita aceitou dele, apesar de todas as suas acusações, durante anos? —

— Isso não é da conta de ninguém. —

— É esta a sua resposta à pergunta a respeito do efeito, possivelmente doloroso, que a notícia terá sobre ele? —

É como se, para ela, Motsamai e sua perseguição não existissem. Repete: — Isso não é da conta de ninguém. —

— A senhorita não se importa. Está bem. Creio que a senhorita escreve, poemas etc., e conhece uma série de expressões. Sabe o que quer dizer *in flagrante delicto*? —

— Não preciso de explicação. —

— Não precisa de explicação. A senhorita foi encontrada *in flagrante delicto* com Carl Jespersen no sofá da sala onde foi realizada a festa, com as luzes acesas e a porta aberta, de modo que qualquer um poderia ter entrado, na noite de quinta-feira, dezoito de janeiro? O réu, o homem que salvou a sua vida e com o qual a senhorita estava coabitando, entrou e encontrou-a lá? —

— Sim. — E o monossílabo se espalha através da intensa receptividade do público: sim sim sim.

— A senhorita admite que, diante dos olhos dele, teve relações sexuais com um amigo íntimo dele. A senhorita não pensou na angústia adicional que esta notícia mais recente vai proporcionar a ele, além do choque e do sofrimento que a senhorita lhe causou quando ele a viu com Jespersen naquela noite? A senhorita admite ter tido relações com os dois homens dentro de um período de vinte e quatro horas. *O filho é seu*. O que significa isso? Não há filho sem pai. A senhorita está proclamando um milagre? Sua imaculada concepção? —

Protesto do promotor, mantido; Motsamai retira a pergunta e prossegue, com um aceno de mão:

— Seu filho tem dois pais putativos. *Para a senhorita, isso não tem importância*. Meritíssimo, dirijo a pergunta ao tribunal: essa atitude dura, indiferente, *fria*, sim, certamente há de causar repulsa em qualquer pessoa responsável que se preocupe com os sentimentos dos outros. Como é que o réu pode aceitar que para a mulher que ele ama tanto faz que o pai do filho que ela está gerando seja ou não ele? Esse desfecho cínico não é senão o posfácio cruel ao tormento que ela lhe impôs, e que os dados que vamos apresentar a este tribunal nos permitem que denominemos como um verdadeiro inferno. Por fim, veio a provocação extrema, insuportável a que ela o sujeitou na noite de dezoito de janeiro, de modo que a atitude de seu parceiro naquele ato sexual exibicionista, quando o réu o encontrou, no dia seguinte, refestelado no mesmo sofá em que o ato foi perpetrado, teve o efeito de provocar no réu um verdadeiro branco, durante o qual ele cometeu um ato trágico. A responsabilidade parcial da testemunha por essa tragédia acaba de ser confirmada *por suas próprias palavras*. Foi confirmada de uma vez por todas pelos sentimentos que ela acaba de manifestar abertamente, com total indiferença pelo sofrimento que ela proporciona *mais uma vez* ao réu, desta vez ao revelar indiferença pelos sentimentos que ele possa ter a respeito da possibilidade de que ela esteja gerando o filho dele. —

— O senhor terminou, senhor Motsamai? —

Sim, tal como um cantor de ópera que termina a ária na nota mais aguda, ele sabe em que ponto encerrar. O público é volúvel, é conduzido por quem quer que tenha o dom de influenciá-lo, ou então trata-se de uma comunidade de voyeurs de tal modo empedernidos que já surgiram até facções diferentes nela. O juiz suspende a sessão para o chá, e, quando Harald e Claudia saem com o resto da multidão, alguém se aproxima deles e diz, numa afirmação sibilante de intimidade: Era *ela* que devia pagar pelo que aconteceu. Khulu aproxima-se de Harald e Claudia e usa seus ombros largos para abrir alas para os dois, numa atitude protetora.

Os psiquiatras: para a promotoria, uma mulher; a defesa escolheu um homem. Por algum motivo, o advogado de defesa está satisfeito com essa situação; Hamilton explica: uma mulher, mesmo para o clima moral de um juiz sofisticado, tenderá a ser encarada como pouco rigorosa quanto ao caráter da moça envolvida no caso, no que diz respeito à questão da provocação; já um homem será visto como mais objetivo em termos profissionais. Claudia sorri por trás da mão cerrada à altura da boca.

— É assim que são as coisas, minha cara doutora. — Hamilton está fazendo um rápido resumo da situação no corredor cheio de ecos, logo antes do reinício da sessão. Vozes, diálogos de outras pessoas angustiadas ressoam, chocando-se contra o teto alto, mas Harald e Claudia só ouvem sua própria conversa com o homem em cujas mãos eles se encontram. Sua confiança é como a dose de conhaque que ele oferece em sua sala, um calor que rapidamente se dissipa no sangue.

O promotor prossegue, chamando a psiquiatra para depor. Ela irradia competência pela carne sardenta dos seios bem apertados, como se fossem coxas gordas deslocadas para o decote do vestido, enquanto depõe que o intelecto do acusado é de nível elevado e sua faculdade de juízo está em perfeito estado.

— Na sua opinião, um intelecto desse nível e um juízo em perfeito estado implicam responsabilidade por ações realizadas mesmo em situações de tensão? —

— Sim. O acusado não estava de todo despreparado para o que viu naquela noite após a festa. Com base em minhas conversas com ele, creio que ele estava desconfiado da situação antes mesmo de ver o casal realizando o ato sexual. Ele havia assumido o papel de defensor do comportamento moral de sua companheira, o que era uma fonte constante de discussões e conflitos entre os dois. Há uma profunda animosidade inconsciente por trás da possessividade passional que ele manifesta em relação a ela. Ele se recusava a aceitar a personalidade de sua companheira, por mais franca que ela fosse com ele, e ao mesmo tempo se orgulhava de defender a liberdade pessoal, inclusive a liberdade sexual. Ele constantemente suspeitava que ela estava sendo infiel, com razão ou sem. Tinha um apego obsessivo, evangélico, à companheira, que se manifestava no modo como ele administrava racionalmente e com precisão todos os aspectos da vida dela. —

— O dia de inação que ele passou após a descoberta do casal é consistente com essa racionalidade? —

— Na minha opinião, sim. —

— Um dia de inação, contemplação, seguido de ação — isso também é consistente com um comportamento intencional? —

— Sim. Trata-se de uma personalidade que tende a ruminar. Ele não age com base em impulsos. Ele planeja. Planejou toda a vida da jovem independentemente da vontade e do consentimento dela. —

— Então a senhora acredita que ele poderia ter atirado em Jespersen "no calor do momento" quase *vinte e quatro horas depois* de encontrar o casal? —

— Não. Se a questão era agir de modo irracional, num estado em que ele não conseguisse se dar conta de que seu comportamento era errado, ele teria atacado Jespersen na hora, no momento em que constatava, chocado, que suas suspeitas tinham fundamento. —

— Em que estado mental, portanto, a senhora diria, com que intenções, a senhora diria, ele foi à casa no dia seguinte? —

— Ele foi à casa com intenções conscientes movidas pelo ciúme acumulado durante o período de solidão. —

— Num estado mental racional? —

— Sim. —

— Ele foi à casa com intenção de matar Jespersen? —

Ela não seria capaz de dizer que ato extremo suas intenções poderiam levá-lo a praticar. Porém não acreditava na amnésia que o réu manifestava com relação ao que aconteceu na casa depois que Jespersen lhe disse para beber alguma coisa.

— O fato é que, após formar essas intenções nas horas que passou no bangalô, ele assassinou Jespersen. Ele tinha plena consciência do que estava fazendo? —

— Ele é um indivíduo em quem o autocontrole foi incutido de modo sistemático desde a infância. Trata-se de um axioma de sua formação de classe média. Ele não é movido pelas emoções a agir impulsivamente, porém pensa com cuidado em cada ato antes de realizá-lo, qualquer que seja o ato. —

O promotor esboçou um gesto de completa satisfação com o depoimento da perita: não era necessário fazer mais nenhuma pergunta.

Motsamai levantou-se com os braços afastados do corpo, cotovelos e mãos curvadas a sua frente, como se para aceitar algo que lhe estava sendo oferecido. — Doutora, o que é estado de choque? —

— É um fenômeno mental que afeta pessoas diferentes de maneiras diferentes. Algumas choram, outras têm acessos de raiva, outras saem correndo. —

— Mas de modo geral — não a variedade de reações, e sim o efeito sobre a cognição, a súbita desorganização dos processos mentais? —

— Há o efeito de confusão mental. Sim. E, como expliquei, manifesta-se de maneiras diferentes. —

— Inclusive no impulso de sair correndo e esconder-se? —

— Sim. —

— Com base na sua experiência, doutora, um choque profundo é algo que cessa rapidamente, o indivíduo em questão logo recupera o equilíbrio emocional, com o autocontrole que nele se inclui, assim de repente? Certamente terá havido, entre os seus pacientes, alguns nos quais um choque profundo teve conseqüências a longo prazo, a longuíssimo prazo — com base no que sei, eles ficam de tal modo abalados que, a fim de recuperar o equilíbrio emocional, eles recorrem inclusive aos seus serviços profissionais... —

Harald percebe um leve movimento de desaprovação sob a toga do juiz, mas este deixa passar a ironia sem nenhum protesto.

— Não seria concebível que o acusado, após fugir para o bangalô, em estado de choque pela cena de exibição sexual protagonizada pela senhorita James e Jespersen, tenha passado as horas que lá ficou não gozando da sua racionalidade e capacidade de desenvolver intenções deliberadas, instantaneamente recuperadas, mas sim no estado de confusão mental que a senhora identificou com sendo efeito do choque? —

— É possível. —

— A senhora concorda que no caso seria um choque profundo? —

— Sim. —

— Em se tratando de um caso de choque profundo, a senhora diria que a tendência poderia ser no sentido de aumentar, e não diminuir, a confusão mental e emocional no decorrer do processo que a senhora denominou de ruminação? (Tendência essa que a senhora diagnosticou no acusado.) Não é verdade que o impacto do fato que causou o choque ganha força à medida que todas as suas implicações vão ocasionando uma confusão mental e emocional crescente? Um estado de aparvalhamento. De modo que o indivíduo não consegue pensar direito; simplesmente não consegue pensar. —

— O choque pode ter efeitos prolongados de confusão mental. Mais uma vez, isso depende da personalidade do indivíduo. Na minha opinião, o senhor Lindgard é uma pessoa que tem uma prolongada experiência de tensão mental, a qual o equipou a recuperar o equilíbrio mental e a racionalidade rapidamente, de acordo com sua natureza. —

— Então a senhora confirma que o acusado teve uma prolongada experiência de estresse emocional, com Natalie James. —

— Sim. Foi ele próprio que procurou essa situação. —

— Tanto a senhora quanto seu douto colega, o doutor Basil Reed, um psiquiatra com vinte e três anos de experiência em sua área, tiveram oportunidade de avaliar a personalidade e o estado mental do réu durante um período de vinte e oito dias, não é? —

— É verdade. —

— Há quanto tempo a senhora trabalha como psiquiatra, doutora Albrecht? —

— Sete anos. —

— Seu colega mais experiente, o doutor Reed, é da opinião, a qual foi expressa em seu relatório a este tribunal, de que a prolongada experiência de estresse emocional, *a qual a senhora mesma confirma*, é de tal natureza que, longe de resolver-se em intenção e pensamento racional, culminou num estresse emocional insuportável que lançou o réu num estado de dissociação da razão e da realidade. É verdade que um tal estado, como resultado de tensão prolongada complicada por choque profundo, é um estado reconhecido pelos praticantes da sua profissão? —

— Sim, é reconhecido. Como uma das diversas reações possíveis ao trauma. —

— É reconhecido. — Motsamai junta as palmas da mão lentamente, cuidadosamente. — Não há mais perguntas, meritíssimo. —

Seu gesto afirma que a promotoria já apresentou sua argumentação, embora o promotor ainda não tenha declarado tal coisa. Harald e Claudia observam o promotor com atenção, e ouvem suas palavras sem interpretar-lhes o significado; onde está o filho deles, o que aconteceu com ele, em meio a essas afirmações que o reviram de um lado para o outro, como se fosse um manequim, ele é isso, não, é aquilo? Motsamai depois vai apresentar a hermenêutica do que foi dito, de acordo com o clima moral dominante; ele explica tudo.

O promotor exibe sua boca de samurai, virada para baixo, e as sobrancelhas franzidas; ele não requer nenhuma veemência adicional, e também não tem o repertório que Motsamai domina; um promotor sabe que não é ele a estrela de que a constelação da Ordem dos Advogados necessita, seu diamante negro. — Em suma, as provas indicam que o acusado é um homem de inteligência superior, em pleno gozo das faculdades de consciência, que matou a bala, a sangue-frio, um homem indefeso deitado num sofá. A questão diante deste tribunal é simples: trata-se de imputabilidade. Imputabilidade penal: o réu tinha ou não tinha tal coisa? Independentemente dos conflitos de opinião entre peritos que possam vir à tona, claro está que ele não agiu quando teria parecido natural, até mesmo desculpável, que o fizesse. Ele não atacou a vítima imediatamente, quando a encontrou tomando seu lugar, tendo intimidade sexual com o indivíduo que ele julgava possuir de corpo e alma. Se tivesse agido desse modo, não seria necessário consultar peritos para saber que o ataque ocorreu quando ele estava fora de seu estado normal, por assim dizer, dominado pela emoção. Mas não; ele deu as costas à cena, voltou para seu quarto e passou um dia inteiro examinando seus sentimentos e as diferentes maneiras como poderia satisfazê-los, as opções que tinha; sua derrota sexual, seu orgulho masculino, o orgulho de um macho totalmente dominador (pois infelizmente era sua natureza, conforme os depoimentos deixaram claro). Ele poderia ter expulsado a moça do bangalô, rompido relações com ela, que, como criação sua — lembremos que foi ele que a trouxe de volta à vida —, revelara-se uma ingrata. Ele poderia ter rompido relações com ela, com Jespersen, com a casa em que coisas assim aconteciam. Eram essas as suas opções. Porém, em pleno gozo de suas faculdades mentais, após ter tido tempo mais que suficiente para considerar que medidas deveria tomar, ele foi à casa, sabendo que Jespersen estaria lá àquela hora da noite, e utilizou a arma que ele sabia existir na casa para matar Jespersen. São esses os fatos incontestes. O acusado tinha imputabilidade penal ao cometer o ato de assassinato por ele perpetrado, e proponho, meritíssimo, que o tribunal leve em conta esse fato ao julgá-lo, para que se faça justiça a sua vítima e ao código moral de nossa sociedade: Não matarás. —

Por algum motivo que não é explicado, durante o intervalo para o almoço vem a informação de que o tribunal não vai funcionar à tarde; o julgamento continuará às nove horas do dia seguinte. O juiz não é obrigado a dar satisfações — pode ser um compromisso urgente em outro lugar, ou talvez uma dor de dente que faça com que a ida ao dentista seja sua principal prioridade. Esses problemas cotidianos são pesados contra questões de vida e morte. Que se danem. Mas ninguém pode se apropriar de um juiz, nem Harald nem nenhuma outra pessoa.

A tensão que Hamilton Motsamai vê nos rostos deles, voltados para o seu, certamente o irrita. Não, ele é imune, ainda que não indiferente; tem sua interpretação do andamento do processo até agora. Está tudo indo conforme o esperado, diz ele. Não há surpresas. Nenhum motivo para preocupação.

E amanhã?

Quanto a amanhã, ele não pode afirmar nada. Amanhã Duncan dará seu depoimento como testemunha. Nem mesmo a Harald e Claudia ele revela sua estratégia, no máximo pode-se inferir alguma idéia, com base no modo como ele interrogou as testemunhas de acusação hoje, a respeito de como ele vai agir amanhã: Duncan naquelas mãos.

Eles têm razão. Todos eles. Assim é: ele e ela não conseguem distinguir qual o Duncan que está sendo verdadeiramente pintado pelo promotor, pelo psiquiatra, por Motsamai. Talvez ele próprio, em sua cela, saiba. Talvez eles também fiquem sabendo, amanhã.

— Embora Natalie James, com quem o senhor estava coabitando, trabalhasse na mesma agência publicitária que Carl Jespersen, onde ele conseguira um emprego para ela, e embora os dois fossem juntos ao trabalho todos os dias, e almoçassem juntos, o senhor não se preocupava com a possibilidade de que uma relação mais íntima estivesse se formando entre os dois? —

Por fim, Duncan está prestes a falar. A falar em seu próprio nome.

— Não. —

— Por quê? —

A pergunta de Motsamai é uma deixa num diálogo que, como todos sabem, foi ele mesmo que preparou e ensaiou. Mas as falas de Duncan não são decoradas. Harald e Claudia ouvem sua voz como se ele estivesse falando sozinho. Para eles; estão ouvindo seu filho falar com os próprios botões.

— Porque o Carl não se interessava por mulheres. Só como amigas. —

— Como o senhor podia ter certeza disso? —

— Ele era gay. Homossexual. —

— Como o senhor sabia disso? —

Ah, mas a pergunta banal tinha um objetivo estratégico; Motsamai está construindo a cena cuidadosamente para seu cliente.

— Ele levava uma vida homossexual. Todos os que moravam na casa eram homossexuais. —

— O senhor morava na mesma propriedade. O senhor tinha as mesmas inclinações que eles? —

— Numa certa época tive uma relação... com um homem. —

— Com um dos homens da casa? —

— Sim. —

— Qual deles? —

— Carl. —

— Carl Jespersen. Então foi essa a experiência que o levou a crer que não poderia haver nada entre Natalie James e Jespersen. O senhor estava apaixonado por Natalie James? —

A pergunta toca suas terminações nervosas, e Harald e Claudia esquivam-se dela, tal como ele.

— Éramos próximos. —

— Era uma relação amorosa, uma relação sexual entre um homem e uma mulher? —

— Era. —

— Ah-hêh. Se o senhor pôde ter um relacionamento homoerótico, e depois apaixonar-se por uma mulher, ter um relacionamento heterossexual, como o senhor podia ter certeza de que Carl Jespersen não teria interesse sexual por sua companheira, Natalie? —

É difícil confiar em Hamilton tal como ele se mostra neste momento. Harald vê que Motsamai está se divertindo, a vida de Duncan é para ele material para um desempenho profissional. O homem que traz do Outro Lado sua compreensão das pessoas angustiadas, o homem em cujas mãos está um revigorante copo de conhaque, ficou lá no seu gabinete.

— Porque ele não sentia atração por mulheres. Sexual. Anatomicamente, ele me disse várias vezes, o Carl sentia repulsa pelas mulheres. Não consigo dizer... repetir... algumas das coisas que ele gostava de dizer. Só posso... a genitália feminina... ele tinha nojo de mulher. —

— Ele dizia essas coisas ao senhor como tentativa de dissuadi-lo de ter relações heterossexuais? —

— Imagino que sim. Numa certa época. —

— Quer dizer que o senhor tinha total certeza de que ele não poderia ter nenhum interesse erótico pela sua companheira? —

— Tinha, certeza absoluta. —

— Embora o senhor mesmo tivesse tido relações homossexuais com ele, e depois tivesse se apaixonado e iniciado um relacionamento íntimo com uma mulher, não lhe ocorreu que ele fosse capaz de ter instintos semelhantes? —

— Não. Era fora de questão. Não sou homossexual, só tenho uma certa ambivalência erótica que qualquer ser humano tem, e que pode ou não... se manifestar em certas circunstâncias. Só tive uma relação homossexual. Já ele, era ativamente homossexual, era assim desde os doze anos, como me disse muitas vezes. —

— Então o senhor não tinha a menor idéia de que ele estava tendo um caso... que Natalie estava tendo um caso com Jespersen? —

No silêncio fascinado e concupiscente da platéia, veio do alvo que era o banco das testemunhas o som discreto, mas nítido e inconfundível, da língua de Duncan apertando-se contra o palato e depois relaxando. O ar da platéia estava tenso; estavam todos esperando que a criatura enjaulada gritasse: — Não havia nenhum caso. —

— O senhor tem total certeza disso? —

— Eu sei disso. Carl tinha um companheiro, o David, estava profundamente envolvido com ele. —

— O senhor poderia relatar o que aconteceu na noite de dezoito de janeiro? Houve uma festa na casa? —

— Não foi bem uma festa. A casa é um lugar onde as pessoas simplesmente aparecem. E muitas vezes eu e Natalie íamos ficar com o pessoal da casa e jantávamos todos juntos. Formávamos uma espécie de família. Melhor que uma família nuclear, com muita amizade e confiança entre todos. —

— Naquela noite vocês jantaram juntos. —

— Uns amigos de David e Khulu vieram beber alguma coisa, e aí foi ficando tarde e eles acabaram ficando para jantar conosco. Pode-se dizer que foi uma festa espontânea. O David bebeu muito e foi logo se deitar depois que os outros saíram. O Khulu saiu com um deles — foi fazer um programa qualquer. A Natalie tinha animado boa parte da festa contando histórias do tempo em que ela trabalhava como comissária em navios de turismo, ela faz umas imitações perfeitas, e quase não tinha colaborado para a preparação do jantar, por isso se ofereceu para ajudar o Carl a arrumar a casa. É o tipo de gesto de que ela é capaz. Depois de ter feito uma representação bem esfuziante. Justamente porque ela odeia o trabalho doméstico — nunca faz nada em casa. Sei que isso é uma coisa necessária para a autoimagem dela, e por isso fui para o bangalô — fui dormir. —

O juiz aprumou a cabeça, como se finalmente tivesse ouvido algo que o intrigasse. — Natalie James, em seu depoimento ontem, deu uma versão um tanto diferente dos acontecimentos. Não houve uma discussão entre o senhor e ela, o senhor não tentou convencê-la a ir para o bangalô também? —

— É impossível convencer Natalie do que quer que seja quando ela está nesse estado. —

— O senhor está dizendo que não houve nenhuma briga com ela diante das pessoas presentes? —

— Ela estava a fim de ficar. Então, se ela não estava com vontade de voltar para casa e descansar, o melhor que eu podia fazer era ir embora. —

Com um olhar, o juiz faz a Motsamai um sinal para que ele prossiga.

— Que horas eram? —

— Cerca de uma da manhã. —

— O senhor esperava que depois ela fosse para casa? —

— Naturalmente. —

— E ela voltou? —

— Não. —

Motsamai é paciente quando encontra resistência; Harald e Claudia têm a impressão de que Duncan está fugindo, fugindo de sua cela, da instituição fechada para pessoas mentalmente incapacitadas, do tribunal, da galeria de rostos que o têm como presa — fugindo de si próprio.

Motsamai vai em seu encalço.

— O que aconteceu depois? —

— Acordei. Ela não estava comigo. Vi que eram duas e meia. Eu estava preocupado. Por ela ter de atravessar o jardim tão tarde, no escuro, tem invasores lá no subúrbio. —

— E aí? —

Agora Duncan recita um texto ensaiado; é algo que lhe disseram que aconteceu com ele. Um outro eu lhe contou; o advogado passa a ser o outro eu do acusado uma vez que absorve os fatos, apropria-se deles.

— Saí, atravessei o jardim, cheguei à casa. As luzes estavam acesas e a porta da varanda estava aberta. Entrei na sala e ela estava debaixo dele, no sofá. Do Carl. —

— Estavam fazendo amor? —

— Estavam terminando. Não conseguiam mais parar. Por isso eu vi. —

Nas mentes e memórias de todos, estranhos, corpos lado a lado numa assembléia pública, surge o momento compartilhado antes do orgasmo. São um coletivo de carne. Eles sabem. Será que o juiz participa, o juiz se lembra, também o juiz conhece aquele momento, fez amor na noite anterior, de modo que ele também compreende perfeitamente o que foi que o acusado não pôde deixar de ver, o que foi que não pôde ser interrompido? Nem mesmo com uma pessoa parada à porta.

O que foi que eles fizeram, os dois apanhados em flagrante, e o que foi que ele fez, Motsamai está perguntando. A resposta é que Duncan não sabe, ele foi embora quando Natalie de repente se deu conta de sua presença e o rosto de Carl apareceu por um momento em meio ao movimento de sobe-e-desce dos corpos, ele virou-se e voltou para a escuridão.

Duncan fugiu, naquele tempo fugir ainda era possível, agora não é mais.

Pois Motsamai está discorrendo sobre aquela parte dos acontecimentos que é fácil compreender: o que Natalie James fez foi pegar o carro e ir embora, não voltou ao bangalô naquele dia nem no dia seguinte. Duncan não dormiu o resto da noite. Não foi ao trabalho no escritório de arquitetura no dia seguinte. Era sexta. Sexta-feira, dezenove de janeiro.

— O que fez o senhor? Passou o dia no bangalô? —

— Pensando. —

— Pensando no que fazer a respeito da situação? —

— Não. Não. Eu estava tentando encontrar uma explicação. Uma razão. Tentando entender por quê. —

— Por que uma coisa assim havia acontecido? —

— Isso. Se o que eu tinha visto. —

— Estava pensando em confrontar Natalie? Ou em procurar o seu amigo Carl e confrontá-lo? —

— Eu não queria vê-los. *Eu já tinha visto*. Eu estava procurando por uma explicação em mim mesmo. Foi só isso que eu fiquei pensando, o dia inteiro. Já estou acostumado a enfrentar crises de todo o tipo com ela; eu sei lidar com essas crises. —

— O senhor já enfrentou com sucesso situações assim — quer dizer, sem conseqüências negativas? —

— Muitas vezes. —

— Então o senhor não pensou em nenhum tipo de vingança, em vingar-se de um ou de outro? —

— Vingar-me de quê? Eu não sou proprietário de nenhum dos dois, eles são livres para fazer o que quiserem. —

— O senhor não pensou em nenhum tipo de acusação vingativa, muito menos em algum tipo de ação, pelo fato de que eles, por terem "feito o que queriam", afetaram o senhor? A sua vida? A sua relação amorosa com Natalie? —

— Não. —

— A sua antiga relação com Carl Jespersen? —

Sem dúvida, o que ele disse agora não estava no roteiro preparado por Motsamai.

— Não. A única coisa de que eu me lembrava — com relação à cena que eu vira, dos dois lá — era nojo, uma desintegração de tudo, nojo de mim mesmo, de todo mundo. —

— Sim? — Motsamai faz um gesto de maestro no pódio.

— Era isso que eu estava tentando explicar, para que eu pudesse pôr... as coisas no lugar, me compreender. —

— O senhor estava pensando sobre o futuro de sua relação com Natalie? O senhor achava que poderia continuar, depois do que o senhor viu — o modo como ela utilizou sua liberdade, como ela recompensou o amor e a dedicação que o senhor lhe dera? —

— Como é que eu posso saber? A coisa havia continuado depois de tantas ocasiões que poderiam ter terminado tudo. —

— O senhor ficou o dia inteiro no bangalô, deitado na cama? Sozinho? —

— É. Com o cachorro. —

— Quando foi que se levantou, o que o levou a levantar-se? —

— O cachorro, ele estava com fome, inquieto. Me vesti e dei comida a ele. —

Motsamai respirou bem fundo, sua bata negra subiu à altura do peito, ele fez um intervalo, deu tempo para eles dois, Duncan e ele. — E depois? —

— Lá fora. Ele come lá fora. De modo que eu estava no jardim. —

— Que horas eram? —

— Eu não tinha olhado para o relógio, devia ser a hora que a gente costumava dar comida ao cachorro, seis e meia, sete horas. —

— O senhor estava no jardim; depois voltou para o bangalô? —

— Não. —

— Por quê? —

— Eu simplesmente (o gesto foi abandonado no meio; era a primeira vez que ele usava as mãos, esses instrumentos de defesa abandonados a partir do momento em que ele assumiu sua culpa) fui até a casa. —

— Com que objetivo? —

— Eu dei por mim no jardim. Em vez de voltar para o bangalô, fui à casa. —

— O senhor tinha esperança de encontrar alguém na casa, conversar com alguém de lá? Um dos outros amigos? —

— Eu não queria conversar com ninguém. —

— O senhor está dizendo a este tribunal que não tinha nenhum motivo para ir lá? — Qual dos dois assessores cuidadosamente escolhidos, um branco, o outro escuro o suficiente para ser classificado como negro, estaria falando? Estavam um de cada lado do juiz, capangas silenciosos. A voz era lenta e desajeitada. Harald teve a estranha sensação de que a voz vinha de um médium através de cuja boca falava o público, as pessoas que lotavam o auditório.

— Dei por mim no jardim, e aí acho que pensei que tinha de ir de novo ao lugar onde eu tinha ficado, à porta da sala. —

Motsamai não deixa que se passe um momento de silêncio antes de afirmar: — Então o senhor atravessou o jardim e foi até a casa para ficar de novo no lugar de onde viu os dois, seu ex-amante e a mulher, sua atual companheira, copulando no sofá. E quando o senhor chegou à porta, o que aconteceu? —

Claudia sentia o cheiro de seu próprio suor, não há cosmético capaz de suprimir a angústia que apenas o corpo, este ser mudo e primitivo, é capaz de exprimir, a higiene é uma convenção civilizada que encobre as forças animais na vida de classe média. Estará Harald rezando — será essa a outra emanação que vem dele; que se confundam as duas, a animal e a espiritual, se puderem gerar a solidariedade prometida há tantos anos na promessa feita ao filho.

Agora Duncan está de novo recitando um texto decorado. Como se alguma coisa tivesse sido desligada, uma chave em alguma parte de seu cérebro.

— Jespersen estava deitado no sofá. —

— Qual foi a reação dele quando o viu? —

— Sorriu. —

— Sorriu. Ele falou? —

— O Carl disse: *Ah, meu Deus. Desculpe*, bra. —

O juiz dirige a pergunta tanto ao acusado quanto a seu advogado. — *Bra*... o que quer dizer isso, *bra*? —

— É um diminutivo fraternal usado entre nós, os negros, meritíssimo, também estendido aos homens brancos com quem temos vínculos fraternais agora, num país unido. Significa que o indivíduo em questão é considerado um irmão. — E, com um timing perfeito, Motsamai virou-se do juiz para o réu: — Então... ele continuava a considerá-lo um irmão. —

— Sim. —

— Qual a sua reação? —

— Pensei então que eu tinha ido à casa para ter com ele. —

— O senhor confrontou-o para pedir uma explicação de seu comportamento, o senhor achava que um pedido de desculpas corriqueiro, que se faz a uma pessoa em quem esbarramos na rua, seria suficiente? —

— Ele falou. Não somos crianças, e tínhamos os mesmos princípios, ninguém é de ninguém, queremos viver em liberdade, não é, para o sexo como para uma caminhada. Tudo bem, ele disse, terminou a caminhada, o sexo terminou, foi divertido, só isso, não é? Afinal, isso era uma coisa que sempre estava subentendida entre nós. O único problema, ele disse, era que a Natalie tinha sido um pouco impulsiva demais, ela normalmente programa as coisas de modo mais cuidadoso, com mais privacidade. Riu o riso simpático dele. Disse então que todos nós sabíamos disso, eu sabia, e nem por isso minha relação com a Natalie tinha mudado. Ele falava: ele sempre me dizia que eu não devia ficar andando atrás de ninguém, querer saber como as pessoas viviam as vidas delas, isso era coisa do tipo de gente que transforma seus sentimentos numa prisão e tranca alguém dentro dela. Disse que a Natalie era uma ótima moça e que nunca mais ia pensar naquilo. Quanto a ele, eu conhecia o gosto dele — aquilo não teria nenhuma conseqüência, de jeito nenhum — foi só uma saideira maluca, foi isso que ele disse, parte daquela noitada agradável, depois dos drinques, do muito que eles dois tinham rido enquanto arrumavam a casa. —

— O que o senhor disse a ele? —

— Não sei. Ele falava falava falava, ele ria, era como mais uma das conversas que a gente tinha sempre sobre nossas aventuras, só isso. Ele não conseguia parar, eu não conseguia fazer com que ele parasse. —

— E então o que aconteceu? —

— Ele queria que eu bebesse com ele como a gente sempre fazia. —

— E aí? —

Uma necessidade de apresentar a formulação exata.

— "Por que você não bebe alguma coisa." Essas palavras eu ouvi no meio de uma falação que eu não conseguia mais acompanhar. A última coisa que eu o ouvi dizer a mim. De repente peguei a arma que estava em cima da mesa. E então ele se calou. O barulho parou. Eu tinha atirado nele. —

A cabeça de Duncan inclinou-se para trás devagar. Seus olhos estão fechados, isolando-o de todos eles, Motsamai, o juiz, os assessores, o promotor, os funcionários, a platéia, onde uma mulher soltou um soluço teatral, a mãe e o pai. Harald e Claudia não podem estar a seu lado, ali onde ele está, sozinho com o homem que ele matou com um tiro na cabeça, com a arma que estava bem à mão.

Harald sentia não medo, mas certeza. Aquele homem, o promotor, está tentando encurralar seu filho, forçá-lo a confessar que ele queria fazer mal a Carl Jespersen e que foi à casa com tal intenção. E talvez, para pôr fim àquelas perguntas, àquele ruído, àquela voz dirigida apenas a ele no meio de toda a multidão que enche este espaço fechado, talvez Duncan resolva dizer sim, sim — ele já confessou que matou, o que mais querem dele? E aquele homem, o promotor, está apenas cumprindo sua obrigação, para ele não significa nada que Jespersen esteja morto, que Duncan tenha se destruído; aquilo é seu trabalho. Para fazer seu serviço, ele tem de obter a condenação que quer, só isso, como medida de sua competência, uma das etapas cotidianas no progresso de uma carreira. Como subir na hierarquia da empresa.

— O senhor passou toda a sexta-feira, dezenove de janeiro, deitado no bangalô, ruminando os acontecimentos da véspera? —

— Pensando. —

— O que é a mesma coisa, revirando sem parar o mal que lhe haviam feito. O que o senhor ia fazer a respeito daquilo. Não foi isso? —

— Não. Porque não havia nada a fazer a respeito daquilo. —

— No entanto, mais tarde naquele dia você foi à casa. Foi ou não foi para fazer alguma coisa a respeito daquilo? Era entre seis e sete da tarde, era bem provável que Jespersen já tivesse voltado do trabalho. O senhor sabia disso, não sabia? —

— Eu dei por mim no jardim, não pensei em quem estaria na casa. —

— O senhor "deu por si no jardim", e eu afirmo que neste momento o senhor tinha consciência de que o momento era perfeito para executar o que o senhor havia passado o dia inteiro pensando, planejando — encontrar Jespersen, vingar-se do mal que o senhor julgava que ele lhe havia feito, embora ele não fosse o primeiro homem com quem a sua companheira o havia traído. Eu afirmo que o senhor passou o dia inteiro ruminando o seu ciúme, e que foi à casa numa disposição agressiva, com a intenção de enfrentar Jespersen com violência. —

A tarefa do promotor é fazer com que o acusado pareça um mentiroso: é assim que Harald e Claudia vêem seu trabalho. Claudia muda de posição em sua cadeira como se não suportasse ficar mais sentada ali, e ele aperta com força os dedos dela por um momento, a sensação de conforto que lhe dá seu próprio ressentimento.

Mas se eles soubessem — e talvez já saibam em parte; Duncan não tem certeza do que eles sabem, do que estão descobrindo a seu respeito — que ele é um mentiroso. Mentiroso por omissão. Porque o promotor não pode saber, ninguém lhe disse nada — não há como ele saber sobre o conflito, as oscilações de seus sentimentos em relação a Carl Jespersen, a Natalie, a confusão que lhe proporcionou aquela dupla traição, a repulsa, a dor; era nisso que ele pensava, no bangalô. Vingança: se Natalie tivesse voltado naquele dia, por que não pensar em matá-la? Mas ela — ah, Natalie — ela já se vingou de si própria o bastante, só por ser quem é.

A arma está no tribunal. Ela agora é a Prova nº 1. Um sopro de curiosidade inclina o público para a frente, e todos tentam ver o objeto.

Não passa de um pedaço de metal de formato bem familiar; Harald e Claudia não precisam vê-lo. As impressões digitais da mão esquerda do réu, diz o promotor, foram encontradas na arma pelos exames técnicos; suas impressões digitais pertencem só a ele, em toda a humanidade, tal como ele pertence só aos pais, como filho único deles.

— O senhor conhece esta arma? —

— Sim. —

— Ela é sua? —

— Não. —

— A quem ela pertence? —

— Não sei em nome de quem está a licença. Era a arma que havia na casa para que, se alguém fosse atacado, se algum invasor entrasse, a pessoa pudesse se defender. Quem quer que fosse. —

— O senhor sabia onde ela era guardada? —

— Sabia. Normalmente numa gaveta no quarto de David e Carl. —

— O senhor morava no bangalô e não na casa; como é que sabia disso? —

— Todos nós sabíamos. Nós moramos — morávamos na mesma propriedade juntos. Se os outros não estivessem em casa, e eu ouvisse algum barulho suspeito, eu é que precisaria dela. —

— O senhor sabia usar armas. —

— Esta arma. Foi a única que já usei. No exército, os soldados aprendiam a usar rifles. O David fez uma demonstração, quando ela foi comprada. —

— Na noite de dezoito de janeiro, a arma foi trazida à sala e mostrada a um dos convidados que estava prestes a adquirir uma para seu próprio uso. Foi o senhor quem a mostrou, quem a manuseou? —

— Não. Não me lembro quem foi — provavelmente o David. —

— O senhor sabia que a arma não tinha sido guardada — na gaveta do quarto onde costumava ficar? —

— Não. Eu me recolhi quando os outros estavam arrumando a casa. —

— Mas o senhor viu a arma largada na sala quando saiu? Na mesa perto do sofá? —

— Eu não reparei na arma. —

— Como assim? —

— Havia copos e pratos espalhados pela casa toda, devia estar misturada com outras coisas. —

— De modo que quando o senhor entrou na sala no dia seguinte o senhor viu pela primeira vez que a arma tinha sido largada na mesa da sala? —

— Eu não vi. —

— Como assim? —

— Eu não estava olhando para lugar nenhum, só vi o Carl. —

— E em que momento o senhor viu a arma? —

— Não sei dizer. —

— Foi antes de ele dizer "Por que você não toma alguma coisa?", como se aquilo fosse apenas um encontro entre amigos? —

— Acho que sim. Não sei. —

— O senhor sabia que a arma estava carregada? —

— Não sei. —

— Mas o senhor não estava presente quando a arma estava sendo mostrada ao visitante? E, quando foi feita a demonstração, a arma não foi carregada para ele ver? —

— Não vi. Imagino que sim. Eu estava falando com outras pessoas. —

— Então quando o senhor entrou na sala no dia seguinte o senhor viu a arma na mesa, o senhor tinha todos os motivos para saber que ela estava carregada, e o senhor tomou a decisão de aproveitar a oportunidade para, digamos, ameaçar Carl Jespersen com ela? —

— Eu não o ameacei, eu não tomei nenhuma decisão. —

— Então o senhor não lhe deu nenhuma chance? Nenhum aviso? —

— Eu estava ouvindo ele falar, eu não ameacei... —

— Não. O senhor pegou a arma e lhe deu um tiro na cabeça. Um tiro que, como o senhor sabia, pois o senhor sabe usar uma arma, seria quase certamente fatal. Deste modo o senhor levou a cabo o projeto de vingança que vinha acalentando o dia inteiro, e que o senhor foi até a casa com a intenção de realizar, de uma maneira ou outra. A arma à mão foi uma oportunidade que se ofereceu ao senhor, de modo que não foi necessário se atracar com o homem num corpo-a-corpo, não foi necessário planejar nenhuma outra maneira de eliminar aquele seu rival, o seu desejo de fazer tal coisa levou-o a realizar suas intenções. —

Motsamai estava fazendo um sinal; há um procedimento para cada coisa neste ritual: Protesto, meritíssimo. Mas o juiz é civilizado e democrático, que cada um diga o que tem a dizer. Protesto rejeitado.

Burburinho na fileira, pessoas abrindo alas para alguém passar, alguém que, por ter se sentado no banco das testemunhas, adquiriu uma certa aura de celebridade. Khulu Dladla veio sentar-se ao lado deles depois de depor como testemunha de defesa.

Khulu; bundas trocam de assento para que ele possa ficar ao lado de Claudia. Ela levantou a mão, a mão voltou para o colo depois ergueu-se outra vez, uma gavinha se estendendo, encontrou e apertou por um momento as costas largas e quentes da mão dele.

Sim, posso afirmar que o conheço bem, muito bem, disse ele quando Motsamai o interrogou. E a moça? Sim, a Natalie também. Desde que ela foi morar lá conosco. Mas o Duncan eu já conhecia. No tribunal, onde não se trocam sinais de reconhecimento, Khulu sorriu diretamente para Duncan, como se tivesse acabado de encontrá-lo numa sala normal qualquer. Oi, Duncan. Foi por isso que Claudia sentiu vontade de tocá-lo.

— Antes de Natalie ir morar com os amigos, como eram as relações entre os moradores da casa? —

— Ah, muito boas. A gente se dava bem, por isso que fomos morar juntos, nê? —

— O senhor, David Baker, Carl Jespersen e Duncan Lindgard. Todos eram homossexuais? —

— O Duncan, eu não sei, não. Ele não morava na casa. E além disso ele trouxe uma mulher... mas os outros, sim, nós todos somos homens. Gays. —

— Alguns tinham relações íntimas com os outros? —

— Sim. —

— O senhor tinha consciência de que Duncan tinha uma relação dessa natureza? —

— Sim. —

— E quem era o homem? —

— Jespersen. Carl era do tipo que, quando ficava a fim de uma pessoa, a pessoa não escapava dele. Ele parecia curtir muito ter conseguido ganhar o Duncan, acho que o Duncan nunca tinha tido esse nosso tipo de experiência antes, quer dizer, fazer um homem se interessar por ele assim, o Jespersen era mesmo um sedutor. Ele conseguia fazer a pessoa sentir que estava perdendo uma tremenda oportunidade se não se interessasse por ele. Ele era estrangeiro, essas coisas, se achava muito especial. Como se fosse uma comida ou uma bebida de lá. Uma coisa que a gente nunca havia experimentado. —

— Então o senhor observou que Jespersen estava tendo um caso com Duncan. Isso não era nada de surpreendente, naquela casa, não é? —

— Era, sim. Porque o Duncan era hétero, a gente sabia. Nós tínhamos muitos amigos héteros. Ele veio morar no bangalô e dividir a casa conosco não por ser um de nós, por ser gay, mas porque a gente se dava bem sob outros aspectos. Ele é um cara interessante. Eu diria que ele é um verdadeiro artista no trabalho dele de projetar prédios. É uma pessoa com quem se pode conversar sobre política, arte, música, religião — não tem fronteiras. —

— Natalie James foi a causa da separação entre os dois? —

— Não, de jeito nenhum. Aconteceu antes de ela entrar em cena. O Jespersen enjoou. Depressa. Ele era assim com tudo. Por isso que ele vivia trocando de país. Ele terminou com o Duncan. —

— Qual a reação de Duncan? Ele também encarou a coisa com naturalidade? —

— Que nada. Ele ficou perturbado. Não entendia como é que ele ficou tão envolvido, sabe, em termos emocionais, e depois foi descartado sem mais nem menos. —

— Como é que o senhor ficou sabendo disso tudo? Só com base na observação? —

Khulu estava olhando para Duncan de novo, como se Duncan fosse confirmar suas palavras. — Ele conversava comigo. Eu não sabia como fazer com que ele entendesse... ele estava mal... as idéias dele, algumas, eram diferentes das nossas, certamente das do Carl. —

— O senhor conseguiu consolá-lo? —

— Acho que consegui fazer o Duncan ver que a reação dele era, não sei como dizer, um pouco... imprópria, isso, fazer bicho-de-sete-cabeças, fazer drama, estragava a vida que a gente levava na casa, que ele gostava tanto. —

— Então o incidente, a seu ver, foi contornado? —

— Ah, ele se acalmou. —

— Ele e Carl Jespersen continuaram a viver no grupo, como amigos? —

— Isso. E quando ele trouxe a garota e ela foi morar com ele no bangalô, a gente achou que era bom, era a coisa certa para ele. De início. —

— Por que "de início"? O que aconteceu depois? Os homens da casa não gostavam dela? —

— Todos nós nos dávamos bem com a Natalie. Se bem que o Carl, quando estava de mau humor, voltava com aqueles papos dele sobre mulher — quando o Duncan não estava presente, às vezes ele fazia troça do que acontecia no bangalô entre Duncan e ela — pensamentos sobre as mulheres em geral, mas ao mesmo tempo ele e ela e o Duncan, bem, eles se davam bem os três, eram amigos. A gente esqueceu aquela história que rolou entre o Duncan e ele. Foi ele até que achou aquele emprego para ela na agência de publicidade, e o Duncan gostou de ver que ela finalmente tinha arranjado um trabalho que talvez lhe interessasse, alguma coisa que tinha a ver com ela, porque ela escreve, o senhor sabe. —

— Então por que é que depois vocês acharam que as coisas não iam mais bem com o Duncan? —

— Ela é uma pessoa estranha. Bem, ele sabia disso — ela tentou se suicidar, teve aquela história da criança — ela era a pessoa mais animada da festa, toda assim com o Duncan, e de repente começava a debochar dele, a atacar mesmo, a dizer que "ele queria que ela fosse assim e assado". —

— Assim e assado como? —

— Feliz. "Representar a vida dela para ele" — era exatamente o que ela dizia sempre. Por isso é que eu me lembro das palavras. —

— Ele lhe contava isso, ou era o tipo de cena que acontecia na casa, na frente de todos? —

— Ah, nós todos víamos e ouvíamos tudo. —

— Como o Duncan reagia quando ela o provocava na frente dos amigos? —

— Ele era muito paciente com ela. Como a gente é com um doente. Embora ela fizesse o diabo com ele. Dava para ver que era um inferno. No dia seguinte o Duncan ficava muito deprimido. Mas ele não conversava comigo nem com os outros sobre isso — como antes ele falava comigo sobre o caso dele com o Jespersen, por exemplo. —

— Quer dizer que a relação entre Natalie James e Duncan não era feliz? —

— Ela torturava o Duncan. Sério. Tentou até se suicidar, com pílulas, e ele ficou achando que era culpa dele. Mas dava para ver que ele sempre tentava colocar a Natalie nos trilhos. Não dava para entender como ele agüentava aquilo. —

— Ele a amava? —

Neste momento a testemunha olhou para o juiz, que era imune a qualquer olhar que nele se fixasse. Khulu apelava para ele, como a todos que julgam, sejam humanos ou divinos. — Qual de nós sabe dizer o que é amar? —

Em sua encarnação de samurai, o promotor virava o rosto para a platéia nos momentos de apelo, enquanto interrogava Dladla.

— "Quem sabe dizer o que é amar." Bem, podemos dizer que é de conhecimento geral que amar é ter ciúme. O ciúme é a paixão que nasce do amor e que é mais forte que o próprio amor, quando ela impiedosamente põe de lado o respeito pelo direito à vida daquele que provoca o ciúme, o homem que ocupou o lugar do que ama nos braços da pessoa amada. O senhor falou sobre a dedicação do acusado a Natalie James, que ele a superprotegia a ponto de ela sentir, como ela própria depôs, que sua dignidade estava sendo atingida, e o senhor mesmo falou sobre a atitude servil de apego do acusado. O senhor não acha que, dado esse relacionamento, ao pegar Carl Jespersen em flagrante com a pessoa amada, a reação dele só poderia ter sido de ciúme? Ciúme violento. O choque que ele próprio relatou — o que é isso senão o impacto extremo do ciúme? Quando ele voltou para o bangalô naquela noite, quando esperou em vão que ela voltasse, quando passou o dia inteiro lá sozinho, não era o ciúme que ele estava ruminando? —

— Não sei. —

— O senhor não diria que ele era extremamente possessivo a respeito dela, levando-se em conta seu comportamento geral? —

— Ele se sentia responsável por ela. —

— É uma outra maneira de dizer o mesmo. Por que o senhor acha que o seu amigo matou Carl Jespersen, se não por vingança premeditada, por ciúme, por ter ele feito amor com Natalie James? —

— Matar uma pessoa. —

Todo o público está imobilizado de expectativa. O que dirá ele agora? A platéia, que nem pagou ingresso, fica excitada pensando que o samurai encurralou sua vítima.

— Eu conheço o Duncan, muito bem. Ele não tem arma. Nada. Ele não ficou lá planejando entrar na casa e matar o Jespersen. Não é da natureza dele. Nunca. Juro por minha vida. Não pode ter sido isso: ele ir atrás do Carl para matá-lo. Eu não sei como foi que a coisa aconteceu — mas assim não foi. Deus sabe como foi. Eu não entendo o assassinato. —

O homem de Motsamai, o psiquiatra da defesa — na percepção vaga de quem vem e vai para o banco das testemunhas, é só a aparência de algumas irrelevâncias que se faz notar —, usava um relógio complicado como se fosse uma arma, um lampejo que partia de sua mão levantada e chegava a Harald e Claudia. Ele se dirigia mais ao juiz do que ao advogado de defesa. Para enfatizar sua objetividade? Ou porque eles dois são figuras de igual autoridade: o juiz decide quem é culpado, o psiquiatra decide quem é louco. Motsamai perguntou-lhe sua opinião a respeito do estado mental do réu com relação aos eventos que transcorreram na casa nos dias dezoito e dezenove de janeiro.

— Nós, psiquiatras, consideramos que os "eventos da vida" podem precipitar comportamentos anormais, mas também encaramos isso como reflexos conscientes ou subconscientes de qualquer distorção das normas sociais. Numa sociedade em que a violência prevalece, os tabus morais contra a violência se desvalorizam. Numa sociedade em que, por quaisquer motivos históricos, a violência tornou-se a maneira de reagir à frustração, ao desespero e à indignação, o horror natural à violência é suspenso. Todos se acostumam a recorrer à violência como solução, como vítima, perpetrador ou observador. Aprende-se a conviver com ela. Ao considerar o comportamento anormal, o ato deve levar em conta o clima geral de comportamento em que ele teve lugar. —

O juiz responde, em reconhecimento ao fato de que é a ele que o psiquiatra se dirige.

— Tudo isso é muito interessante, doutor, mas o que o tribunal está interessado em saber é o estado mental do réu, e não o da cidade. —

— Com todo o respeito, o ato que o réu admite ter cometido não ocorreu no vácuo. Tal como o clima moral pode inconscientemente restringir certos atos, ele pode também sancionar a violência, ao generalizar seu emprego. Isso pode sobrepujar as inibições protetoras da moralidade consciente do indivíduo, que veria com horror um tal ato. É necessário ter em mente esse contexto em que tiveram lugar os eventos que levaram ao ato e o ato em si. —

— O senhor está dando a entender, doutor, que os seqüestros, os assaltos, sancionam o recurso ao assassinato como solução para conflitos pessoais? —

O sarcasmo do juiz não perturba o médico; Motsamai não teria escolhido alguém que fosse tão fácil de derrubar em matéria de urbanidade.

— Não tenho nenhum objetivo imoral como esse, meritíssimo... Apenas é meu dever informar ao tribunal a metodologia empregada num exame psiquiátrico. —

A atenção do público intensificou-se; até mesmo um dos policiais desloca o peso de uma perna para a outra, como um cavalo atrelado a uma carroça parada. A platéia está gostando de assistir àquele duelo entre dois homens tão confiantes em sua própria superioridade. Aquele espetáculo gratuito está cada vez melhor, tão bom quanto um talk-show num estúdio de televisão. Mas a atenção de Harald e Claudia está presa de uma outra maneira: eles estão analisando cada palavra no instante exato em que é dita. Aquele homem está do lado deles, do lado de Duncan, não há dúvida. O que ele vier a confirmar no filho deles só poderá ser a sua salvação.

Para o psiquiatra, o réu foi lançado num estado em que ele ficou dissociado do que estava fazendo na noite de dezenove de janeiro, um estado em que se tornou incapaz de controlar seus próprios atos, o que resultou na morte de Carl Jespersen.

Motsamai atrai a atenção do psiquiatra. — Doutor, o senhor diria que esse estado teve início quando? —

Na opinião do médico, o réu já se encontrava nesse estado antes de sair do bangalô e entrar na casa. O exame psiquiátrico não encontrara nada que indicasse estar o réu mentindo quando afirmou que fora à casa para ficar no lugar exato onde se havia colocado na véspera; o fato de ele não conseguir acreditar no que havia visto fazia parte do estado de dissociação da realidade. Tampouco havia qualquer sinal de que ele não estivesse dizendo a verdade quando falava sobre sua sensação de confusão mental, seu esquecimento da exata seqüência dos atos transcorridos quando ele se viu na casa e encontrou Jespersen deitado no sofá. O réu sofre de uma amnésia genuína com relação a certos acontecimentos daquela noite.

O juiz atrai os olhares quando mexe os ombros. Toda vez que ele dava esse sinal, todos sentiam-se equilibrados entre o que acabava de ser dito e o que seria dito agora em sentido contrário. Desta vez o juiz levantou o queixo e inclinou a cabeça. — O réu fez um relato detalhado e coerente do que a vítima lhe disse. Como é que ele se lembra disso? —

— Um golpe emocional terrível é tão impactante quanto um golpe físico dado na cabeça. Quando Jespersen disse "Por que você não toma alguma coisa?", a insensibilidade dessa atitude equivaleu a um segundo golpe. Ele já estava confuso; ele não se lembra do que disse a Jespersen, nem sequer se de fato disse algo. Com o impacto dessas últimas palavras que ele se lembra de ter ouvido Jespersen dizer, ele entrou num estado de automatismo em que as inibições se desintegraram. —

— Como ele poderia ter usado a arma? Se ele estava nesse estado de dissociação, de consciência atenuada? Ele afirmou que não sabia se a arma estava ou não carregada. Ele não teria que destravar a arma, se ela estava — e estava, mesmo — carregada, e isso não teria sido um ato plenamente consciente e racional? —

— Seria uma relação automática, sem cognição, numa pessoa que já havia usado uma arma. Como montar uma bicicleta, para uma pessoa que sabe andar. —

Com a permissão do meritíssimo juiz, Motsamai gostaria de fazer algumas perguntas.

— Doutor, com base no seu conhecimento de tais estados de capacidade reduzida ou totalmente anulada, o que o senhor diria que tornou o réu *capaz* de pegar e usar a arma? —

— O acúmulo de provocações, que chegou ao auge com a total perda de controle da parte do sujeito. —

— O senhor poderia explicar a morfologia, a etiologia, por assim dizer, desse acúmulo? —

— Lindgard é um homem de natureza bissexual. Isso por si só já é uma fonte de conflito de personalidade. Ele havia sofrido emocionalmente quando seguiu seus instintos homoeróticos e teve uma relação amorosa que seu parceiro, Jespersen, não levava a sério e interrompeu sem qualquer motivo. Ele conseguiu dominar a infelicidade causada pela rejeição e voltou-se para o outro lado de sua natureza, o lado provavelmente predominante, formando uma ligação heterossexual pela qual, mais uma vez, assumiu uma responsabilidade séria. Mais ainda, por se tratar de uma relação com uma personalidade claramente neurótica, com complexas tendências autodestrutivas, de modo que, quando ele frustrava o que a ela parecia ser o direito de entregar-se a tais tendências, ela o punia com acusações e agressões mentais. Quando ele a viu tendo relações sexuais com seu ex-amante, sentiu-se emasculado por ambos. —

Este é o modelo de seu filho que foi montado, tal como um ser humano é representado por radiografias e imagens na tela de um scanner, pelo método dialético de um tribunal e pelo conhecimento de peritos no mistério do que é sentido e pensado e executado pelo modelo. Duncan, levado embora quando o juiz declara intervalo para almoço, é o duplo. Como podem perguntar a ele — isto é você, meu filho?

Quando saíam do tribunal, um homem pulava e acocorava-se à frente deles, um macaco amestrado com uma câmara fotográfica na mão. A foto que apareceu num jornal vespertino era também uma coisa que os montava, ambos, a partir de um kit de idéias preconcebidas: a mãe e o pai de um assassino.

As perguntas dirigidas pelo promotor ao psiquiatra de Motsamai, o psiquiatra da defesa, eram como o autoquestionamento deles dois. Seus comentários fluíam como a narrativa desesperada de suas próprias dúvidas. Então o tribunal deveria acreditar que o dia de inação no bangalô transcorreu no vácuo? O acusado afirma que estava apenas "pensando". É possível pensar sobre o *nada*? Não estava claro que o dia passado no bangalô só fazia sentido com uma única interpretação — a premeditação racional da intenção, ditada pelo ciúme, de enfrentar a vítima, para vingar-se, uma intenção que foi devidamente realizada? O acusado "deu por si no jardim"; não poderia ele ter ido à casa para ver de novo o sofá, a cena do evento ocorrido na véspera, em qualquer hora do dia? Por que motivo decidiu ir lá apenas numa hora em que sabia que a vítima já teria voltado do trabalho? Quanto ao uso da arma, o próprio réu afirmou em seu depoimento que não tinha familiaridade com revólveres; aquele era o único que ele já havia pegado. Como, então, poderia ele tê-lo usado de modo tão eficiente, verificando que estava carregado e engatilhado, se estava num estado de automatismo? Não foi obrigado a realizar atos racionais e calculados a fim de aproveitar-se da disponibilidade de uma arma que lhe permitiria executar sua intenção letal?

O que aquele homem estava dizendo, o que era que eles próprios, que o tribunal estava sendo levado a pensar? Que a defesa havia se prejudicado com o depoimento de seu próprio psiquiatra?

Não podiam pedir a Motsamai uma interpretação dessa inferência — um mau sinal, ou uma derrota disfarçada; ele estava ocupando sua posição diante do juiz, preparando-se para encerrar sua defesa.

Claudia viu Harald enfiar a mão no bolso do paletó e sacar um caderno no momento em que Motsamai levantou-se para falar. Não era o caderno pequeno, de capa dura, que as crianças usam na escola, nem o de capa de couro, gofrado, que vinha junto com uma esferográfica dourada, como o que o aguardava, já aberto sobre a mesa, nas reuniões da diretoria. Aquele caderno fazia parte da nova existência, mais humilde, que era a deles agora; o próprio Harald certamente o comprara pessoalmente numa papelaria: o tipo de coisa que sua secretária costumava fazer. Claudia teve a delicadeza de não olhar de soslaio para o que ele escrevia enquanto Motsamai falava; sentiu uma empatia amorosa por ele, como uma maré suave, presente, porém discreta, por trás da atenção com que ouvia cada sílaba pronunciada por Motsamai. Não apenas era a vez de Motsamai atrair a atenção; ele era, ele fazia de si, o foco de todo o tribunal. Sua presença afirmava que o tribunal estava a seu favor, aquele homenzinho de rosto enrugado como uma luva preta gasta, que mal parecia conseguir conter os olhos duros como vidro, brilhantes contra o fundo negro; com base em todos os anos que ele fora relegado ao Outro Lado da lei, ele afirmava o direito de assumir, com uma postura arrogante, a dignidade da lei.

— Diz-se que uma pessoa tem imputabilidade penal quando ela é capaz de perceber que o ato que está cometendo é errado, no momento em que o comete. Para avaliar essa capacidade, é necessário que se tenha conhecimento completo dos eventos e do estado mental conseqüente da pessoa antes de ela cometer o ato. Quais eram os eventos e o estado mental no caso de Duncan Lindgard?

Na noite da véspera, nas primeiras horas da madrugada, Lindgard está preocupado com a segurança da mulher que ele ama porque ela não voltou para o bangalô onde os dois vivem numa relação íntima. Agora eu gostaria de retomar rapidamente alguns aspectos desse relacionamento, porque são relevantes para o caráter, a natureza sempre amorosa, o senso de responsabilidade humana de Lindgard. Natalie James tentou o suicídio, tentou dar fim a sua própria existência, e Duncan Lindgard salvou-a. Foi graças a seus esforços desesperados que ela voltou à vida. Na época, ele não tinha nenhuma ligação emocional com ela, nenhuma relação sexual; mal a conhecia. A partir daí, nasceu um relacionamento, e Lindgard a acolheu em sua casa. Eles viviam juntos no bangalô no terreno de uma casa onde moravam três amigos de Lindgard, e lá formavam, tal como o réu declarou ao tribunal, uma espécie de família — não mãe e pai e filhos, mas adultos numa relação leal de amizade, em harmonia, os três homossexuais e o casal heterossexual. Lindgard não apenas trouxe Natalie James de volta à vida: como testemunhou um membro da suposta família, por amor a ela ele assumiu o ônus de ajudá-la a enfrentar os problemas de seu passado tumultuoso — o filho que ela tivera e entregara para ser adotado, bem como outros problemas de personalidade — e dedicou-se à tarefa de tentar ajudá-la a desenvolver seu lado positivo, o potencial que ele via nela e que era constantemente ameaçado por suas tendências autodestrutivas irresponsáveis. Durante o período de cerca de dois anos em que ambos coabitaram, ao que se sabe não houve nenhuma reação da parte dele às agressões mentais que Natalie James lhe infligia, bem como às diversas transgressões cometidas por ela que ameaçavam a relação, nenhuma reação que não tolerância paciente e disposição de ajudá-la. Durante todo esse período, nenhuma provocação dela jamais o levou a agir de modo violento. — Motsamai exibiu seu olhar ao público por um segundo, prendendo sua atenção, e em seguida voltou-se de novo para o juiz. — Com todo o respeito, meritíssimo, não estou querendo denegrir o caráter dessa jovem, porém apenas apresentar o contexto de preocupação que o acusado sentiu por ela durante aquela madrugada em que ela não voltou para casa. —

É difícil para Claudia, para Harald (que está a escrever, tapando a página com o punho cerrado), perceber a presença do juiz; ele está presente, como ela sabe que Harald acredita que Deus está presente, mesmo que não se tenha consciência disso.

A observação de Motsamai não deixou de capturar a atenção do público. — Duncan Lindgard vai até a casa, preocupado com a possibilidade de ela ter sido atacada por algum invasor no jardim escuro. O que ele encontra? A porta aberta, todas as luzes acesas e, no sofá, Natalie James e Carl Jespersen em pleno ato sexual. Com todo o respeito, meritíssimo, eles estão de tal modo envolvidos que nem sequer se separam de um salto diante da presença de Lindgard. Ah-hêh. O que faz Lindgard? O golpe é tão terrível, tão inacreditável, que ele foge. Mas por que motivo a cena que ele viu foi tão devastadora? Para qualquer homem, para qualquer mulher, ver seu parceiro ou parceira tendo relações sexuais com outra pessoa é um choque doloroso. Quanto a isso, não há dúvida. Mas o que chocou Duncan

Lindgard foi uma dupla traição de natureza abominável. Pois o que ele viu naquele sofá não foi apenas a infidelidade da mulher que ele amava, e sim o fato de que *o homem que estava tendo relações sexuais com ela era o mesmo com quem ele próprio tivera um breve relacionamento homossexual*, e que lhe causara sofrimento, no passado, quando rompeu o relacionamento de modo abrupto. Lindgard sabia perfeitamente que Jespersen não sentia desejo por mulheres — ele já relatou ao tribunal que Jespersen falava com repulsa, até mesmo com repugnância, sobre as características sexuais da mulher, seus órgãos genitais. O fato de Jespersen *conter* essa repulsa especialmente para realizar o ato com a mulher de Lindgard só poderia ter um de dois significados, igualmente horríveis: ou Jespersen sentia prazer em humilhar mais uma vez o homem que já havia rejeitado, ou então excitava-o a idéia de ajudar Natalie a realizar o impulso de aproveitar-se daquela maneira *requintadamente* cruel de humilhar e machucar o homem pelo qual ela sentia um ressentimento perverso por lhe dever tanto: sua própria vida. O que Duncan viu foi um ato tão *asqueroso* quanto a suas implicações que, como ele afirmou em seu depoimento sobre o dia em que passou no bangalô, pensando, nada podia ser feito a respeito do que ocorrera. Nenhuma ação seria apropriada para reagir ao que havia acontecido.

Ele passou o dia seguinte sozinho no bangalô, num estado de choque que não permitia qualquer resolução ou intenção. Sentia-se incapaz de formular qualquer sentimento com relação a Natalie James ou Carl Jespersen. Como afirmou um psiquiatra altamente experiente, houve uma sensação de irrealidade amnésica com relação aos dois. Ele não era capaz, ao contrário do que afirmou meu douto colega, de qualquer intenção de se vingar. E, como ele mesmo disse em resposta à pergunta de meu douto colega, o promotor: vingar-me de quê? Da traição dela? Da traição de Carl Jespersen? Da traição de James e Jespersen em conluio?

Ele havia passado o dia inteiro deitado na sua cama, incapacitado. Se o cão não o tivesse chamado à realidade por estar com fome, se ele não tivesse mecanicamente saído para dar comida ao cão, não teria permanecido em seu estado de isolamento até que alguém, talvez, viesse procurá-lo? Teria ele dado por si no jardim, que havia atravessado correndo, angustiado, na noite anterior, se não tivesse saído para dar comida ao cão? Mas o fato é que ele foi ao jardim, sim; e lá estava a casa onde ele vira o inacreditável acontecer. Ele foi ao lugar para colocar-se no ponto exato onde havia assistido à cena, para torná-la crível em seu estado de confusão mental. —

As rugas no rosto de Motsamai transformaram-se em cortes profundos. Ele respirou fundo, como pretexto para sua pausa calculada. Parecia estar testemunhando com seus próprios olhos o que passava em seguida a relatar.

— O que vê ele? O homem, Carl Jespersen, refestelado naquele mesmo sofá. Tomando seu drinque preferido. Jespersen sorri. Chama Duncan Lindgard, o amigo, o ex-amante cuja mulher ele seduziu diante de seus olhos — chama-o de *bra*, irmão. Então passa a monologar, assumindo um tom jocoso, de um homem vivido dirigindo-se a outro. É este, para ele, o contexto em que o "incidente", a cópula que não pôde nem sequer ser interrompida, que foi concluída desavergonhadamente na presença de Lindgard, deve ser encarado, compartilhado, por Lindgard. Por que você não toma alguma coisa?, sugere ele. Isso, vamos beber ao que aconteceu, irmão. O que aconteceu ontem à noite não foi *nada*. Foi uma brincadeira grotesca!

Será este choque menor do que o causado pela própria cena de sexo?

O espetáculo que se oferece a Lindgard agora é o ápice de um estresse emocional total. Há uma arma na mesa. A arma se oferece. Ele não sabe se ela está ou não carregada. Ele a pega e atira em direção ao alvo que não pára de zombar dele. O que ele chama de "ruído" cessa. É assim que ele se dá conta de que deu um tiro em Carl Jespersen.

Com sua permissão, meritíssimo, repito a definição de imputabilidade penal. Diz-se que uma pessoa tem imputabilidade penal com relação a um ato quando ela é capaz de perceber que o ato que está cometendo é errado, no momento em que o comete. A ausência de imputabilidade penal, sem ser em conseqüência de insanidade nem de imaturidade, é em princípio reconhecida pela lei com relação, entre outras coisas, à provocação — Vossa Excelência verá no meu arrazoado que cito o caso Campher, 1987 — e estresse emocional — eu citaria o caso Arnold, 1985.

Tudo o que se refere ao comportamento geral atestado do réu quando adulto, seu senso de responsabilidade moral, cristã e humanista, que lhe foi inculcado pelos pais desde a infância, é contrário à realização de qualquer ato de violência. Então ele não foi provocado além do ponto em que é racionalmente possível manter o controle quando viu uma arma a sua frente e a pegou? Em suma, o acusado sabia o que estava fazendo? Duncan Lindgard tinha imputabilidade penal?

Afirmo, meritíssimo, que não. —

A voz do juiz, um murmúrio discreto, não obstante tem autoridade suficiente para deter Motsamai, mais que interrompê-lo. — Senhor Motsamai, sua alegação é de insanidade mental? —

— Não, meritíssimo. —

— Insanidade temporária? —

— Não. O réu é um homem mentalmente são, cuja ausência de imputabilidade penal foi causada por uma tempestade de estresse emocional durante a qual ele não podia ter consciência de que seu ato era errado, por não ter consciência de qualquer intenção de cometê-lo. —

— Qual a diferença entre isso e insanidade temporária? — *Seu filho não é louco.*

Mas para Harald e Claudia talvez o juiz tenha razão; a loucura — talvez esse distúrbio seja a explicação que seu filho jamais lhes deu. Nem mesmo o que ele disse no tribunal foi o que eles queriam — parecia uma repetição, como se a voz de Motsamai, com suas ênfases oriundas de seu idioma africano, fosse uma transmissão de rádio a se impor: a presença de Duncan interrompe, *não foi assim, não foi exatamente assim.* Ninguém ali sabe. Talvez exista mesmo uma freqüência, que parte de onde ele está sentado, virado não para eles, diante do juiz.

— Perda do autocontrole como incapacidade de ter consciência de estar cometendo um erro, meritíssimo, e não como incapacidade de distinguir o certo do errado. Essa é a diferença. —

Harald sentiu a cabeça de Claudia perturbar o espaço entre eles, fazendo que não com a cabeça; sim, a resposta de Motsamai não parece ser um de seus momentos mais brilhantes. E talvez ele estivesse mesmo errado; insanidade temporária, alguma coisa no cérebro de Duncan que sempre estivera lá, o mistério que é o outro indivíduo, mesmo aquele que nasceu de sua própria carne? Claudia fez menção de cochichar algo, mas Harald levantou a mão da caneta; o desânimo não admitia palavras, era como se o aquecimento do ar naquele espaço lotado fosse gerado entre Harald, Claudia e seu filho, impondo-se a todos.

— Duncan Lindgard não teve qualquer intenção de matar Jespersen. Não houve premeditação. Ele não tinha e não tem imputabilidade penal de cometer tal ato. O ato foi causado por uma provocação numa situação de estresse emocional grave, na ausência de imputabilidade penal. Sua confissão, seu histórico pessoal e seu depoimento constituem provas indisputáveis disso. —

— O senhor concluiu, senhor Motsamai? —

— Obrigado, meritíssimo. Está concluída a argumentação da defesa. —

O juiz levantou-se, a sessão foi suspensa. O público animou-se, como num final de ato no teatro; depois voltariam. Nos corredores, Motsamai voltou a ser Hamilton e pôs uma mão no braço de Harald e outra no de Claudia, puxando-os para junto de si. Havia nele a animação abstraída que ele manifestava quando voltava a sua sala depois do almoço. A coisa está indo bastante bem, disse ele a seus confidentes, deixando o assistente da defesa, Philip, o amigo, parado a seu lado com uma pilha de documentos nas mãos. Eles não lhe perguntaram nada sobre a questão da insanidade, a questão de — como chamá-la?

Nas suas mãos.

Nós dois não vamos mais chamar nenhuma testemunha, disse-lhes ele, com uma pausa e um dar de ombros cujo sentido era: para mim, está bom assim. Nós? Ele estava com pressa para reunir-se com seu assistente. Após despedir-se dos dois, eles o viram saudar seu adversário, o promotor; os dois homens de beca fizeram uma pausa, o braço de Motsamai pousou rapidamente no ombro do outro; eles sacudiram a cabeça em comentário a algum assunto, riram juntos, cada um foi para um lado.

Então era tudo uma representação, para eles, para o juiz, os assessores, o promotor, até mesmo Motsamai. A justiça é uma representação.

Enquanto perambulava pelos corredores com Claudia, Harald colocou algo de volta no bolso. Era o caderno que ele encontrara e pegara na mesa de cabeceira, no bangalô.

Amanhã tudo estará terminado. Amanhã será o dia do veredicto.

Nós. Motsamai e o promotor — os dois decidiram não exigir mais provas, nem para agravar nem para atenuar. Em comum acordo; tomando chá juntos: Harald não duvida disso nem um pouco. Esse tipo de pensamento tinha de ser reduzido ao mínimo.

Para ele, existe um outro tipo de prova: a ausência de qualquer coerência, nos dois adversários, com os ataques que um desfecha ao outro no tribunal. Claudia não acha nada surpreendente aquela camaradagem profissional entre eles quando não estão diante da autoridade externa do juiz; ela sabe que para se fazer bem um trabalho deve-se concentrar no processo, sem deixar que sentimentos pessoais sejam envolvidos. Vão para um café com Khulu, e conversam sobre esses assuntos com tranqüilidade, fazendo longas pausas, enquanto Khulu se ausenta para comprar um jornal.

Acho que o juiz ficaria irritado se o advogado demonstrasse apego emocional a um cliente. Talvez até mesmo inclinado a encarar com ceticismo a argumentação de uma pessoa suspeita de ir além de seu compromisso profissional de defender. Afinal, eles têm de defender qualquer um. Todos têm o direito de ser defendidos, não é? Nós sabemos disso.

Então o Hamilton não se importa com o que vai acontecer a Duncan. A não ser seu interesse em ganhar a causa. Amanhã ele e o promotor trocam um aperto de mãos no final da partida, independentemente de quem tiver ganhado.

Ela pôs mais chá na xícara dele; também eles dois discutem a vida de Duncan em torno da mesa de chá. Depois de algum tempo, vendo que Khulu estava voltando, ela acrescentou, falando depressa:

Ele se importa, sim. O Hamilton. Não é possível você não

acreditar nisso. Harald? Ele já demonstrou para nós. Para nós. Mas o tribunal não é o lugar, lá, não.

Khulu exibia o jornal, assinalando sua volta. Ela o via percorrer um labirinto entre mesas.

E aquele é outro que se importa. Quem poderia imaginar que ele seria a pessoa a entender que precisamos de alguém conosco todos os dias, e ele acabou sendo a única pessoa que queremos.

Claudia receitou um sonífero para si própria e deitou-se.

Sozinho na sala, Harald pegou o caderno e acrescentou, refletindo, detalhes do julgamento. Não sabia qual o objetivo daquelas anotações. Ele se fez essa pergunta quando sua atenção desviou-se e acabou fixando-se num vaso com flores murchas; a única resposta era a que fora dada pelo homem, por Khulu. *Eu não entendo o assassinato*. Tentou achar um sentido prático para aqueles apontamentos; se fosse necessário apelar da sentença, ele poderia relê-los para saber quais tinham sido as suas impressões do modo como as provas que haviam levado à sentença (Duncan não esperou pelo julgamento; só está em jogo o grau de culpa, esse jogo de palavras com a culpabilidade, é com isso que Hamilton Motsamai está contando) foram recebidas pelo juiz lacônico, os assessores mudos, os advogados, até mesmo as funcionárias, aquelas moças indianas e africânderes que haviam penetrado num mundo masculino, e também os manequins da lei, os policiais imóveis, dos quais não emanava nenhuma presença humana. Até mesmos os corpos amontoados em torno de Claudia e dele — suas reações. Porque todos ali são calejados, entendem bem para que lado estão caminhando as coisas num julgamento, e certamente reconhecem sinais que ele e Claudia não percebem ou não sabem interpretar.

Ou talvez seja algo mais simples: o lugar apropriado para as coisas que ele está anotando é mesmo aquele caderno onde Duncan havia escrito aqueles comentários que ele, Harald, leu contrariando seus próprios códigos de comportamento. Provavelmente vai ser guardado dentro do armário na caixa onde ficara por tantos anos a carta escrita pelo menino no colégio interno.

A palavra *representação* a toda hora vem à tona. Harald vê que anotou o seu nadir: A justiça é uma representação. Que anotou um comentário sobre a "representação" de Hamilton como autopromoção; e depois a frase da moça citada por Khulu Dladla — que Duncan queria que ela "representasse a vida dela para ele". Ligou a televisão para não se deitar e depois não conseguir dormir (ele não aceita o tranqüilizante ou sonífero receitado por Claudia, a qual pensa com seus botões que ele é dessas pessoas que têm a felicidade de serem disciplinadas o bastante para ter um instinto inconsciente que as faz perceber a presença em si próprias de algo capaz de levá-las à dependência química), mas o que encontrou eram apenas mais representações, um concurso de conjuntos de rock num canal e um seriado cômico numa língua que ele não entendia em outro.

Ligou o rádio, com o caderno à mão. Era um daqueles programas sobre assuntos de interesse público em que os ouvintes telefonam para a emissora para pronunciar-se a respeito do aborto, dos preços dos supermercados, do controle da população de elefantes — os circos fornecidos pela democracia para que os que têm pão, mas sabem que não é verdade que qualquer um possa se tornar presidente, que tenham oportunidade e reconhecimento para ao menos ouvir sua própria voz emitindo opiniões ou externando frustrações para o público. Mas os ouvintes que telefonam para a estação se perdem em digressões, não sabem exprimir-se (normalmente ele desliga o rádio na mesma hora), por vezes manifestando impulsos profundos que se ocultam por trás da conformidade ao *ethos* da época e do lugar. A Pena de Morte: era esse o tema debatido pelos cidadãos ávidos naquele espaço de democracia radiofônica que lhes era oferecido. Mas a Pena de Morte vai ser abolida! Motsamai, o doutor Sabe-Tudo, não tem dúvida quanto a isso. Será demonstrado que ela é uma violação da constituição; não há possibilidade agora de que Duncan — Deus nos livre, e certamente Ele nos livrará — seja condenado à morte pelo que cometeu, seja lá por que motivo ele o cometeu — não é?

Isto aqui é um país civilizado agora, e o Estado não comete assassinatos. Porém Harald, olhando fixamente para as flores que já deveriam ter sido jogadas fora, escuta os ouvintes pronunciando-se a favor da pena de morte, do enforcamento, as madrugadas diante do carrasco em Pretória. Eles querem, continuam querendo, estão dispostos a pedir pelo rádio, para que os ouçam todos, o presidente, o ministro da Justiça, o Tribunal Constitucional — querem olho por olho, cadáver por cadáver, assassino por assassino. E, indignados, gaguejando, proclamam o inegável: a satisfação que sentem, a única reconciliação que lhes é possível, está na execução daquele que matou um dos seus, ou cujo exemplo ameaça outras vidas. Suas vozes, transmitidas pelo telefone até o estúdio, sua verbosidade contida pelo apresentador condescendente — para elas, a Pena de Morte não pode ser abolida. Elas — as pessoas que se manifestam fora dos portões do condomínio fechado, da prisão onde Duncan aguarda o veredicto —, elas já o condenaram à morte mentalmente, qualquer que seja a sentença que venha a ser determinada pelo juiz, independentemente de todas as circunstâncias atenuantes que possam vir a ser apresentadas por Motsamai, com base em seu conhecimento, sua esperteza, sua experiência. Nas ondas do rádio, pedem um referendo; são elas, e não o Tribunal Constitucional, que deverão representar o Juízo Final para assassinos como Duncan. E, com ou sem referendo, Harald ouve e sabe, seu filho, o filho de Claudia, que já dorme, arcará com esse julgamento até a morte. A maldição foi lançada sobre ele, mesmo que a lei não a cumpra.

Isto não é representação; é realidade.

Ela virou-se na cama e foi acordada pela sensação de que havia um vazio ao seu lado; tateando, encontrou o relógio de pulso. A mensagem luminosa: já passam das duas. Tal como Duncan, ela levantou-se para procurar a pessoa que faltava. A porta do banheiro do que, segundo o folheto de promoção da brochura, seria a suíte master da casa estava semicerrada; ninguém lá dentro. A sala estava escura e silenciosa. Ela seguiu pelo corredor, cuidadosa, como se preparada para encontrar um intruso. No segundo banheiro Harald estava deitado, adormecido, dentro da banheira, a cabeça apoiada na beira; mas seu corpo, para Claudia, é o corpo de um afogado.

Motsamai garantiu também a seu cliente, o réu: amanhã termina. E a coisa está indo muito bem: ele está confiante. Os colegas que estão acompanhando o caso falam em dez anos, e é claro que ainda pode haver diminuição da pena. Mas ele, Motsamai, acha que deve ter conseguido reduzir a sete; há uma boa probabilidade. E depois, com a diminuição... A melhor maneira de falar com Duncan, ele sabe, é tratá-lo como se fosse um colega de profissão e os dois estivessem discutindo o caso de um cliente que interessa a ambos. É desta maneira, ele percebe, que aquele rapaz profundamente angustiado consegue sair-se melhor; porém Motsamai não consegue conter-se e repete, falando mesmo como se conversasse com outro advogado: — Muitíssimo bem, principalmente o interrogatório da moça. —

Foram todos embora para aguardar o dia seguinte, quando tudo estará terminado para eles: seu pai, sua mãe, Khulu — o filho por procuração que, Duncan vê, senta-se ao lado deles, onde ele, Duncan, não pode ficar —, Motsamai, o juiz, as funcionárias com os cabelos caindo nos braços enquanto digitam nos processadores de texto, os rostos dos espectadores de sua vida; foram todos para casa. Sozinho. Seus pais, seu amigo Khulu (só agora ele se dá conta de que aquele era seu único amigo verdadeiro em toda a casa) sentem-se culpados por deixá-lo sozinho, principalmente agora, Duncan sabe, mas assim mesmo fica aliviado quando eles vão embora.

Pois então Motsamai, bancando o pai quando o pai não pode agir, salvou-o, sacrificando a moça. Natalie/Nastácia. Ele a abriu e desmascarou, dissecou seu útero com uma criança dentro, exibiu para todos sua mente, seus motivos, seu corpo, cuja força, e cujas contradições, o homem que a ama conhece melhor do que ninguém. Quem recolocará seus pedaços de volta? Ninguém. Motsamai está confiante; dessa vez foi ela que o salvou.

Durante a noite, ele não sonhou em sua cela, e sim viveu uma fantasia, acordado. Dez anos, sem redução, ou quantos anos forem, ele sai da prisão, piscando, vendo o sol, a cidade. Alguém aponta para uma criança. É uma menina, parece com Natalie/Nastácia. Não, é um menino, parece conosco, Carl e Duncan.

Motsamai está com um terno particularmente bem talhado, a lã densa de seus cabelos foi aparada, a barbicha de chefe africano do século XIX foi penteada de modo a ressaltar sua mobilidade enfática quando ele fala; assim, também, os colegas de trabalho de Harald tomam precauções com a aparência no dia de uma reunião importante.

Motsamai estava à espera de Harald e Claudia nos corredores cujos tetos altos aprisionaram os ecos de tudo o que eles ouviram no tribunal nos últimos dias. Caminhou a seu lado com passos tranqüilos em meio ao afã de funcionários e mensageiros e pessoas zanzando de um lado para o outro à procura deste ou daquele julgamento. Quando encontrou um pequeno espaço para eles, parou. — Você está bem, Claudia? Espero que tenha dormido bem, Harald. Eu? Ah, eu sempre durmo, quando consigo finalmente ir para a cama depois de me preparar... Ah-hêh. Hoje. Escutem, entrei num acordo com o promotor e vocês podem falar com o Duncan no intervalo do almoço. Vocês sabem — vai ser depois que tudo estiver concluído na parte da manhã. Acho que o veredicto, mesmo, só deve sair à tarde. De modo que vocês vão poder estar com ele. Antes do pronunciamento. —

Quem se vê frente a frente com a justiça — não pode desviar a vista, não é possível qualquer saída com base em costumes, classe ou privilégio — compreende: os advogados de defesa e os promotores fecham um acordo razoável a respeito do preço de um assassinato. Para Harald — foi isso que foi acertado. O douto colega de Motsamai, o promotor, está satisfeito por ter conseguido o máximo possível. Quanto a Motsamai — ele chega mesmo a fazer uma balança com as mãos: menos mal. — Os juízes são pessoas suscetíveis. Ah-hêh. Sabe como é, não é? Eles se cansam como nós — quando a gente insiste depois que eles já chegaram a uma decisão. Chega um momento em que... vocês entendem? Ele se reúne com os assessores e sai o veredicto. Não adianta mais provas — não vai mudar nada. Nós já causamos nossa impressão com as testemunhas, os interrogatórios. Não quero insistir para não ser contraproducente. Quanto à sentença — é outra história. (Usa a expressão com duplo sentido, uma sofisticação verbal, dando a entender que não apenas é outra questão, mas também é algo de excepcional.) Disso eu cuido hoje à tarde. —

Durante os resumos, os dois são acompanhados por Khulu. O promotor e o advogado de defesa sumariam um de cada vez, com vigor e convicção sucintas, o que já apresentaram antes, as provas que arrancaram, cada um conforme seu objetivo e conforme sua capacidade, do réu e das testemunhas durante a fase dos depoimentos e interrogatórios.

Duncan é um homem fanaticamente possessivo que, movido pelo ciúme, premeditou sua vingança contra Carl Jespersen, que tivera relações sexuais com sua amante, Natalie James, e, tendo perfeita consciência da situação, em atitude dolosa, com imputabilidade penal, aproveitou-se da arma que tinha à mão e deliberadamente atirou no homem, mirando num ponto que sabia ser fatal, a cabeça.

Harald, Claudia e Khulu acompanham a exposição, compreendendo apenas aqueles termos-chave pronunciados pelo rosto do promotor, que adota para este fim a expressão de samurai: imputabilidade penal, pleno gozo das faculdades mentais, perfeita consciência. Esses termos compostos pegam fogo, como palavras numa coluna de jornal ardem juntas numa chama. Com uma atenção única, eles mal conseguem ouvir a sentença que conecta as expressões, mal captam o sentido do longo discurso do promotor. Esses termos legais, definidos nas obras de referência que tanto o advogado de defesa quanto o promotor têm em suas mesas, é que vão decidir o destino de Duncan. Quando é a vez de Hamilton, de Motsamai, os três passam a ouvir com três atenções separadas de novo, cada um escutando, com um acompanhamento silencioso diferente na cabeça, com base em concepções diferentes da pessoa de Duncan, cada palavra, cada detalhe, cada nuança do que Motsamai está dizendo.

Duncan é um homem totalmente desprovido de instintos violentos, como mostra seu histórico, um homem que teve todos os desvelos para com uma companheira mentalmente agressiva. Como ele sabia muito bem, não havia possibilidade de um envolvimento amoroso entre o homem com quem tivera um relacionamento homossexual e a mulher a que se dedicava com tanto amor. Assim, não houve premeditação, movida pelo ciúme, de um ato violento ou qualquer outro ato voltado contra o homem. O que ele viu diante de seus olhos na noite de dezoito de janeiro foi um espetáculo desavergonhado de exibicionismo sexual grosseiro representado por essas duas pessoas. Qualquer homem violento teria agredido Jespersen na mesma hora, não era verdade? Ele próprio o teria feito. Duncan Lindgard não atacou Jespersen no momento, como sem dúvida teria feito se tivesse quaisquer instintos violentos. Passou todo o dia seguinte incapacitado pelo choque e pelo sofrimento, não podendo nem sequer ir ao trabalho. Quase sem poder acreditar no que tinha visto, voltou à casa apenas para olhar novamente o lugar do ocorrido. A presença inesperada de Jespersen no exato sofá onde ele presenciara o espetáculo degradante, a incrível falta de vergonha de Jespersen, para quem o que acontecera podia simplesmente ser posto de lado por homens que eram *irmãos*, que haviam até mesmo sido amantes, tomando um drinque juntos — este foi um segundo choque terrível que se acrescentou ao primeiro. Um choque tão grande, que equivale a um golpe físico na cabeça, como atestam os psiquiatras, teve o efeito de produzir um branco.

Uma interrupção parte de uma das duas presenças, o coro grego de assessores esquecidos em torno da divindade do juiz; o assessor branco pergunta: O que é isso? O senhor já usou essa expressão antes. É um desmaio?

— O que é um branco? Não é um desmaio, o estado em que o indivíduo perde a consciência. É o estado em que o indivíduo sofre a perda do autocontrole, uma perda em que ele se torna incapaz de agir de acordo com a consciência do certo e do errado, um estado de inimputabilidade penal. Foi nesse estado que, como resultado da provocação e do estresse emocional grave, Duncan Lindgard pegou a arma que estava à mão e calou com um tiro o homem que o atormentava. —

Ninguém — Harald, Claudia, Khulu — Duncan? — o que estaria Duncan procurando nele? — ninguém fazia idéia de quais seriam as reações do juiz, olhando para aquele rosto ligeiramente inclinado sobre os papéis que pareciam estar sendo organizados sob suas mãos precisas. Talvez (é o que pensa

Harald) ele já tenha se decidido a respeito do veredicto há muito tempo, como julga Motsamai; ou talvez esteja saindo com seus dois assessores, que o acompanham durante o intervalo do almoço como cães de estimação, para decidir com eles o que foi que Duncan realmente fez quando matou um homem com um tiro na cabeça. Pois para aqueles que assistem a um julgamento fica claro que não existe um simples ato de assassinato. Matar é apenas o ato definitivo que decorre de muitos outros a seu redor, atos de palavras ditas, pressuposições feitas, cópulas e, em torno de tudo isso, assaltos nas ruas.

Motsamai não lhes faz nenhum comentário, fundado em sua experiência, sobre o que ele imagina a respeito da reação do juiz com relação a seu resumo e ao do promotor, e Harald e Claudia têm a impressão de que não é o tipo de coisa que se possa pedir-lhe. Seria como questionar sua eficiência; fazê-lo sentir, por fim, o peso deles em suas mãos. É com ar de doutor Motsamai mais do que de Hamilton que ele os leva, por fim, a algo que os dois jamais viram antes, uma cela. Não é exatamente a cela para onde Duncan é conduzido depois que eles o visitam no parlatório, e sim uma cela debaixo da sala do tribunal onde ficam os prisioneiros durante os intervalos do julgamento.

Corredores e escadas e portas abertas por carcereiros com chaves que pendem de braceletes. É uma espécie de porão, e num canto, atrás de uma parede à altura do joelho, há uma pia. Algumas cadeiras de madeira com números escritos a giz. Um prato de comida no assento de uma delas. Duncan, o filho, está em pé, com um copo de água na mão; procura um lugar para colocá-lo, equilibra-o contra o prato. Abraça a mãe, o tipo de abraço que sempre lhe dava quando ia almoçar com ela, e depois aperta o pai contra si; o contato de sua barba contra o queixo e a orelha de Harald é uma sensação estranha para ambos.

Motsamai deixou-os a sós; a presença de carcereiros, policiais, há muito já deixou de ter importância para eles. — Ele está confiante no resultado. — Claudia é a primeira a falar. Mas o que significa isso, confiante? O sorriso suave de Duncan diz que ele não precisa do juiz para lhe dizer que ele fez o que fez.

— As circunstâncias. — Harald não consegue referir-se de modo explícito a tudo o que foi feito com Duncan e tudo o que Duncan fez, mas quer levar até eles três a segurança dessa concessão da justiça — as circunstâncias atenuantes; a salvação veio do alto na forma dessa transigência prática.

— Seja como for, ainda bem que isso está acabando para vocês dois. É tempo de vocês voltarem ao trabalho, não há dúvida. Retomar as coisas. —

Harald não quer que o imaginem numa reunião da diretoria; ele está aqui numa cela, para ver seu filho. — O que você achou do Motsamai, do modo como ele agiu, foi como você esperava? Não consegui fazer idéia do que você estava achando. —

— Deixei tudo por conta dele. Menos na hora em que eu mesmo estava depondo. Aí eu disse o que tinha de dizer, só isso. O resto é obra dele, as decisões todas. —

— Que bom que você confia nele. É tanta coisa que é difícil para pessoas como nós compreender — quer dizer, o processo. —

Ele não pode perguntar ao filho a respeito da questão central na qual eles não conseguem deixar de pensar — o interrogatório da moça feito por Motsamai. O que pode ser crucial para o veredicto, o que Motsamai fez com aquela moça — como ele se sente vendo Motsamai usar daquela maneira Natalie, a quem ele amava — ama? Ela ficou com Duncan porque ele era "mais terrível que a água", está no caderno — só Harald e seu filho sabem disso, Harald pensava às vezes, no gabinete de

Motsamai, que devia mostrar-lhe o caderno, mas, como seu filho não sabia que ele o havia roubado, deixou que o assunto ficasse só entre ele e Duncan. Agora o filho é obrigado a ver, ladeado por carcereiros, seu advogado destruí-la porque ele fez, sim, algo mais terrível, muito mais terrível que a decisão dela de afogar-se, ele destruiu uma vida que não era sua. Por causa do que viu no sofá naquele noite, teria ele gostado de vê-la sujeita às táticas de Motsamai? *Deixei tudo por conta dele*. Haveria agora uma nova solidão, um novo sofrimento acrescido a todos os outros que já o torturavam, rancor dirigido ao homem que destruiu Natalie/Nastácia, revolta contra o homem em cujas mãos ele se encontrava, ninguém mais pode fazer nada por ele, nem mesmo os pais que fizeram a promessa de estar sempre a seu lado? Por dentro, Harald gritava raivoso com seu Deus: então os sofrimentos do meu filho não terminam nunca?

— O Motsamai lhe disse alguma coisa sobre o que deve acontecer? — Claudia pergunta isso porque no fundo não consegue acreditar que vai mesmo haver um veredicto naquela tarde, e então na manhã seguinte será pronunciada uma sentença, o juiz e seus assessores vão se instalar de novo em suas cadeiras e ela vai ouvi-lo fazer seu pronunciamento.

— Disse, sim, nós conversamos. Espero que ele tenha falado também com você e o papai. —

Harald respondeu: — Ele falou. Mas, é claro, é só o que ele imagina, quer dizer, com base em algum precedente. O tempo todo, não houve nenhum sinal do que o juiz estava concluindo a respeito de alguma coisa, nem mesmo quando ele interrompia ou criticava algo — tentei adivinhar se ele estava bem impressionado, cético, o que fosse. Mas eles são mestres absolutos da voz neutra e do rosto inexpressivo. —

— Como a cara de um negociador durão, que nem esses que você está acostumado a ver lá na diretoria, papai. —

Ele os obriga a sorrir.

— O Khulu mandou saudações — uma mensagem. Está com você, Harald? —

Harald escreveu o que Khulu ditou, numa página arrancada do final do caderno: UNGEKE UDLIWE UMZWANGEDWA SISEKHONA. Ele entrega o papel a Duncan.

— Você entende? —

— Em linhas gerais. Peguei um pouco de zulu com ele. —

— O que quer dizer? Você sabe, ele está com a gente quase o tempo todo. —

Duncan não responde à mãe de imediato, não por vacilar ao traduzir o texto, mas porque seu significado é algo que é difícil de dizer naquela hora, na presença deles dois.

— Algo assim como — você nunca estará sozinho, porque nós estamos sozinhos sem você. —

O texto fala por eles, pelos pais, não há mais nada a dizer. Apegam-se ao resto do tempo precioso que têm com o filho numa conversação superficial, um composto de questões que nada significam para nenhum dos três, algo que ao menos impede uma queda abrupta.

Quando chegou a hora de recomeçar o julgamento, um dos carcereiros, um jovem africânder, saiu com eles e virou-se para olhar para Duncan. — Ele devia comer alguma coisa, madame. Não é bom ficar de barriga vazia. A sua mãe quer que você coma alguma coisa, rapaz. —

Não há, jamais houve, silêncio igual ao silêncio de um tribunal no momento em que o juiz levanta a cabeça para pronunciar sua decisão. Cessa toda e qualquer outra comunicação, dentro e fora; tudo termina.

Esta é a última palavra.

Ela está sentada sobre as mãos, presas debaixo das coxas, como em reconhecimento da irritação que ele teve de conter, neste lugar, nos últimos dias, por vê-la constantemente passando a unha do polegar sob as unhas de cada um dos outros dedos. Khulu está com eles. Khulu está sentado do outro lado dela.

E a escuridão desceu sobre a Terra.

Todos os três estão naquele estado de concentração intensa que, como ele, o marido dela, tentou uma vez explicar a Claudia, é a definição de prece dada por Simone Weil. Ele não sabe se está rezando; para ele, tudo está em dúvida. O que estará o hábito pedindo com aquela prece — doze anos pode ser o máximo, dez é provável, Hamilton diz sete, oito é a leniência esperada — é o que está implícito — como selo do triunfo da defesa.

Ele/ela. Agora não olham para o filho. Não há olhar capaz de chegar até ele; a distância entre a platéia e o banco do réu não é a única que o afasta deles, naquele espaço fechado dentro da vivência do mundo que têm todos os outros — seus pais, seus amigos, o mensageiro Verster, a mulher que sabe que todos nós somos criaturas de amor e mal estão entre eles. Até mesmo Motsamai já encerrou seu vínculo com ele; qualquer que fosse esse vínculo, o auxílio que ninguém, ninguém mais, podia lhe dar, em breve será transferido para o próximo cliente.

O juiz não tem pressa. Não pode haver nenhuma precipitação na lei. Doze anos, se forem mesmo doze anos, não há pressa para decidir um veredicto quando a pena demorará tanto tempo para ser cumprida.

A sentença começa a ser contada a partir do momento em que o veredicto é pronunciado, como o bater de um relógio que assinala uma nova hora que se inicia? Nosso Senhor Jesus Cristo! Como é humilhante passar todo esse tempo na condição de ignorante, aparentemente imune do contato com os processos seculares de crime e castigo! Só entender de pecados que são absolvidos por um dos servos de Deus, pela manhã, na confissão. Com grande esforço, ele toca no braço dela, e ela retira a mão debaixo do peso de seu próprio corpo, de modo que ele a pega. Ela soltou a outra mão, também. Lindgard percebe que Khulu olhou de esguelha para ele, para ela. Vê a mão de Khulu tomar a outra mão de Claudia.

O juiz procura por algo nos desvãos de suas vestes; era um lenço. O juiz assoa o nariz, enfiando o pano numa das narinas; limpa os cantos da boca, guarda o lenço.

O juiz olha mais uma vez para a platéia, e começa a falar.

— O réu, Duncan Peter Lindgard, é acusado de assassinato, por ocasião da morte de Carl Jespersen, que residia com ele numa propriedade compartilhada por vários moradores. O réu declara-se inocente fundamentando-se na defesa de ausência de imputabilidade penal, definida como incapacidade temporária não patológica. —

Nosso filho não é louco.

— Exige-se de um réu que alega causas não patológicas como fundamentação para a defesa de inimputabilidade penal que estabeleça um fundamento factual suficiente para que o tribunal decida a questão da imputabilidade penal do réu pelos seus atos com base nas provas periciais e todos os fatos relevantes, inclusive a natureza das ações do réu durante o período relevante para o suposto crime.

A defesa alega que, devido a um excesso de estresse e provocação, ele foi incapaz de formar a intenção necessária para cometer o suposto crime; incapaz de avaliar o caráter reprovável de seu ato ou atos segundo uma tal avaliação, e incapaz de assumir uma atitude dolosa. —

Há algo de salutar, de necessário, para Harald e Claudia, talvez até mesmo para seu filho, naquela enumeração seca dos fatos que, dentro de cada um deles, foram desfigurados pela emoção e tornados incompreensíveis pelo sofrimento.

— Os principais acontecimentos da noite de quinta-feira, dezoito de janeiro, foram estabelecidos com base em provas que ou são aceitas por ambas as partes ou não envolvem nenhuma disputa séria. Houve uma festa com a chegada de amigos dos moradores da casa principal da propriedade, David Baker, Nkululeko Dladla, Carl Jespersen, e os moradores do bangalô existente na propriedade, Natalie James e o réu. O réu e Natalie coabitavam como amantes heterossexuais, os três homens da casa eram homossexuais, sendo que Baker e Jespersen formavam um casal. Antes de seu relacionamento com Natalie, o réu tivera um relacionamento homossexual com Jespersen que, no entanto, parece não ter afetado os fortes laços de amizade, o convívio amistoso dos cinco indivíduos no que praticamente constituía um domicílio único. —

E, ao fazer a afirmação seguinte, o juiz levanta a vista, ergue a cabeça, dirigindo-se diretamente à platéia, pela primeira vez.

— Tinham em comum até mesmo uma arma, a qual sabiam usar. —

É o primeiro indício de uma atitude pessoal em relação ao caso. O contexto do caso. Ele se permitiu um breve comentário irônico dirigido àqueles que, como o pai do réu, são sofisticados o bastante para interpretá-lo como um dar de ombros exprimindo reprovação do domicílio que ele acaba de descrever, de modo desapaixonado e sem manifestar preconceitos quanto a comportamentos sexuais. A importância da arma compartilhada ("até mesmo") como símbolo das relações comuns intercambiáveis na casa capta a atenção de Harald como algo que ele deveria ter investigado, que ele sempre quis investigar mas agora é tarde, agora não, porque cada palavra pronunciada por aquele homem representa um progresso seletivo no discurso do julgamento, é preciso acompanhá-lo, ler entre as linhas (ler seus lábios, sua intenção) e ao mesmo tempo não perder uma só palavra. Harald quer ressaltar para Claudia e Khulu essa atitude do juiz que foi propositadamente expressa de passagem, mas não há tempo sequer para alertá-los com um olhar.

— Quando a festa terminou naquela noite e os convidados foram embora, acompanhados por Nkululeko Dladla, David Baker recolheu-se a seu quarto e o réu foi para o bangalô, após uma discussão acalorada com Natalie, que ficou na casa, oferecendo-se para ajudar Jespersen na arrumação e na lavagem dos pratos. —

Agora ele capturou sua platéia. Para todos aqueles outros dispostos em torno dos pais e de seu filho substituto, Khulu, eis aqui um drama diretamente dirigido a eles. Todos já viram alguns dos personagens em carne e osso, ali mesmo, no banco das testemunhas. Eles são convidados a compartilhar do direito de familiaridade que o juiz se arroga ao referir-se a uma das protagonistas não como faz quando se refere aos homens, pelo sobrenome, porém simplesmente como "Natalie", por se tratar apenas de uma mulher. Se Claudia está lendo os lábios do homem que fala de sua cadeira, sua atitude machista é apenas um aparte que não tem qualquer importância hoje; ou talvez, para ela, aquela vigarista não mereça respeito de ninguém, mesmo.

— Cerca de duas horas depois, o réu despertou no bangalô e viu que Natalie não havia voltado. Preocupado com sua segurança, porque ela teria de atravessar o jardim de madrugada, ele foi à casa, quando então encontrou Natalie e Jespersen em flagrante delito, realizando o ato sexual no sofá da sala. Eles perceberam sua presença, porém o réu não os enfrentou. Ele voltou ao bangalô. Natalie não foi para o bangalô, e sim pegou seu carro e foi embora. —

Durante esse relato ousadamente objetivo, a atenção do juiz desprendeu-se da platéia. Seu olhar agora está fixo no texto de novo; os espectadores que imaginem a cena imoral que ele acaba de apresentar.

— O réu, que é arquiteto, não foi ao trabalho na sexta-feira, dezenove de janeiro. Ficou no bangalô, sozinho, o dia inteiro. Em algum momento entre as dezoito e trinta e as dezenove horas — ele não se lembra de ter consultado o relógio, e o jardineiro, a única testemunha de que ele esteve na casa, pois o viu voltar de lá, não tem relógio —, nesse período o réu saiu do bangalô, deu comida a seu cão e atravessou o jardim, indo até a casa. Lá, estando a porta do jardim aberta tal como na noite da véspera, ele viu Jespersen deitado no sofá, tomando um drinque. Jespersen fez pouco do incidente da véspera, enfatizando o contexto fraternal em que os moradores do domicílio comunitário situavam as práticas sexuais da casa, e convidou o réu a beber com ele. —

Não, não, ele não deu comida ao cão *a caminho da casa*, foi isso que ele deu a entender do modo como falou; foi para dar comida ao cão, e não para ir à casa, que ele saiu do bangalô! Isso não é um mero detalhe! Pode ser vital! O juiz os decepcionou, traiu a confiança que lhe foi precariamente estendida. Claudia e Khulu se dão conta de que uma súbita agitação apossou-se de Harald, mas não sabem qual a sua origem. Claudia vira-se para Khulu, que assume uma expressão de equilíbrio tenso: talvez Harald tenha se dado conta por um momento do significado do que está acontecendo ali, no lugar onde ele está. A arma, é disso que o juiz está falando agora. Ele, Khulu, já manuseou aquela arma, passou-a de uma mão para a outra, uma ou duas vezes, sim.

— A arma da casa, que havia sido exibida para fins de demonstração a um dos convidados da véspera, que estava pensando em comprar uma arma, havia sido deixada numa mesa. Com ela, o réu atirou na cabeça de Jespersen, ainda deitado. O tiro foi fatal. No caminho de volta para o bangalô, o réu largou a arma no jardim, sendo observado por Petrus Ntuli, ajudante de bombeiro que fazia serviços ocasionais de jardinagem na propriedade em troca do direito de ocupar uma cabana lá existente. David Baker e Nkululeko Dladla chegaram em casa pouco depois e encontraram o cadáver. Correram até o bangalô para dar a notícia ao acusado, mas, por mais que eles o chamassem ou batessem na porta, ninguém respondia, o que os levou a concluir que não havia ninguém lá. Chamaram a polícia, que, dando uma busca no jardim, encontrou Petrus Ntuli, o qual afirmou que o réu estava no bangalô e que ele, Ntuli, vira-o jogar no chão alguma coisa quando ia da casa ao bangalô. A polícia encontrou a arma, conseguiu entrar no bangalô, prendeu o réu e levou-o à delegacia para interrogá-lo. Ele foi acusado de assassinato. A arma, a Prova nº 1, contém suas impressões digitais. —

São esses os fatos — mas e os motivos que o levaram a sair do bangalô, e a *intenção*, o cachorro! O cachorro!

— Nenhum desses fatos foi contestado pela defesa. Levando isso em conta, o que eu e os assessores tivemos de decidir ao formular o julgamento foi a validade da tese de inimputabilidade penal não patológica e temporária levantada pela defesa em nome do réu. Digo, excepcionalmente, "em nome do réu", embora seja óbvio que o advogado de defesa fala por definição em nome do réu, porque neste caso o réu não se valeu do direito de defender-se com veemência.

Ele nega que tenha passado a sexta-feira no bangalô ruminando um plano de vingança contra a vítima. Afirmou o réu, em seu depoimento: "Vingar-me de quê? Eu não sou proprietário de nenhum dos dois, eles são livres para fazer o que quiserem" — desse modo defendendo-se *indiretamente* da acusação de ter premeditado seu crime, porém sem enfatizar a responsabilidade que teve o casal ao ferir brutalmente seus sentimentos; ele descreve suas reações naquela noite como algo gerado por ele próprio, em seu interior, sem atribuir culpa aos dois. Quando lhe foi perguntado se ele havia pensado em qualquer acusação, ou ao menos em uma iniciativa, contra o casal como forma de vingança, ele respondeu: "A única coisa de que eu me lembrava — com relação à cena que eu vira, dos dois lá — era [...] uma desintegração de tudo, nojo de mim mesmo, de todo mundo".

Do mesmo modo, ele também não faz nenhuma negação *categórica*, expressa com veemência, da hipótese de ter ele, ao atravessar o jardim e caminhar em direção da casa na tarde de sexta-feira, a intenção de enfrentar Jespersen. Ele limitou-se a oferecer a este tribunal a seguinte afirmação oblíqua: "Eu dei por mim no jardim [...] Eu não queria conversar com ninguém [...] acho que pensei que tinha de ir de novo ao lugar onde eu tinha ficado, à porta da sala". Ele refere-se à noite da véspera, quando encontrou o casal. Segundo a interpretação da defesa, essa afirmativa indica que ele não conseguia acreditar que o que tinha visto na casa naquela noite de fato acontecera; sentiu então necessidade de voltar, como se para confirmar o cenário. Unanimemente, consideramos essa interpretação aceitável. A alegação da acusação de que o réu passou a sexta-feira, dezenove de janeiro, premeditando uma vingança contra a vítima não é confirmada nem pelo conteúdo do depoimento do réu nem pelo seu modo de expressão, que pareceu àqueles que, como eu e meus assessores, já aprenderam a reconhecer o tom e o timbre da mentira, ter as características da verdade. —

Uma nova tensão — a esperança — se apossa dos três. Harald e Claudia enrijecem, com medo de se soltar em qualquer contato. É tão inesperado esse sinal de compreensão da parte de quem está julgando Duncan, nada de contraditório que possa ser lido em seus lábios — será mesmo normal tal empatia com o acusado ser manifestada no decorrer de um julgamento? Como saber? Não podem perguntar à única pessoa que poderia responder-lhes: Motsamai, que está inacessível ao lado de seu cliente. Harald ouve a respiração acelerada de Claudia, cujo coração bate disparado. O filho deles não é louco, e também não é um mentiroso. O que ele diz (e seu corpo não o contradiz) tem as características da verdade. Se Motsamai, Hamilton, pudesse dar alguma resposta — a verdade tem peso? A verdade pode mesmo salvar?

E enquanto essas perguntas se avultam, eles de repente despencam outra vez. O que o juiz está dizendo agora? Motsamai, *Hamilton*! Será o julgamento um jogo com um único participante, em que o jogador se desafia a si próprio, se diverte dando pesos diferentes às conclusões, ora fazendo pender um dos pratos da famosa balança, ora o outro?

— Porém a ausência de premeditação não implica uma subseqüente inimputabilidade penal na perpetração do crime, na série de atos pelos quais o crime é cometido *na ocasião*. Se aceitamos que o réu foi do bangalô à casa para convencer-se de que o que viu no sofá da sala na véspera de fato havia ocorrido, apenas para olhar mais uma vez para a cena (o juiz parece desconcentrar-se por um momento, tendo sua atenção desviada por alguma questão de sua vida pessoal que veio à tona, mas talvez a pausa seja apenas para criar um efeito, ele é um profissional, todos eles são profissionais, os assessores, as equipes de acusação e defesa)... o que ele de fato viu foi Jespersen, deitado no mesmo sofá. Seguem-se provas convincentes, confirmadas tanto pela psiquiatra da acusação quanto pelo da defesa, de um segundo choque profundo, a indignação com o insensível pressuposto de Jespersen de que o que acontecera na véspera diante dos olhos do réu era uma trivialidade, que podia ser deixada de lado com um drinque e uma conversa de homem para homem. —

Como o rápido abraço trocado por promotor e advogado de defesa nos corredores, deixando de lado a cena no tribunal em que um está condenando um homem enquanto o outro o defende. Mas Harald sabe que ele deveria ser a última pessoa do mundo a sentir-se desiludida pela ética profissional; a desilusão, uma vez iniciada, ali naquele lugar, terminou levando-o a questionar sua própria ética.

— Não é necessário que haja qualquer preparação de premeditação para que uma determinação consciente e racional de vingar-se seja subitamente despertada num momento como esse. O meio de vingança, em tais circunstâncias, costuma ser alguma forma de ataque físico, com as mãos nuas ou qualquer coisa que possa servir como arma. Por infelicidade, uma arma letal, um revólver, era aceito com naturalidade como objeto doméstico naquele domicílio, e estava no momento largada sobre a mesa da sala. —

Como seguir esses meandros, a rápida meia-volta da argumentação desse homem à medida que ele retrocede e avança, seguindo seu texto, reconquistando-lhes a confiança; o desespero de semi-apreender a direção em que seu raciocínio está se encaminhando, para perder-se de repente, como se a atenção tivesse se distraído, de modo desastroso, por alguns segundos preciosos — qual o significado, qual a ordem exata das palavras que constituem a pista a ser seguida para depreender a formação de um veredicto? Cada um deles se perde e se sente impaciente e ansioso por saber se o outro pegou o que está faltando, e no entanto não pode arriscar-se a desviar a atenção com uma pergunta cochichada.

— Porém o réu poderia ter atacado com as mãos nuas; em vez disso, ele optou por pegar a arma e dar um tiro na cabeça de Jespersen. Declarou ele em juízo: "O barulho parou". O que ele não queria ouvir da boca de Jespersen foi silenciado por meio da vingança mais forte de todas, o ato de tirar a vida de um semelhante. —

Não é um mentiroso, mas um assassino.

Claudia se dá conta de que toda a sua vida sempre esteve caminhando em direção a esse momento. Todas as ambições que ela ingenuamente decidiu que iria realizar, quando menina, todas as intenções de dedicar-se ao ofício de curar que manifestou em sua idade adulta — tudo caminhava para isso. O fim é inimaginável; se o conhecêssemos desde o início, jamais teríamos começado.

— Segundo o relatório médico-legal, o tiro foi dirigido com precisão a um ponto vital, a testa, o que é coerente com um ato deliberado. Se isso significa que uma determinada série de atos teve de ser realizada *conscientemente* no sentido de fazer pontaria e atirar, como afirma a acusação, ou se, como argumenta a defesa, na mão de uma pessoa que sabe usar uma arma a preparação necessária para fazer o disparo se dá de modo automático, sem volição consciente, é agora a questão crucial de que dependem a tese da imputabilidade penal, afirmada pela acusação, ou de inimputabilidade penal não patológica e temporária, proposta pela defesa, levando-se em conta as provas periciais e todos os fatos do caso, incluindo-se não apenas a natureza dos atos do réu durante o período imediatamente relevante para o crime, mas também as circunstâncias que o precederam no histórico pessoal do réu. —

Aquele labirinto retumbante de orações chega a estontear. Até mesmo o limite máximo da atenção, a prece, desemboca em becos sem saída, recai em premissas que parecem ter sido o ponto de partida. Durante passagens como aquela, os espectadores se remexem, inquietos. Todos os prós e contras não lhes dizem respeito; eles aguardam o recomeço da narrativa; um julgamento é tudo o que resta da tradição oral em torno da fogueira; eles estão aqui para ouvir uma história emocionante.

A história recomeça, que bom, é sobre o rapaz que eles puderam examinar, seu rosto, seus gestos (o que o juiz chama de "modo de expressão"), no banco das testemunhas. É a história de um assassino.

— Tanto a psiquiatra da acusação quanto o da defesa afirmam que a inteligência do réu é elevada, sua capacidade de julgamento é sólida. Trata-se de um jovem profissional liberal de boa família, com uma carreira aparentemente promissora a sua frente. Não há por que questionar a afirmação da defesa de que nada no comportamento do réu, em toda a sua vida adulta, seria condizente com a perpetração de um ato violento. Um dos membros do domicílio comum, Nkululeko Dladla, afirma, a respeito do réu: "Matar não é da natureza dele". —

E lá está ele, o tal Dladla, sentado ao lado dos pais do assassino, ali mesmo. As pessoas se viram para olhar para ele: é como se ele próprio tivesse falado, um negro grandalhão que exibe como se fossem condecorações as insígnias do gay, os anéis e colares. Harald e Claudia sentem-se comovidos ouvindo o juiz citar Khulu e honrados por serem identificados dentro do foco de atenção centrado nele; enquanto isso, Khulu esfrega as costas do punho sob o queixo, como costuma fazer, eles já perceberam, quando quer enfatizar algo que disse com seu jeito tranqüilo.

Ah, mas escute isso, Harald e Claudia estão dizendo ao mesmo tempo, sem palavras, um ao outro, no momento em que a narrativa do juiz dá mais uma guinada imprevista, escute só!

— De fato, é uma evidência de que a natureza do réu, muito pelo contrário, é no sentido de salvar vidas. O acusado conheceu Natalie quando ela havia tentado o suicídio, e ela própria admite que ele salvou-lhe a vida. Depois que começaram a viver juntos, ele a salvou de novo do suicídio. Embora o réu fosse apaixonado por ela, a relação não era feliz, o que foi confirmado não apenas pela própria Natalie, mas também por Dladla. Tudo indica que ela não sentia gratidão pelo réu por ter ele salvado sua vida. Quando lhe foi perguntado por que a relação escolhida por ela e o réu não era feliz, ela respondeu a este tribunal: "A minha vida pertencia a ele, porque ele me levou para o hospital". Sua atitude em relação a ele, como deixou claro o interrogatório realizado pela defesa, era de ressentimento, o que dá credibilidade à afirmação de Dladla segundo a qual o réu "era muito paciente com ela [...] como [...] com um doente", e ela fazia "o diabo com ele". Ela o provocava na presença de outros moradores. A atitude de indiferença, se não de desafio, com que ela disse ao tribunal que o filho que está esperando pode ser da vítima ou do réu, parece ser um exemplo particularmente malicioso do tipo de provocação que ela dirige ao homem que a ama e que está sendo julgado por um crime passional cuja causa principal, se não a única, decorre dos atos dela. —

O juiz sabe tudo. Ele é o vigário do deus da justiça, tal como o sacerdote é o vigário de Deus; ele é informado de tudo o que é confessado no tribunal, onde testemunhas e peritos e réu dizem coisas que Harald e Claudia jamais ficariam sabendo. Esse conhecimento é a base da justiça, não é? Saber tudo é perdoar tudo? Não, isso é uma falácia. O homem está morto, com um tiro na cabeça. Está enterrado aqui, nesta cidade cuja justiça atua neste tribunal. Mas saber tudo: o juiz não vai se deixar levar pelas pressões de uma sociedade irada por retribuição — sendo o representante da sociedade o promotor —, não é? Ele está preocupado com o destino do indivíduo também. Motsamai deve estar pensando — o quê? A esperança: impossível reprimi-la. Duncan; mas de certo modo é uma invasão tentar imaginar o que ele deve estar pensando, sentindo. Como se a vítima do sacrifício, ungida in extremis, estivesse afastada do contágio dos contatos humanos, esses contatos que ele levou até o último, o mais terrível grau, o ato de matar alguém. Mas esperança — poderá a esperança deles chegar até seu filho?

— Infelizmente, não é da competência deste tribunal pedir que uma testemunha seja submetida a um exame psiquiátrico. — E agora o juiz permitiu-se um sarcasmo, mais um aparte para os que forem capazes de captá-lo.

Alguém contém um riso áspero. Está fora de lugar, mas provavelmente é algo que o juiz já esperava da parte do público.

— Assim sendo, é difícil verificar a tese da defesa, de que o *grau* de tensão a que esta jovem conseguiu submeter seu amante paciente e dedicado foi suficiente para levá-lo a cometer um crime em estado de inimputabilidade penal. Há provas de que

Natalie tivera outras aventuras sexuais passageiras durante o período em que viveu com o réu como amante, e ele as havia perdoado ou ao menos tolerado. Por que, então, se não tivesse sido finalmente reduzido por ela a um estado em que ele não era responsável por seus atos, o réu não teria perdoado ou tolerado mais uma traição?

Precisamos agora levar em conta as circunstâncias especiais *desta* aventura sexual em particular. O tribunal foi informado pelo próprio réu de que o que ele viu aquela noite, após a festa, não foi apenas a sua amante, Natalie, tendo relações sexuais com outro homem; o homem em questão era Carl Jespersen, um homossexual que havia ele próprio se tornado amante do réu e depois terminado com ele, e que repetidas vezes afirmara sentir repulsa sexual pelas mulheres. O réu não revelou a este tribunal quais seus sentimentos com relação à atual amante e ao ex-amante, que interpretação ele dá ao papel, desempenhado por Jespersen, que lhe parecera inconcebível este jamais vir a representar. O psiquiatra da defesa tem a opinião de que "quando ele (o réu) a viu tendo relações sexuais com seu ex-amante, sentiu-se emasculado por ambos". —

O silêncio é uma grande mão aberta sobre o tribunal.

De súbito, as pessoas que ocupam os bancos da platéia não são mais estranhas; sua concupiscência é sufocada, tal como o riso foi sufocado antes; sua presença em torno dos pais daquele homem é protetora.

— O tribunal concorda que "matar não é da natureza dele".

Mas o que o réu viu naquele ato, e o que ele encontrou na atitude da vítima na noite seguinte, certamente não foi uma atitude que se espere dos relacionamentos humanos, nem mesmo onde vigora a mais livre moralidade sexual. Dadas essas circunstâncias excepcionais do que, não fosse por elas, poderia não ter passado de mais um incidente lamentável num relacionamento muito problemático, a psiquiatra da acusação afirma que, se o réu tivesse agido em estado de capacidade diminuída, incapaz de se dar conta de que seu comportamento era errado, ele teria atacado a vítima no momento exato em que pegou em flagrante o casal. A psiquiatra manifesta a opinião de que o réu foi à casa no dia seguinte com intenção consciente de vingar-se, movido pelo ciúme, uma intenção elaborada durante um dia inteiro de premeditação solitária no bangalô. Quando lhe foi perguntado se ela queria dizer que o réu tinha intenção de matar Jespersen, a psiquiatra respondeu que não tinha como saber a que extremos a intenção do réu poderia levá-lo.

Isso leva o tribunal a focalizar a atenção na questão da arma mantida à mão na casa: teria o réu em mente, em sua intenção consciente, o fato de que a arma estava disponível, uma vez que ele admite que a viu sendo exibida na sala na noite da véspera? —

O juiz levanta a vista, com uma expressão de quem está tendo uma conversa normal, mas sua platéia está hipnotizada.

— O psiquiatra convocado pela defesa afirma que o réu foi levado a um estado em que se dissociou do que estava fazendo, ao ver Jespersen na noite de dezenove de janeiro. Segundo ele, quando a vítima disse "Por que você não toma alguma coisa?", essa atitude constituiu um segundo golpe equivalente ao recebido na véspera. Segundo sua opinião profissional, "um golpe emocional terrível é tão impactante quanto um golpe físico dado na cabeça". Afirma também: "Com o impacto dessas últimas palavras que ele (o réu) se lembra de ter ouvido Jespersen dizer, ele entrou num estado de automatismo em que as inibições se desintegraram. [...] O acúmulo de provocações [...] chegou ao auge com a total perda de controle da parte do sujeito".

Isso levantou mais uma vez a questão da natureza e do grau de provocação acumulada aceitável como estresse emocional grave, proposto pela defesa como justificativa para a inimputabilidade penal não patológica e temporária do réu. O psiquiatra afirmou — cito suas palavras — que o réu "é um homem de natureza bissexual. Isso por si só já é uma fonte de conflito de personalidade. Ele havia sofrido emocionalmente quando seguiu seus instintos homoeróticos e teve uma relação amorosa que seu parceiro, Jespersen, não levava a sério e interrompeu sem qualquer motivo. Ele conseguiu dominar a infelicidade causada pela rejeição e voltou-se para o outro lado de sua natureza, o lado provavelmente predominante, formando uma ligação heterossexual pela qual, mais uma vez, assumiu uma responsabilidade séria. Mais ainda, por se tratar de uma relação com uma personalidade claramente neurótica, com complexas tendências autodestrutivas, de modo que, quando ele frustrava o que a ela parecia ser o direito de entregar-se a tais tendências, ela o punia com acusações e agressões mentais". A conclusão desta avaliação, que já citei antes, foi que, quando o réu a viu tendo relações sexuais com seu ex-amante, ele sentiu-se emasculado por ambos. —

Claudia sente que Khulu levanta os braços e os solta em seguida. Do outro lado, o perfil de Harald é o de Duncan, mas a ordem de semelhança está invertida; ela é dominada por um sentimento de confusão. Vê a sua frente o rosto de um paciente que ela indicou para uma cirurgia que deve se realizar hoje; é um fragmento do arquivo médico que é a sua vida emergindo de súbito em sua mente. *Eu e meus assessores*, o que é que a voz está dizendo...

— Eu e meus assessores, naturalmente, temos de examinar com cuidado os depoimentos dos psiquiatras, e dar-lhes o valor devido. Porém, como já afirmou o tribunal mais elevado deste país, a ciência deles não é absoluta, e sim empírica. Os psiquiatras se fundamentam no que lhes foi dito pelo réu, muitas vezes sem fazer uma análise crítica dessas afirmações com o fim de determinar se elas foram ou não ditas com intenção de se autoproteger. Eu e meus assessores também somos capazes de interpretar as provas como um todo, apresentadas diante de nós, quanto à questão de ter ou não havido imputabilidade penal. Ainda que o psiquiatra da defesa seja da opinião de que não houve imputabilidade penal, e muito embora a psiquiatra da acusação, ainda que com certa relutância, tenha feito certas concessões em termos de nossa lei, temos o direito de tirar nossas próprias conclusões. Julgamos que o histórico pessoal do réu de estresse emocional prolongado é um fato; mas será isso o bastante? —

Tão confiante no controle que exerce sobre a vida deles dois, a sua e a de Claudia. Primeiro colocaram-se nas mãos de Motsamai; agora estão em poder desse homem que pergunta: mas será isso o bastante? O poder é onipotente. Só Duncan poderia responder.

— Já identificamos os aspectos decisivos do caso.

Em primeiro lugar: teria sido uma premeditação ditada pelo sentimento de vingança que se apossou do réu durante o dia que ele passou a sós no bangalô, e como conseqüência dela ele foi à casa com intenção de encontrar Jespersen e lhe causar alguma lesão física?

Em segundo lugar: tenha ou não havido tal intenção, quando o réu pegou a arma e atirou em Jespersen, ele estava num estado de automatismo em que as inibições desintegraram-se e houve total perda de controle?

Quanto à primeira questão, eu e meu douto assessor, o senhor Abrahamse, advogado, temos a opinião de que não houve premeditação de vingança por lesão física, com base na ausência de dissimulação no depoimento do réu e no fato de que, em primeiro lugar, sabe-se que ele não tinha consigo qualquer arma quando saiu do bangalô; e, em segundo lugar, que, embora a arma da casa não fosse guardada num lugar seguro, porém apenas numa gaveta num quarto, seria razoável supor-se que, quando a sala foi arrumada após a festa, ela não teria sido largada na mesa. Meu douto assessor, o senhor Conroy, um magistrado experiente, defende a opinião minoritária de que houve premeditação, com base no pressuposto razoável de que o auto-encarceramento solitário no bangalô é forte indício de tal coisa.

Quanto à segunda questão, o tribunal deliberou com muito cuidado a respeito dos elementos contraditórios entre a única testemunha do *crime em si* de que dispomos — o próprio réu, além da existência do cadáver da vítima — e as diversas interpretações de seu ato que foram apresentadas perante este tribunal. O réu afirma que não viu a arma ao entrar na sala e que não saberia dizer quando foi que se deu conta de sua presença. Porém ele admite que pôde pegá-la, e de fato o fez. Diz ele que não tomou "nenhuma decisão"; não obstante, ele disparou a arma. —

O olhar erguido é uma acusação dirigida a eles, os pais e o amigo do assassino, embora o juiz provavelmente nem saiba onde eles estão em meio a todos aqueles rostos; mas eles aceitam que são os alvos daquele olhar.

— Resta alguma dúvida quanto à questão de se o réu sabia ou não que a arma estava carregada. Se ele não sabia — embora seja razoável supor o contrário, já que no decorrer da festa ele teria assistido a uma demonstração — e ele foi obrigado a abri-la para verificar se estava ou não carregada, certamente a vítima teria tido tempo de perceber qual era a intenção do réu e poderia ter tomado alguma medida, pulando do sofá para defender-se. Assim, também permanece duvidoso o argumento de que é possível verificar se uma arma está carregada ou não, travada ou não, e em seguida fazer pontaria na cabeça de uma vítima quando não se é um atirador competente e se está num estado de incapacidade de assumir uma atitude dolosa, o que é uma das definições de ausência de imputabilidade penal. O réu admitiu que a arma, a qual ele sabia usar, era, não obstante, "a única que já usei". A utilização de um objeto, quando não é habitual, costuma exigir atenção consciente, por mais simples que seja a ação a ser realizada. —

A proteção que pairava sobre eles foi retirada; todos voltaram a ser espectadores, impacientes e entediados com todos esses sins e nãos e talvezes e não obstantes. O sentido contido na frase seguinte do juiz, cuidadosamente articulada sem o menor sinal daquela entonação histriônica que soou como um alerta em alguns de seus pronunciamentos, não satisfaz nenhuma expectativa.

— Portanto, a opinião a que chegamos, eu e meus assessores, é que, embora o crime tenha sido cometido sob estresse extremo, foi um ato consciente pelo qual o réu tem imputabilidade penal. —

Até mesmo Harald e Claudia, que o tempo todo estão equilibrando, em sua concentração intensa, o sim e o não daquele discurso labiríntico — ah, se fosse possível distanciar-se o bastante, sentir-se protegidos o bastante, para sentir-se entediados —, passam por um momento de perplexidade até conseguirem traduzir aquela afirmativa seca de opinião equilibrada como o bater do martelo do veredicto. Por que prosseguir, por que ele continua falando, ele já pegou a arma *dele* e atacou com ela, mirando bem no coração. Nosso filho não é louco. Duncan, você ouviu, entendeu bem?

Mas o homem continua a falar. Ele tantaliza, ele não consegue se dar por satisfeito com o que disse, tem de fazer aquilo de novo. Levantar esperanças.

— O tribunal dá toda a importância a certos fatores atenuantes, ainda que o réu não tenha demonstrado remorso pelo crime que cometeu. Em primeiro lugar, ele não levava consigo nenhuma arma quando foi à casa. Em segundo lugar, ele não poderia adivinhar que a vítima estaria deitada no exato sofá em que o ato sexual havia ocorrido na véspera, diante de seus olhos. Em terceiro lugar, a arma estava na sala *por acaso*, sobre a mesa. Se lá não estivesse, o réu provavelmente teria xingado a vítima, talvez até o agredisse com as mãos, como é costume ocorrer com amantes traídos de um tipo... ou de ambos. —

Agora o juiz parece afastar-se de seu texto, acusar o público e a si próprio, as ruas e os condomínios e as favelas em torno dos tribunais e dos corredores, a multidão de que ele se considera parte, apertando-se contra o palácio da justiça penetrado. — Mas essa é a tragédia de nosso tempo, uma tragédia que se repete a cada dia, a cada noite, nesta cidade, no nosso país. Como objeto de uso doméstico nas casas, carregada no bolso junto com as chaves do carro, até nas mochilas das crianças, sempre bem à mão em circunstâncias que podem levar a uma tragédia, a arma *por acaso* está presente. —

Khulu sacode a cabeça com veemência, apesar de seu autocontrole, mas para Harald o judiciário apenas fez um pequeno sermão, só isso. Qual a relevância dessas palavras em relação ao que vai ser feito com meu filho, que, como todo mundo, sempre respirou violência, junto com fumaça de cigarro?

O juiz recupera o autocontrole.

— A arma estava lá. O réu, com sua volição, usou-a para um fim letal.

O veredicto unânime do tribunal é que Duncan Peter Lindgard é culpado, com circunstâncias atenuantes, do assassinato de Carl Jespersen.

Proponho que o pronunciamento da sentença seja adiado até as dez horas de amanhã. —

As pessoas assistiram à justiça sendo feita. Agora sentem-se envergonhadas por terem observado com curiosidade o casal com quem uma coisa terrível aconteceu; mantêm distância, abrem caminho, cutucando-se de leve para que possam passar Harald e Claudia e aquele negro gay, aquele *moffie*, a testemunha. O olhar de Claudia cruza com o de um estranho; ele abaixa a cabeça.

Um choque emocional tem a força de um golpe na cabeça. Mas este veredicto não é um choque; é a concretização do medo que vem sido contido — com dificuldade — há muitas semanas, e que nos últimos dias, neste lugar, tem chegado cada vez mais perto, mais perto que os estranhos que os cercam; esperando a hora de ser lançado sobre Harald e Claudia. No torvelinho de policiais, advogados, funcionários recolhendo a documentação que serviu de base à justiça, é difícil encontrar Duncan. Ele não está ali? Ele jamais esteve ali, jamais. Nada disso poderia ter acontecido com o filho deles.

Às dez da manhã, todos se levantam quando o juiz entra no tribunal. Papéis deslizam um sob o outro; o sol que entra pelas janelas que dão para o leste atravessa suas orelhas proeminentes. Ele é um ícone que desalojou aqueles a quem Harald dirigia suas preces no passado.

Pelo visto, é de praxe que promotor e advogado de defesa travem um breve duelo a respeito da questão da sentença, como se ela já não estivesse estampada nos papéis que o juiz tem em suas mãos, que parecem bocas entreabertas prestes a dizer o que calam seus lábios apertados. O promotor reitera com ênfase os fatos que extraiu do réu em seu interrogatório; não há nada de ambíguo num caso em que os fatos são anunciados pelo réu, que acusa a si próprio. — O senhor afirmou, meritíssimo, que ele não manifestou remorso; ora, um homem que não demonstra remorso também demonstra que, independentemente de ter ou não cometido o assassinato de modo consciente, trata-se de um ato *que ele de fato desejou que ocorresse*. Ele não se arrepende porque a morte do homem que o desprezou como amante e que depois tornou-se amante de sua companheira é algo que ele desejou *e que foi de fato realizado*. O réu que não se defende é o indivíduo que desse modo aceita que seu crime é mesmo seu, e portanto não pode haver atenuantes no caso. Esperar uma atenuação da sentença em acréscimo às circunstâncias atenuantes já concedidas por este tribunal nos levaria a questionar o exemplo, a mensagem que nossos tribunais estariam dando à sociedade com tal leniência. Vossa Excelência referiu-se ao clima de violência que predomina em nosso país como motivo de grande preocupação. Um crime gerado na coabitação de pessoas como o réu e os outros moradores, seus companheiros, numa casa onde não era observado nenhum dos padrões aceitáveis de ordem, quer no que diz respeito às relações sexuais, quer no que concerne aos cuidados a serem tomados com uma arma de fogo — se um crime assim for encarado com leniência, for minimizado, isso não seria manifestar uma tolerância perigosa com o que ameaça a segurança e a decência nas relações humanas em que se baseia a nova ordem deste país? Sim, a arma estava lá; o crime de vingança, motivado pelo ciúme, que foi com ela cometido não é de modo algum *desculpado* pelos seqüestros, estupros e assaltos, porém é, tal como eles, mais um crime causado pelo abuso da liberdade de quem faz suas próprias regras. É assim que tudo começa — quando se desafiam todos os padrões morais e se afirma uma permissividade total, como o fizeram o réu e seus amigos, o que levou à *permissão* de que um deles, o réu, assassinasse um de seus *amantes*. Não é necessário lembrar a este tribunal que se faz justiça à sociedade tanto quanto ao indivíduo acusado quando a sentença é proporcional ao mal que ele fez ao matar um indivíduo, e também à sociedade — ele, um jovem altamente privilegiado, um profissional liberal a quem a sociedade concedeu todas as vantagens — por participar do vale-tudo moral que abusa e ameaça essa sociedade. —

Hamilton Motsamai sorri quando se levanta. Seu corpo inclina-se ligeiramente no que talvez seja uma mesura em direção ao promotor. — Meritíssimo, o réu não está aqui para ser repreendido por uma comissão de moral pública, e sim para ser julgado por esta corte num caso de assassinato.

Com sua permissão, não há nenhuma acusação dirigida a ele como representante de um setor da sociedade.

Não pode o réu ser responsabilizado por estimular os assaltos, seqüestros e estupros tão lamentavelmente comuns neste tempo de transição de uma longa era de repressão, durante a qual a brutalidade do Estado ensinou violência a nosso povo antes que lhe fosse dada a opção da liberdade como modo de lidar com os problemas da existência. Peço-lhe, meritíssimo, desculpas por esta digressão...

O clima da violência, sim, é que é em grande parte responsável pelo ato cometido pelo réu; por causa desse clima, a arma estava lá. Estava largada na sala, como se fosse o gato da casa; na mesa, como se fosse um cinzeiro. Porém o réu não tem qualquer grau de responsabilidade pela violência *generalizada*; este tribunal aceitou provas inegáveis de que ele nunca antes havia exibido qualquer tendência violenta, e sabe Deus quantas ocasiões já haviam ocorrido em sua vida com aquela jovem em que era de se esperar que tal tendência se manifestasse. Ele era, isto sim, um cidadão que — para tomar uma expressão emprestada a meu douto colega — observava "padrões aceitáveis" da ordem social. Seu comportamento não justificava nem o seqüestro, nem o roubo, nem o estupro.

Somos levados a concluir que meu douto colega está ele próprio emitindo um juízo moral quanto às preferências sexuais, às atividades sexuais, em particular às atividades homossexuais, quando diz que o réu morava "numa casa onde nenhum dos padrões aceitáveis de ordem" era observado. Desse modo, ele coloca as relações sexuais no mesmo plano que o descaso com uma arma de fogo perigosa e mortal como exemplo de transgressão de tais padrões aceitáveis.

Meritíssimo, o réu não foi acusado de ter contatos homossexuais com um adulto que consentiu no ato; nem poderia, pois sob a nova constituição tais contatos são reconhecidos no âmbito do direito de escolha individual. As relações sexuais que existiam na casa em questão são, sim, compatíveis com os "padrões aceitáveis" vigentes em nosso país.

Este tribunal chegou à decisão majoritária de que o assassinato confessado pelo réu não foi premeditado. Embora encarando com o privilégio do ceticismo informado os depoimentos contraditórios dos psiquiatras, o tribunal chegou à opinião de que o crime foi cometido num estado de imputabilidade penal, e proclamou essa decisão. No entanto, permanece o fato de que, no decorrer do julgamento, ocorreu muita discussão em torno desse ponto vital, e a discussão, não há como não admitir, implica que um certo grau de dúvida, um ponto de interrogação, paira sobre essa questão. Essa dúvida merece ser levada a sério como algo que acentua a consideração de circunstâncias atenuantes concedida no julgamento.

Ah-hêh... Por fim — ao pedir que a sentença seja proporcional ao delito cometido pelo indivíduo, a acusação deve ter em mente a visão do castigo como reabilitação do indivíduo, e não como condenação de um suposto representante dos atuais males da sociedade, de modo que esse indivíduo devesse receber um castigo severo o bastante para condizer com a culpa coletiva. Nossa justiça suspendeu a pena capital; não devemos tentar substituí-la por preconceitos que atuam em acréscimo excessivo ao que é proporcional ao crime cometido pelo indivíduo, nas circunstâncias em que foi cometido. Os costumes de nossa sociedade encontram expressão na nossa constituição, e a nossa constituição é a lei mais elevada da nação. Meu douto colega da promotoria fala com a voz do passado. —

Então o juiz dá início a um preâmbulo de que ninguém se recordará de modo detalhado, porque toda a atenção está concentrada no que ele vai dizer em seguida: a palavra final.

— Ouvi com atenção os representantes da acusação e da defesa. Deve ficar claro para ambos que a sentença a ser aplicada a este caso por este tribunal não depende da moral social ou sexual do condenado. Minha função é impor uma sentença que seja justa tanto com a vítima quanto com o réu. Uma vida se perdeu. E, manifestando minha censura pelo descaso com que a arma em questão era mantida, ordeno que ela seja confiscada pelo Estado.

Embora haja circunstâncias incomuns e excepcionais neste caso, é preciso que a sentença tenha um efeito de dissuasão. O valor fundamental da vida humana é proclamado por nossa constituição. A questão da sentença é muito difícil; ela deve não apenas agir como dissuasão mas também exprimir um certo grau de clemência. Após considerações muito cuidadosas, condenamos o senhor, Duncan Peter Lindgard, a sete anos de prisão.

O julgamento está encerrado. —

A palavra final. Proclamada para o filho, para os pais, para a assembléia de representantes desses outros juízes, os habitantes da cidade.

Fim.

Uma descompressão, um relaxamento dos nervos, uma expiração após respirar fundo — como Harald expirou quando o mensageiro veio dizer que *aconteceu uma coisa terrível*: só que agora, ao completar-se o círculo, por assim dizer, ele expira de alívio. Fim.

Até mesmo nos momentos passados com ele, Duncan, naquele lugar embaixo da sala do tribunal, depois, quando todos os outros que haviam ficado ao redor deles e assistido ao julgamento, ao pronunciamento da sentença, sete anos, haviam saído do tribunal, passando por eles respeitosamente, o mensageiro Verster parando por um instante como se para falar, e não falando, uma outra pessoa — uma mulher — inclinando-se para dizer, rapidamente, Graças a Deus (alguém que sabia que poderia ter sido doze anos) — mesmo quando estavam com o filho, aquela estranha remissão. Os três, tímidos, carinhosos, trocavam as banalidades de quem se preocupa um com o outro, você está bem, mãe, sente aqui, pai. Motsamai estava lá — mais uma vez assumindo a persona de Hamilton, guiando os pais, o que seria deles sem Hamilton naquela última ocasião. A caminho, nos corredores, ele comentara, com a voz grave e o tom com que abordava, introduzia e enfrentava assuntos perigosos: — Tenho de dizer a vocês que tivemos muita, muita sorte. Vocês não imaginam. É a sentença mais suave possível. Em toda a minha experiência. O mínimo num caso como o de Duncan. Sete anos. Jamais conseguiríamos menos; era minha meta ambiciosa, mas nunca se sabe — mesmo quando o juiz é o que queremos — como vão ser os assessores. Porque eles às vezes! Ah-hêh. Rapaz! Se eles resolvem assumir em relação a um ponto vital uma posição contrária à do juiz! Ele tem de levar isso em conta... Pois bem, neste caso eles foram carneirinhos, verdadeiros carneirinhos atrás dele, só um balido ou outro, nê. — Agora era um esforço para ele conter seu entusiasmo e manter-se no mesmo nível contido dos dois, embora soubesse bem que as pessoas aturdidas pela provação de um julgamento cometem o erro de achar que o estado em que se encontram é uma espécie de tranqüilidade que não é bom perturbar. É nesse estado que ele já viu outros assassinos jurarem que vão se converter a uma religião. — Duncan não vai cumprir a pena inteira. Sem dúvida alguma. Bom comportamento, estudos etc. — imagino que você pode fazer pós-graduação na sua área, Duncan, é claro que pode. Ele vai estar livre quando estiver com — que idade você tem mesmo, Duncan, vinte e sete? — quando estiver com trinta e dois anos. Ainda vai estar jovem, é ou não é? Ele vai virar essa página. —

Hamilton também tem planos. Para eles era só o alívio, Duncan não é mais o alvo isolado no banco dos réus, eles não estão mais cercados de estranhos assistindo ao evento mais privado de suas vidas; sua consciência não se estende além disso, durante os vinte minutos, talvez meia hora, que passam com ele, nenhuma consciência desses limites e do que os aguarda além deles.

O advogado de defesa sabe a que emoções devastadoras os parentes e o réu recém-condenado estão sujeitos quando se encontram pela primeira vez, nessa nova situação, depois que tudo termina. Hamilton tem de controlar sua empatia, que existe lado a lado com sua satisfação profissional num caso extremamente difícil bem defendido por um dos melhores advogados disponíveis. Ele está ali para dar apoio, para ajudá-los a aceitar em si mesmos, entre eles e o advogado, a manifestação natural das emoções. Entre a sua gente (ele diria, em nossa cultura) a mãe estaria em prantos. Soluçando. E por que não. Mas essa pobre gente — aquela vigaristazinha tinha razão neste ponto — esses brancos de classe média que têm certeza de que seus códigos de comportamento são os mais avançados e livres, conseguem conter tudo nesta vida e se acham na obrigação de fazê-lo, com relação a todos! O filho deles, coitado, se meteu numa trapalhada que não foi encoberta. E os pais não sabem como se reage ao que está acontecendo com eles agora. Não manifestam emoção, apenas um mútuo afeto distanciado.

Esta mãe não chora. É só — inesperadamente — o pai que de repente se levanta da cadeira que lhe foi oferecida com tanta consideração e segura o filho pelos ombros. Um som curioso e feio, mistura de tosse com grito, como se ele estivesse engasgado, sai de sua garganta. A mulher, a médica, parece conseguir permanecer imóvel. Hamilton o deixa a sós neste momento, o momento dele. É só depois que ele se vira, um ricto seco no rosto, que Hamilton põe um braço em seu ombro.

Harald tinha olhado para Duncan em seu paletó calculadamente informal, suas calças cinza bem largas, a convenção de anticonvencionalismo que não despertara nenhum preconceito naquele juiz sofisticado, e se dera conta de que era a última vez que ele estaria usando aquelas roupas. Da próxima vez (e por sete anos) estaria com um uniforme de presidiário.

Fim.

Está começando.

Khulu estava esperando por eles na escada do tribunal. Foi com os dois em silêncio em direção ao estacionamento. Caminham com passos pesados, ruidosos, como prisioneiros. Motsamai — Hamilton concluiu sua tarefa, agora ele seria o intermediário entre Duncan e as autoridades carcerárias, porém não haveria mais muita necessidade de ele procurar os pais ou recebê-los, um advogado de sucesso é um homem ocupado. Ficaram parados um momento, junto ao carro. Claudia dirigiu-se a Khulu, falando pelos dois: — Não vamos perder o contato. —

A prisão é uma treva. Um interior. O interior do eu. Uma noite que não termina nunca, mesmo sob a luz áspera das lâmpadas fluorescentes no teto da cela. Treva mesmo quando, por entre as grades da janela que se alcança ficando em pé sobre a cama: a cidade tremulando de luz. Isso é expectativa. Isso é o que acabou. Nada a chamá-lo, nada a esperar.

Sou um trapo numa cerca de arame farpado. Você devia ter me deixado lá.

Uma carta de Natalie?

Sou um trapo
numa cerca de arame farpado
Você
devia ter me deixado lá

Não — carta dela coisa nenhuma; é algo que ela escreveu uma vez. Um dos pedaços de papel que ela largava para que ele o encontrasse em qualquer lugar, no painel do carro, ao lado da banheira. Afetação; comunicação.

Ela poderia ter se tornado escritora. A chama de vela. Poderiam ter sido a escritora, o arquiteto, o casal "criativo". A família de quatro, toda certinha: junto com a médica e o homem que arranja empréstimos para que os sem-teto tenham acesso à casa própria. *Acessível* — uma bela palavra para o nosso tempo, para designar aquilo que se pode obter sem correr riscos excessivos, a maneira como o nosso amigo Khulu consegue ser aceito: é acessível a homens brancos que o queiram levar para a cama.

Ela poderia ter se tornado escritora. Arranjar-lhe emprego numa agência publicitária, onde ela inventava mentiras sonoras e modernosas para que as pessoas comprassem coisas que era necessário convencê-las a comprar, a querer, na base da lavagem cerebral — isso foi trair essa possibilidade. Ela demonstrou o desprezo pela minha escolha fazendo uma coisa chocante em vez de usar palavras contra mim porque, por fim, para ela eu havia aviltado as *palavras*. Eu a havia calado.

E foi ele, e não ela, que acabei calando.

Sempre tentando conquistá-la fortalecendo sua autoconfiança (era isso), pensando que se a elogiasse, dissesse sempre como ela era inteligente —

Ela ria: Como é que você sabe se um cachorro é inteligente? Se ele obedece direitinho ao que você manda ele fazer!

O cheiro corpóreo da cidade, de urina e flores vendidas nas ruas. Ainda não é inverno. Nem mesmo o outono acabou completamente, lá na janela.

A pedra na extremidade.

O que é isso. Não é outra coisa dela, não. Não.

A pedra na extremidade do continente.

Cabo das Agulhas.

Foi com o Carl, lá. O mar tremeluzindo nos rasos quando a maré subia; rochas (Carl explica o significado da palavra portuguesa "agulhas", o homem do Norte que se diverte ensinando ao sulista o que ele tinha obrigação de saber a respeito de seu próprio país). Pedra ensangüentada de liquens. Era emocionante, eles dois, com o peso e a distância do continente às suas costas, sentados ali, na extremidade da existência. Quase ao alcance da raiva agressiva dos dois oceanos, onde duas correntes opostas entram em choque, Índico e Atlântico. Já ela — ah, foi em outro lugar, só no Índico, do qual ela foi arrancada e trazida à areia, para voltar a respirar. No Atlântico, foi com ele. Onde se encontram os dois oceanos, é fatal. Com Carl, chegou ao extremo de tudo. Quando aquilo aconteceu, alguém pegou a arma e deu-lhe um tiro na cabeça.

A pedra na extremidade.

Os que querem olho por olho, assassino por assassino; esses não vão deixar que se vire a página. Harald não sabe se, com base nessa convicção, da qual Claudia provavelmente — felizmente — nada sabe, ele deveria dizer: Talvez fosse bom ele ir trabalhar em outro país.

Algo tão terrível gerar uma coisa nova para conviver com a qual é necessário uma vida diferente, sem dúvida, da antiga? Este é o país deles, aqui, agora. Para Harald, uma nova relação com seu Deus, o Deus do sofrimento a que ele antes não tinha acesso. Claudia — ela saiu-se com uma que o fez mergulhar na desorientação que havia dentro dela, da qual ele não se dera conta.

A gente podia talvez tentar ter um filho.

Ela, uma médica, aos quarenta e cinco anos, se permitir recorrer a uma ilusão dessas... que esperança poderia haver de conceber um outro Duncan, com seu corpo.

Ainda não estou na menopausa.

O sofrimento dela o excitou, ele fez amor com ela assim mesmo, pela impossibilidade. Era a primeira vez desde o dia em que o mensageiro entrou no condomínio, e foi diferente de todas as vezes em que eles já haviam feito amor juntos, um ritual em que nenhum deles acreditava, encenado numa paixão dolorosa.

Os primeiros meses se passaram. Então as antigas rotinas começaram a envolvê-los, uma volta: os velhos contatos do dia-a-dia, o contexto de responsabilidades, rostos, documentos, decisões que afetam terceiros, receitar ou não este antídoto para aquela outra espécie de dor sentida por outra pessoa, se o aumento nas tarifas bancárias poderia ser contido sem se elevarem as prestações mensais dos empréstimos para aquisição de casa própria, decisões para as quais um homem assassinado num sofá, um julgamento, cinco ou sete anos, não eram relevantes. Nada mais a fazer por aquilo; nada mais a fazer por eles. A única diferença é, em vez das atividades de lazer comuns, a ida de carro a uma outra cidade, onde se cumprem as penas mais longas.

Um colega de trabalho convida Harald para almoçar. Ele acabou de recuperar-se de uma operação em que duas pontes de safena foram instaladas num coração engasgado com sangue espesso demais; e come os pratos mais pesados do cardápio. Parece uma espécie de demonstração: ele diz, sorrindo, a Harald: — A gente vai morrer mesmo. — Uma maneira delicada de referir-se à catástrofe, e de oferecer um consolo, todos sofrem de uma maneira ou outra, somos todos pessoas angustiadas.

Harald e Claudia voltam a freqüentar seu círculo, não há por que permanecer em contato com aquele domicílio comunitário, aquele bangalô certamente ocupado agora por novos moradores. Não se podia esperar que Baker, em cujo quarto a arma deveria ter ficado guardada, quisesse enfrentar naquela sala os pais do homem que assassinou seu amante, mesmo que eles tivessem tido coragem de ir lá. E Claudia nunca mais entrou no bangalô, desde o dia em que o mensageiro deu o seu recado. Os pertences do antigo morador foram levados para o condomínio por uma firma especializada. Talvez por consideração, os outros moradores do condomínio não reclamam com Harald e Claudia pela presença do cachorro, que é contra o regulamento.

Perderam contato com Khulu. Infelizmente. Assim como se perde contato com a pessoa que está separada do curso normal da existência, determinado há tanto tempo, assim também as circunstâncias do período de crise naquela vida gerou intimidades estranhas que não condizem com a necessidade de retomar o cotidiano, o único que se sabe viver. Não voltaram a ver Motsamai. Khulu visita Duncan — Duncan diz, ou melhor, menciona o fato de passagem, nos contatos que ocorrem num plano em que fica tacitamente acertado que se devem evitar certas referências e perguntas irrespondíveis, quando seus pais o visitam. Trocam-se notícias pessoais; pois Duncan agora tem notícias a dar também, terminou o projeto em que estava trabalhando, recebeu um relatório detalhado, favorável, preparado por seus colegas de trabalho (graças às boas relações entre Motsamai e o comandante da prisão). Na visita seguinte, ele comunica que obteve permissão para começar um curso de pós-graduação em planejamento urbano. E no mês seguinte a notícia — isso mesmo — é que ele está cuidando da saúde fazendo ginástica na sua cela, à noite e pela manhã. Ele faz os pais rirem um pouco quando lhes conta a respeito de sua academia improvisada.

Ele está com boa cara.

Ainda que de certo modo diferente da imagem que eles guardam dele, tal como algumas pessoas levam uma foto na carteira como documento de compromisso; o rosto está mais definido, mais duro, e os tendões que aparecem no pescoço, acima do colarinho do uniforme de prisão, são de um homem com mais de vinte e sete anos. Assim como, no tempo do colégio interno, havia uma imagem, um esboço na mente, que não correspondia exatamente ao menino que eles viam nas visitas ao colégio, que eles levavam para almoçar, quando era necessário ter uma conversa séria com ele.

Harald se dá conta de que, quando saem da prisão agora, é como no tempo em que o deixavam no colégio. O período de tempo que têm à frente, os impensáveis sete ou cinco anos, se reduzem a algo que pode ser compreendido.

Ele sabe que há uma pergunta sem resposta no olhar que os pais lhe dirigem cada vez que vão visitá-lo; uma pergunta que pede uma resposta. O juiz afirmou um fato, não fez uma pergunta: "Ele não manifestou remorso". Como é que eles podem saber, todos eles, o que a palavra designa. Como podem saber o que estão pensando, de que estão falando. Harald e Claudia, meus pobres pais, vocês querem que o filhinho de vocês chegue em casa chorando para dizer que está arrependido? Então tudo vai ser consertado, a vidraça que quebrei com uma bola? Vou voltar a ser um ser humano civilizado, para uma, e Deus vai me perdoar e purificar, para o outro? É isso que eles pensam que é esta coisa, o remorso?

Ele me trouxe um livro, quando eu estava aguardando o julgamento, acho que foi quando ele estava tão zangado, tão horrorizado que queria me acusar, me punir, mas havia no livro uma coisa que ele não sabia, não sabe, nunca vai saber. O trecho sobre o que cometeu e o que sofreu. "É absurdo que o assassino sobreviva ao assassinado. Eles dois, juntos, só eles — tão juntos quanto dois seres podem ser em um único relacionamento humano, um agindo, o outro sofrendo — compartilham um segredo que os une para sempre. Um pertence ao outro."

Os escritores são pessoas perigosas. Como é que um escritor sabe essas coisas? Só que nesse caso somos três, juntos, só nós três. No "relacionamento humano" — amor e tudo o mais — Carl agiu, eu sofri; eu agi, Natalie sofreu; e naquela noite, no sofá, os dois agiram e eu sofri. Nós pertencemos um ao outro.

Copiei aquela citação vez após vez, não sei quantas vezes; no meio da noite, de memória, eu a escrevia num pedaço de papel tal como ela rabiscava um verso de um poema, eu parava no meio de uma seção, quando estava trabalhando em meu projeto, e era obrigado a escrevê-la em outro lugar. Ele está morto, e ele e ela guardam um segredo que nos mantém juntos para sempre. Não há maneira melhor de exprimir o que aconteceu: ele está morto, eu não sei como peguei a arma e lhe dei um tiro na cabeça. Há uma outra passagem naquele livro, sobre o homem que realiza o ato. "Ele realizou seu desejo mais caro." Quando encontrei os dois daquele jeito, meu desejo mais caro — qual seria? Se soubesse o que eu queria, se o que eu via era a traição ou a consumação de nós três, e se por não poder ter o que eu queria, fosse lá o que fosse, meu desejo mais caro fosse realizado ao matar meu amante e o amante dela. Ele está morto, eu estou vivo, feliz, tal como todos eles — meus pais, Motsamai — por ter sido abolida a Pena de Morte. O assassino sobreviveu ao assassinado. Tente dizer isso aos meus juízes, o do tribunal e os da casa no condomínio. Isso não pode ser dito, só vivido, neste espaço hermético feito para isso. O que está lá fora, o que posso ver da janela de Tântalo quando subo na cama — lá fora, daqui a sete anos (cinco, Motsamai insiste), será deixado para trás? Será que o que morreu e eu não pertenceremos mais um ao outro? Eu devia perguntar isso a quem está na cadeia há muitos anos; nós não freqüentávamos o meio dos criminosos, nós lá da casa e do bangalô. Tantas coisas que não sabíamos, que não precisávamos nunca ficar sabendo. Nós três, Carl, morto, Natalie e eu vivos, Nastácia minha vítima e, como diz Khulu, Natalie minha torturadora, onde quer que ela esteja, pelo que fiz estaremos sempre juntos, quer ela saiba ou não, quer o que há em seu ventre seja ou não outro segredo.

O aparelho de CD está guardado na casa do condomínio, junto com outras coisas. Não haverá música nessas noites entre meus dias durante sete anos. A abertura estreita da janela mantém a vigilância quando o olho mágico da porta é fechado; que discípulo da arquitetura funcional terá imaginado aquela janela em forma de losango que se divide de modo tão simétrico em segmentos formados pelas grades verticais. A noite dividida em cinco fatias.

Não há CD, mas certos trechos de música eu ouço repetidamente, o *adagio* da sonata "Tempestade" de Beethoven e o *allegretto* de um improviso de Schubert. Naquele tempo, o tempo do cabo das Agulhas, nós íamos a concertos. Com ele, não era só Brubeck e aquele outro jazzista, como é mesmo o nome dele? A vítima tinha uma coleção de discos, Penderecki e Stockhausen também. Ouvindo música que se forma na sua cabeça, que está ali sem nenhum modo de reprodução — como? como? — com o correr das horas a gente começa a entender o que é a música. É uma das maneiras — apenas uma das maneiras — de selecionar uma ordem, montar uma ordem, a partir do caos original. Com ela eu ouvia Beethoven e Schubert sozinho, com fones; é mais ou menos a mesma coisa agora. Ela não queria ouvir; entendo que não era por ela precisar que eu a ensinasse a gostar de música etc. Era porque ela estava em rebelião contra o princípio da ordem; em qualquer coisa, em tudo, é por isso que ela nunca terminava os poemas.

Tem de haver uma maneira.

É claro que se eu "confessasse" tudo isso a Motsamai ele começaria a trabalhar com a idéia de remorso e talvez até conseguisse — é mesmo incrível a dedicação dele aos clientes — me tirar da cadeia antes do tempo que ele me convenceu a esperar. Mas então tudo isso que eu vivo seria tirado de mim; eu não suportaria, sem isso, este espaço feito para este fim.

O Juízo Final do Tribunal Constitucional declarou a inconstitucionalidade da Pena de Morte. O tom firme e suave do juiz-presidente exibe a confiança de um homem a quem, enquanto ele anuncia a decisão a que chegou após meses em que se pesaram escrupulosamente as conclusões de um painel de pensadores independentes, foi concedida uma graça. Há na justiça uma serenidade.

Se a decisão fosse a de que o Estado teria mais uma vez o direito de cobrar uma vida por uma vida, seria tarde demais para decretar que Duncan seria enforcado de manhã cedo em Pretória. Ele já estaria protegido por sua pena: sete anos. No entanto, a notícia faz com que ela trema visivelmente; ele segura suas duas mãos para acalmá-la, e para acalmar a si próprio. A pena mais terrível contida pela moratória era a ameaça de que ela ainda existia — na legislação; até mesmo Motsamai dissera isso. E, enquanto existisse, seria sempre, para o ato cometido por seu filho numa noite de sexta, o que poderia ser cobrado. Assim, é um desafogo, um alívio, um vestígio curioso, como a felicidade; estranho ser possível sentir algo assim. Duncan continua onde está.

Harald e Claudia resolveram viajar. Viagem de férias. É constrangedor admitir isso a Duncan, no parlatório. Ele diz: Já era tempo de vocês relaxarem um pouco! Faz quanto tempo mesmo?

Mas evitemos esse assunto; a última viagem de férias foi antes, no tempo em que havia uma sístole e uma diástole se alternando regularmente entre trabalho e recompensa. Muitos meses se passaram para Duncan onde ele está e para eles do lado de fora.

Vão ao cabo. — Você não esteve uma vez no cabo das Agulhas? Você acha que a gente vai gostar? —

— É a extremidade do continente — diz ele, em homenagem.

— Ou então Hermanus. Mas a gente preferia ir a um lugar diferente. —

Aonde quer que eles tenham ido, de avião, de carro, o mundo que os atraía era belo. Ele estava numa cela, e uma criança miserável cobria a cabeça com os braços e dormia nas ruas da Cidade do Cabo, à sombra da montanha eterna que dava vontade de viver para sempre, tal como ela. O que, visto de um carro em movimento, parecia um depósito de lixo urbano, era uma superfície ampla e plana de tábuas, zinco, plástico e gente reduzida a detritos sob um céu gloriosamente colorido, uma ave cósmica, cirros dourados por uma luz que vinha de uma distância de bilhões de quilômetros. Uma noite esplêndida estremecia trovões, com raios disparando em todas as direções. O mar sereno cobria igualmente destroços putrefatos de antigos naufrágios e poluição recente com um brilho de cor luminosa, oferecendo repouso aos peitos das gaivotas. Dava a impressão de que era possível caminhar sobre aquelas águas;

não admira que Harald seja capaz de acreditar que tal coisa tenha acontecido uma vez.

Sinais de vida, em tudo, apesar de tudo. A sombra do avião, uma grande borboleta passando sobre o verde, e campos carregados de espigas, e deserto lilás. De uma janela, luzes de um vale à noite coruscando, para atrair, atrair. Claudia começou a ter a sensação de que ela e Harald estavam à espera de algum sinal, o sinal que faria a vida tocar para a frente, que iria tirá-los da regressão em que haviam se refugiado, esboçando gestos vazios, suas vozes a ecoar ocupando o que não tinha mais significado. Ela tentou pensar nisso em termos práticos: talvez eles devessem sair do condomínio, já que suas vidas não estavam mais lá. Talvez fosse bom eles se mudarem.

Seria uma equipe de profissionais de mudança, com suas caixas e caminhões, capaz de fazer uma mudança assim? E, afinal, todos os pertences guardados de Duncan que vieram do bangalô junto com tudo o mais não seriam entregues, descarregados, e cercariam Harald e a ela na nova casa?

Motsamai fez com que a firma mandasse a Duncan partes de seus projetos. Ele nunca viu por completo o projeto para o qual desenhava certas projeções verticais, horizontais e laterais, vistas de norte e sul, leste e oeste. Porém às vezes pensava que seu trabalho já se concretizara: a estrutura daquela cela era sua realização, projetada para as especificações de sua vida.

Harald e Claudia não se mudaram. No início do verão, havia uma mensagem na secretária eletrônica quando Harald, como acontecia com muita freqüência, chegou em casa antes de Claudia. Reconheceu a voz de imediato: a voz grave e africana, o tom informal de Khulu. Como é que vocês estão? Estou há um bom tempo pensando em visitar vocês. Mas, sabe como é, o tempo passa, e de qualquer modo o Duncan sempre me dá notícias de vocês.

Claudia não quis telefonar para aquela casa. Harald compreendeu: Baker poderia atender. Lembrou-se do nome do jornal para o qual ele lhes disse, naquela vez em que foram os três a um café no intervalo do julgamento, que fazia a maior parte de suas reportagens. Harald mandou sua secretária ligar para lá várias vezes, sem sucesso, e assim deixou um recado lá.

Ele/ela. Uma chamada da guarita, numa noite em que não estavam esperando ninguém. Claudia foi atender, desta vez. Khulu anunciou-se. Quando ele chegou à porta da casa, os dois foram recebê-lo, com a intensa sensação de um prazer negado por não tê-lo procurado meses atrás, eles próprios. Khulu abraçou-os um por um, com aqueles braços pesados. A animação encheu a sala, enquanto Harald pegava as bebidas, e Khulu disse: — Claudia, tem pão? Alguma coisa, fruta? Passei o dia inteiro trabalhando numa reportagem, não comi nada! —

Agora havia um rapaz para quem Claudia precisava trazer comida. Ela ia e vinha com frios, queijo, chutney e pão, e Harald trouxe a fruteira. Khulu comia com um prazer desatento enquanto falava sobre as mudanças dos proprietários dos jornais desde que um grupo fora adquirido por negros. Este fato inspirava-lhe orgulho, mas ele não acreditava que isso viria a ter um impacto positivo sobre sua carreira, como Claudia achava; Harald levantou a mão, um gesto ditado pela experiência em questões de poder financeiro, as rivalidades que ocorrem nas diretorias quando mudam as bundas que ocupam as cadeiras. Houve risos diante dessa desinibida manifestação de compreensão, tornada possível pela atmosfera trazida por aquela visita.

Mas Khulu também era um mensageiro. Depois que empurrou para o lado o prato cheio de cascas de banana e virou-se na cadeira com um copo de cerveja na mão, deu o seu recado.

— O Duncan quer que vocês façam alguma coisa a respeito da criança. Se não é dele, é do Carl. Por isso, o Duncan... —

Duncan acaba de entrar na sala, na casa. O cachorro, que dormia ao lado da cadeira de Harald, poderia até levantar-se para saudar a porta vazia.

Ninguém fala, e então Khulu bebe um gole de cerveja. Empurra para o lado a fruteira de modo a abrir espaço para o copo. — Por isso o Duncan quer. —

Ele/ela.

— O que é que a gente pode fazer? —

Harald lembra-se muito bem: — Aquela moça não vai deixar que ninguém chegue perto da criança! Ela disse no tribunal. O filho é *dela*. —

— O Duncan não concorda. —

— O que é que ele quer — exames de sangue? Quer que o Motsamai veja isso? E para quê? Para provar que o filho é dele e tirá-lo da mãe? Para onde? Para quem? Se ele conseguir, quem é que vai passar sete anos cuidando da criança? Sete anos, talvez cinco anos de idade, quando ele finalmente. —

— Acho que não é isso que o Duncan quer. —

— Então não entendo. Qual é a idéia dele? Será que ele está perdendo o senso da realidade, lá naquela cela? Depois de tudo o que aconteceu com ele, tudo por que ele passou, revirar essa história, envolver mais uma geração. —

— Espere, Harald. —

— Como dizer — acho que ele não quer tirar a criança dela, não. De jeito nenhum! Exames de sangue, nada disso. Esse tipo de coisa que vai para a primeira página dos tablóides sensacionalistas. Vocês sabem que o Duncan é um cara cheio de idéias, ele tem lá as concepções dele sobre, como é que se diz, a paternidade. —

— Nem se sabe se a criança já nasceu. Ou se havia mesmo uma criança. Já tive pacientes com o tipo de vida dela com gravidez histérica. O Duncan pode estar se preocupando à toa. —

— A criança está aqui, tem mais ou menos um mês de idade. —

Harald fica parado, olhando para Claudia, até que ela diz, como se já soubesse: — Menino ou menina? —

— Menino. —

— Então o que você acha que o Duncan quer dizer? — Harald tenta se obrigar a pensar nisso como uma proposta a ser colocada sobre a mesa, entre a fruteira e o copo de cerveja sujo de espuma. — Dinheiro? —

— Não exatamente, mas isso também, é claro, um bebê precisa de mil coisas, imagino. Uma espécie de apoio a ela, ver se ela tem condição de tomar conta da criança direito. —

— Nós nem sabemos onde ela está. —

— Eu sei como encontrá-la. —

Talvez a moça esteja escondida em algum lugar com seu bebê, isolada do mundo, e não saiba que os homens, Duncan e Khulu, estão atrás dela; para Claudia, que já assistiu a tantos nascimentos, houve um momento de posse pura como esse, quando ela acabou de ter seu filho, um momento que ela julgava ter esquecido havia muito tempo. — Talvez o melhor fosse o Duncan deixá-la em paz. —

Os dois homens entendem mal o que Claudia quer dizer; entendem que ela, rancorosa, não quer que dêem à moça nenhum dinheiro, apoio, não tenham nenhum contato, não ajudem a ela e àquele filho de origem duvidosa.

Khulu delicadamente repete a expressão da vontade de Duncan. — Eu sei onde encontrá-la. —

Na família.

Isso é uma questão entre eles, os três na casa do condomínio. Naquela noite, ao se despedirem, a intimidade do tribunal foi recuperada.

Khulu Dladla sabe, por sua vez, que estes dois para quem o fato de ele ser negro e gay não o impede de ser como um filho para eles — bem, eles são brancos, afinal, e o que os horroriza é a possibilidade de que o dever de pais de seu filho os obrigue a assumir eles próprios a guarda da criança. Já entre a sua gente, imagine se alguém seria capaz de hesitar por um segundo que fosse! O lugar de uma criança, qualquer que seja a dúvida quanto a sua origem, é junto com a família.

Uma mulher de quarenta e sete anos não pode conceber. Mas há uma criança assim mesmo.

A criança é conseguida por meio do escritório do advogado Hamilton Motsamai; a única condição que Harald e Claudia tiveram coragem de impor a Duncan foi que as negociações fossem feitas por Hamilton, sem contato pessoal com eles. Duncan aceita, que seja como eles querem, sorri como se deixasse seu pai, bom leitor como ele, escolher os livros para ele, e também não faz nenhuma demonstração de gratidão. Tudo de repente tornou-se muito simples entre eles; por quê? Harald se pergunta se ele tem visto a moça, se Natalie/Nastácia também freqüenta o parlatório. Ou se manda cartas, poemas. Não se pode perguntar. Mas ele conseguiu recorrer aos pais em qualquer situação, até mesmo essa questão da criança. Eles estão sempre a seu lado.

Talvez com o tempo — até mesmo cinco anos é muita coisa — eles vejam a criança; Hamilton está confiante, como sempre; ele vai conseguir dobrá-la, tal como conseguiu fazê-la condenar-se com seu próprio depoimento, ele vai dar um jeito de obter "acesso", como ele diz. Vão conhecer o menino. Levá-lo à casa no condomínio, vê-lo brincar com o cachorro.

E Duncan?

Duncan obteve permissão para trabalhar na biblioteca da prisão, além de levar adiante seus estudos na cela. Não é lá essas coisas a biblioteca, no que diz respeito aos livros que ele e Harald têm necessidade de ler; as obras que são perigosas e indispensáveis, que revelavam ao leitor quem ele é. A biblioteca não é muito utilizada. Os prisioneiros condenados a longas sentenças que ocupam as celas próximas à sua levaram, em sua maioria, vidas de ação e não de contemplação; na violência, a dele como a deles, está a fuga do eu. Quem mata o outro está tentando matar o eu que inferniza sua vida. Assim, apenas os brutos permanecem vivos, enjaulados: a maioria desses homens são terríveis, cheios de um ódio que transborda em resmungos, punhos sempre prestes a golpear de novo, mãos incapazes de lidar com esses objetos frágeis, encadernação e papel, que lhes poderiam oferecer a única liberdade que existe entre estes muros.

Quem é que decide o que é e o que não é adequado para

ser lido por criminosos, provavelmente com base no critério de que não se deve oferecer a eles nada que desperte as paixões que já explodiram e destruíram? Reabilitação. Muito livro religioso; como se a religião nunca tivesse despertado paixões assassinas, e ainda não o estivesse fazendo hoje, além desses muros. Manuais de auto-ajuda que quase nunca ninguém pega para ler: Contabilidade Sem Mestre, sistemas para uma vida que não conhece o caos. Mas em meio a uma pilha de romances policiais em brochura (por que motivo julgam que os prisioneiros vão se interessar por assassinatos fictícios se eles mataram de verdade?) — em meio a esses livros, de lombada rachada, como se o que há neles para ser encontrado tivesse de ser obtido quebrando-os como cocos, ou forçando-os como ostras, há alguns livros de verdade, sabe Deus como foram parar ali. Talvez depois que a pessoa sai, quando termina de cumprir a pena, seja praxe doar seus livros a alguém que certamente há de vir depois. Eu às vezes encontro algo para ler. Tem uma tradução da Odisséia com traças que bateram as botas entre as páginas. Só conheço esse livro célebre, equiparado à Bíblia, de segunda mão, citações em outros livros; se Harald já leu, nunca conseguiu fazer com que eu me interessasse por ele. A arquitetura grega antiga — isso sim, tinha mais a ver com os meus estudos, e além disso também arranho um pouco de mitologia. Édipo arrancou os próprios olhos por causa do crime que cometeu. É pouco mais que isso. Mas agora tem uma coisa para mim, uma coisa que estava esperando por mim, neste lugar, pelo meu tempo. Tempo para ler e reler. "Assim falando, mirou uma seta afiada em Antínoo [...]/ que então levava aos lábios uma linda taça de ouro,/ a inclinar a taça de duas asas contra os lábios,/ prestes a beber o vinho — e a morte era a derradeira idéia/ a ocorrer ao pretendente: quem imaginaria que um único inimigo/ naquela multidão de comensais, por poderoso que fosse,/ poderia lhe trazer a morte, um fado infausto?/ Mas Odisseu apontou e atingiu Antínoo na garganta/ e a ponta atravessou-lhe as carnes macias, saindo do outro lado —/ e para o lado ele pendeu, a taça caindo-lhe das mãos/ quando a seta encontrou o alvo." E Odisseu gritando aos outros homens que cercavam Penélope: "Cães! [...]/ tão confiantes que [...] faziam a corte à minha mulher/ por minhas costas, quando eu ainda era vivo!".

O momento em que você estende a mão para fazer a coisa — o homem lá do hospício tinha razão, não me lembro daquele momento mas consigo recriá-lo, fui obrigado a recriá-lo; constatei que você pensa que é uma *descoberta*, uma coisa que você antes não sabia e agora sabe. Mas, não, a coisa sempre esteve aí, já foi descoberta vez após vez, desde sempre. Vez após vez, o que Odisseu, e o que Homero sabia, fosse ele quem fosse. A violência é uma repetição que a gente não consegue interromper; ah, eu olho para eles, meus irmãos — *Bra*, eles têm o direito de me considerar irmão, nós, comensais, que devoramos nossa própria carniça nesse lugar que é protegido só para nós — olho para eles quando estamos no pátio para exercitar os músculos, e eles ficam andando, arrastando os pés, dando voltas e voltas, voltas e voltas. Ainda não cheguei ao fim do livro, não sei como Odisseu recriou o que fez, que solução encontrou para si próprio. Arrancar os olhos. Apontar a arma para a sua própria cabeça.

Ou então jogar fora a arma, no jardim. Foi uma opção feita. É possível interromper a repetição simplesmente não praticando uma violência contra si próprio? Eu tenho esta vida, aqui dentro. Não dei a minha em troca da dele. Vou até sair daqui vivo, mais cedo ou mais tarde. O assassino não foi assassinado. Sorte minha — isso foi abolido a tempo. Mas tenho de achar uma solução. A morte de Carl e o filho de Natalie, penso num, depois no outro, depois num, depois no outro. Eles se fundem numa coisa só, para mim. Não importa se os outros vão conseguir entender isso ou não: Carl, Natalie/Nastácia e eu, nós três. Fui obrigado a encontrar uma maneira de juntar morte e vida.

Agradecimentos

O trecho de *O idiota* de Fedor Dostoievski (a partir da tradução de Constance Garnett) que aparece na página 64 e a citação de *A montanha mágica* de Thomas Mann (a partir da tradução de H. T. Lowe-Porter) na página 93 são utilizados com permissão da Random House, Londres. A citação da página 92 é de *A margem* de André Pieyre de Mandiarque (a partir da tradução de Richard Howard), e é utilizada com permissão da Calder Publications, Londres. O trecho de *Os sonâmbulos* de Hermann Broch (a partir da tradução de Willa e Edwin Muir) que aparece na página 178 é utilizado com permissão da Pantheon Books, Nova York. A passagem da *Odisséia* de Homero (a partir da tradução de Robert Fagle) citada nas páginas 351 e 352 é utilizada com permissão da Viking Penguin, Nova York.

ESTA OBRA FOI COMPOSTA PELO ACQUA ESTÚDIO EM ELECTRA, TEVE SEUS FILMES GERADOS NO BUREAU 34 E FOI IMPRESSA PELA HAMBURG DONNELLEY GRÁFICA EDITORA EM OFF-SET SOBRE PAPEL PÓLEN SOFT DA COMPANHIA SUZANO PARA A EDITORA SCHWARCZ EM MAIO DE 2000.